金陵全書
甲編·方志類·府志

景定建康志（三）

（宋）馬光祖　修
（宋）周應合　纂

南京出版社

景定建康志卷之二十六

承直郎宜差充江南東路安撫使司幹辦公事周應合修纂

官守志三 諸司寓治

總領所在行宫西南都酒務北紹興十一年建

國朝會要初命朝臣總領都督府宣撫司財賦其後收諸帥之兵以爲御前軍屯駐諸處皆置總領亦以朝臣爲之仍帶專一報發御前軍馬文字蓋又使之與聞軍政不獨職餉餽而已其序位在轉運副使之上内建康池州諸軍錢糧淮西總領掌之其官

屬有幹辦公事準備差遣（續有主管文字）有分差糧料院審計司（審計以通判兼）榷貨務都茶場　御前封樁甲仗庫大軍倉大軍庫贍軍酒庫市易抵當庫惠民藥局

紹興三年正月八日詔差戶部侍郎姚舜明前往建康府專一總領應干都督府錢物糧斛仍於都督府選差有風力諳曉錢穀四員充糧料院審計司監官都督府管下官兵等幇勘請給等並經由戶部糧審院依條批勘支給建康府榷貨務都茶場亦仰姚舜明提領○十一年五月四日詔以吳彥璋爲太府少

卿總領淮西江東軍馬錢糧專一報發　御前軍馬
文字諸軍不聽節制○十三年九月二十一日詔總
領淮西江東軍馬錢糧所屬官今後許戶部長貳太
府司農卿少通行薦舉○二十七年七月二十四日
總領淮西江東軍馬錢糧方師尹言比年州縣循習
不以軍餉爲念錢物椿發有累月而方起者糧斛轉
漕有經歲而始至者監司坐視略不經意乞擇監司
郡守尤違慢者按劾以聞重賜黜責從之○八月九
日詔今後總領司互舉改官之人並依憲漕等司舉

官磨勘從左司諫淩哲請也○三十一年三月一日總領淮西江東軍馬錢糧言江東所屯歲費緡錢近七百萬米以石計者近七十萬科撥雖有名期限雖有日官吏侵欺稽違監司守貳恬不加意乞將監司守貳以下弛慢尤甚者按劾重賜黜責其承行人吏即依無心力斷罷事理稍重者亦依條施行從之○三十二年四月二十七日　詔諸路大軍每遇招收到人並先具姓名報總領所每旬委總領官及都統制就本所或教場同共當官塡刺軍號其効用等不

刺手面之人亦令對衆審問投名月日詣實應干合
得衣物之類一面從總領所晝自當日並與按旬月
日兩季徑行幇勘支給具數申省部照會出豁科降
○乾道二年二月樞密院言已降指揮三衙招收軍
兵効用本軍申解樞密院令承旨司用等仗審驗人
才刺塡軍額在外屯駐軍委本路總領官依此其在
外諸軍並不解赴總領所止行關報姓名審驗預作
到軍月日放行請給無以關防　詔總領所照應三
衙招効用軍兵拍試格法指揮一體施行○二十八

日淮西江東總領楊倓等言乞將江東安撫司建康府都統司酒庫並撥付淮西總領所○五年三月六日淮西江東總領葉衡言準指揮差屬官前去廬州應副郭振修城官兵錢糧照得雖有幹辦公事二員內分一員專在池州軍前給納僉廳委是闕官深慮誤事欲乞依鄂州例更置幹辦公事準備差遣各一員　詔許辟差準備差遣一員○六年四月一日

詔淮東總領所併歸淮西總領所令沈复通領存留屬官一員鑄錢司可減罷併歸發運司存留幹辦

公事二員亦歸發運司閏五月五日中書門下省言
勘會淮東總領所廢併司名合行併入　詔以總領
兩淮浙西江東財賦軍馬錢糧所爲名十七日戶部
言總領兩淮浙西江東財賦軍馬錢糧所爲名合用
印記今欲以總領兩淮軍馬錢糧所印十字爲文將
兩所元印繳納庶幾歸一從之〇六月十七日戶部
言淮西總領沈复奏淮東總領所事務至繁正要稽
考出入及檢察糧審院批放緣淮西相去隔遠難以
革弊兼照得淮東僉廳從來不曾與務場倉庫干涉

今欲依倣池州例委自屬官管幹給納本部勘當欲
依所乞以戶部給納所爲名幷令總領所往來提督
施行從之○七年十月二十四日詔令建康府於
朝廷樁管會子內借撥五十萬貫應副淮西總領所
支遣却於元科馬軍司未到綱錢內拘收撥還依舊
樁管仍開具起發綱運最稽遲數多去處當職官職
位姓名申三省樞密院○八年四月十六日權尚書
戶部侍郎沈复言今後遇總領所官赴　行在奏事
淮東委守臣兼權淮西委漕臣兼權○景定二年

詔制總合爲一以沿江制置大使馬光祖兼淮西總領詳見題名

題名記

乾道庚寅冬銓備數起部亞卿識錢唐單公於民曹郎淳熙改元之春銓偶至秣陵公適總餉於此又獲過從越明年秋九月公謂銓題名有記古也而總領所獨闕其敬以請既辭不獲則敬對曰諾謹案唐史劉晏能總大體又領鹽鐵度支等使則總領云者其來尚矣於文總或爲緫義同字異書皆作總而詩多作緵春秋左氏與詩同周官載記及諸史與

書同然麼人總布則讀爲鼓儳之儳而漢宣紀總乃作綜許侍中說亦然又不可一槩論矣大要總之爲義如總權綱柄不下移如總名實官無妄授如總方略必一統類如總憲度必植風聲如總掇然靚謐無譁如總干然執持不橈此蓋命官之本意 國朝自紹興癸丑始設是官以蒞諸路軍實庚申夏又加專一報發 御前軍馬文字其任益重尋有 旨淮西江東依舊置司秣陵惟是重兵留戍倍於臨淄庚癸浩穰過於首山自非瓌傑出羣之才莫勝其任公下

軍之初視簿書棼如絲視繁冗髮暮如雲積弊搶攘一旦洗劍更革用人各因其材馭吏嚴而不苛會不逾時食足財阜政以辦閒而不擾雖管氏輕重李悝平糴洪羊均輸壽昌常平士安低昂未能遠過無幾何璽書自 天賜三品服赫然驚人復除大農 恩寵有加焉仰惟 聖上膺精責實名器不假嚴於獻狀公之遷也公論浩然稱允或問銓會貨必本於八政豐財必本於七德何也曰孟子不云乎無政事則財用不足是食貨以政爲本班固論易何以聚人曰

財必原於天地之大德是豐財以德爲本今焉貫朽粟蠹有若元光之間可以觀政矣士飽而歌馬騰於槽有若退之之詠可以觀德矣向來諸公袞袞登要津蓋繇此塗出吾知公去是而儀 天朝也有日矣噫晉城濮之師至盛也食闕而館楚軍之穀霍驃騎漢良將也餘肉而士有菜色史氏猶稱其能剏茲軍實之贏足以根本關中富彊河內以濟 大業而不刻之堅珉是大闕典遂書以識又閱籍得爲是職者二十有一人且併刻焉時閏九月丁卯龍圖閣學士

承議郎提舉江州太平興國宮胡銓記宣教郎充樞
密院編修官袁說友書

姚舜明　張成憲

宋棐　掌均

莫將

吳彥璋 右朝散郎太府少卿紹興十一年五月五日到十三年閏四月八日與淮東總領呂希常兩易

呂希常 右朝散郎司農少卿紹興十三年閏四月十五日到十四年六月二十二日磨勘轉朝請郎十八年七月二十六日磨勘轉朝奉大夫二十二年八月內轉朝

散大夫二十四年十月內致仕

宋晛 敷文閣直學士右宣奉大夫知建康府紹興二十四年十一月內兼權二十五年十一月二十日移知平江罷權

徐林 左朝散郎太府少卿紹興二十六年三月二日到二十七年四月十九日歸班

趙子潚 左朝散大夫尚書戶部郎中紹興二十七年五月十六日到八月內除直祕閣兩浙路轉運副使

方師尹 左奉議郎尚書金部員外郎紹興二十七年八月十一日到二十八年五月二日磨勘轉承議郎二十九年二月內除太府少卿三月內除尚書左司郎中

都絜 左朝散大夫尚書戶部郎中紹興三十年三月二十二日到三十一年十月二十四

日除司農少卿十一月十六日磨勘轉
朝請大夫三十二年正月廿七日歸班

李若川 右朝散大夫尚書戶部員外郎紹興三
十二年二月一日到是月七日磨勘轉
朝請大夫三月二十九日陞郎中隆興
二年五月七日改除尚書右司郎中又
除司農
少卿

楊倓 左朝請大夫司農少卿隆興二年六月九
日到乾道元年二月六日除司農卿十月
十一日因職事修舉轉朝議大夫二年
七月一日磨勘轉中奉大夫二十五日
除敷文閣待制自陳便
親八月五日提舉佑神觀

司馬伋 右朝散郎尚書戶部員外郎乾道二年
八月二十五日到十月十五日丁憂

葉衡 左朝奉郎太府寺丞乾道二年十一月二
十五日到二十七日因前任知常州軍器

賞特轉朝散郎三年正月四日磨勘轉
朝請郎七月七日除尚書戶部員外郎
五年三月十四日除太府少卿六年
正月十六日除權尚書戶部侍郎

沈复 左朝請郎太府少卿乾道六年二月十四
日到四月一日通領淮東總領二十二日
兼發運副使閏五月二十五日因前任
玉牒成書特轉朝奉大夫八月二十四
日改除湖
廣總領

張松 右中奉大夫直顯謨閣江東轉運副使乾
道六年九月一日兼權兩淮總領十一月
十一日除太府少卿兩淮總領兼發運
副使十二月三十日復置淮東總領罷
通領七年四月四日除落所帶發運副
使六月除直顯謨閣提舉台州崇道觀

査籥 左朝散郎太府少卿乾道七年六
月九日到七月十八日改知鎮江

周闕右朝散郎尚書戶部員外郎乾道七年八月二十三日到八年二月二十九日陞郎中五月十一日歸班

滕嶠右朝請郎尚書戶部員外郎乾道八年五月二十四日到七月二十一日改除直■閣湖北轉運副使

單夔右奉議郎尚書戶部員外郎乾道八年八月十四日到九年七月六日除司農少卿淳熙元年正月三日磨勘轉承議郎二年正月十八日賜紫章服三月十二日除司農卿三年正月一日被 旨奏事十五日除權尚書戶部侍郎

蓋經奉議郎司農寺丞兼權戶部郎官淳熙三年二月七日到任當年十月二十六日因日歷所進書準 告轉承議郎行丞■年五月十二日因實錄院進書轉朝奉

郎十月三日除戶部郎官六年三月十
三日除太府少卿四月二十六日因日
歷所進書轉朝散郎六月七日因提領
酒庫轉朝請郎八月二日除權尚書戶
部侍
郎

葉宏 朝奉郎守太府少卿淳熙六年八月二十
二日到任當年十二月二日磨勘轉朝散
郎九年七月
十四日能

韓彥質 朝請大夫太府少卿淳熙九年八月初
一日到任當年十二月十八日磨勘轉
奉直大夫十年五月二十九日被
旨奏事除太府卿兼知臨安府

蔡戡 朝奉郎守太府少卿淳熙十年七月十八
日到任準指揮與湖廣總領趙汝誼兩易

趙汝誼 朝請大夫太府少卿淳熙十年十一月
二十五日到任十二年九月二日準

告爲措置淮西屯田滅裂降授朝散大
夫十三年二月二十八日準告敘復
朝請大夫當年六月一日準告磨勘
轉朝議大夫當年閏七月十一日準
告特授試太府卿依前淮西總領
至淳熙十五年八月初八日致仕

張抑 朝奉郎太府少卿淳熙十五年九月初六
日到任十六年四月十四日　覃恩轉朝
散郎五月二十八日磨勘轉朝請郎
紹熙元年六月二十二日丁憂離任

錢端忠 朝議大夫尚書金部郎中紹熙元年八
月初一日到十二月十九日磨勘轉中
散大夫二年五月二十七日除司農少
卿三年正月十三日改除江南西路轉
運副
使

劉穎 朝請大夫司農少卿紹熙三年正月
二十三日到六月十八日丁母憂

鄭湜朝散郎尚書倉部員外郎紹熙三年九月
十五日到三年十一月二十六日磨勘轉
朝請郎五年三
月十七日歸班

趙師羿朝請大夫太府少卿紹熙五年三月十
五日到九月十五日　覃恩轉朝議大
夫五月十九日　明堂赦恩加封祥符
縣開國男食邑三百戶閏十月十七日
磨勘轉中奉大夫行太府少
卿慶元元年五月初七日罷

胡琢朝奉大夫試司農卿慶元元年六月二十
三日到二年三月十九日奉　聖旨令赴
行在
奏事

萬鍾中大夫守司農卿以江南東路轉運副使
除慶元二年七月十五日到任三年三月
十三日奉　聖旨除
祕閣修撰知鎮江府

楊文昺 朝散大夫行尚書戶部員外郎慶元三年四月二十七日到任四年五月十七日準 告特授太府少卿當年六月十八日準 告磨勘轉朝請大夫當月二十三日致仕

曾炎 朝散大夫尚書戶部郎中慶元四年七月二十三日到任五年六月十四日磨勘轉朝請大夫當年八月二十七日除直敷文閣福建路轉運副使

曾㮚 朝奉郎守尚書戶部郎中慶元五年八月二十八日到任六年閏二月十六日除守太府少卿依舊淮西總領當年六月一日磨勘轉朝散郎當年七月十三日因修慶元寬恤詔令轉朝請郎十二月初七日改除福建運副

韓亞卿 朝請大夫尚書戶部郎中慶元六年十二月二十一日到任續爲係 恭淑皇

后親屬特授朝議大夫及磨勘轉中奉
大夫嘉泰二年正月初九日除太府少
卿九月二十日
赴行在奏事
王補之朝請大夫試太府卿嘉泰二年九月二
十一日到任嘉泰三年十二月十一日
赴行在奏事
葉籈朝請郎守尚書戶部郎中嘉泰四年四月
一日到任開禧元年正月十九日召赴
行在奏事
商飛卿朝議大夫試司農卿開禧元年正月二
十日到任二年四月十一日除權戶部
侍郎依舊總領三年三月十三日除戶
部侍郎依舊總領四年四月十三日致仕
徐邦憲奉議郎守尚書戶部員外郎開禧三年
五月十七日到任嘉定元年二月十三

日召赴
行在奏事
李洪　以朝議大夫太府少卿嘉定元年二月十
四日到任嘉定二年二月二十六日依所
乞宫
觀
趙不懪　朝請大夫司農少卿嘉定二年五月初
四日到任嘉定三年六月十三日準
告授試司農卿依舊淮西總領嘉定
五年[redacted]月[redacted]日令赴行在奏事
胡榥　朝奉大夫尚書戶部郎中嘉定五年十一
月二十二日到任嘉定六年十月十七日
除司農少卿嘉定八年二月十八日磨
勘轉朝散大夫嘉定八年五月二十一
日除試司農卿嘉定九年閏七月五日
轉朝請大夫嘉定九年十二月二十八
日特轉奉直大夫嘉定十一年八月二
十六日轉磨勘轉朝議大夫十二年七月

十六日準　省劄
除職與州郡差遣

商碩　宣義郎太府寺丞兼權戶部郎官嘉定十
二年八月二十一日到任十四年四月初
三日告授戶部員外郎五月十三日
磨勘轉宣教郎六月二十五日　告以
前任淮南運判轉餉有勞特轉奉
議郎六月二十四日　告陞郎中

陳宗仁　朝奉郎江南東路轉運判官嘉定十五
年六月十三日兼權至十六年三月二
十六日　交割

李駿　朝散郎尚書戶部員外郎嘉定十六年三
月廿六日到十二月初四日磨勘轉朝請
郎十七年十月初十日　覃恩轉朝奉
大夫當月十五日陞郎中寶慶元年九
月廿五日除司農少卿十二月八日轉
朝散大夫二年九月二十一日轉朝請

大夫寶慶二
年十月宮觀

戴桷

承議郎尚書戶部員外郎寶慶二年十月
初十日到任三年閏五月初三日磨勘轉
朝奉郎紹定二年四月初四日除太府
少卿當年六月十四日磨勘轉朝散郎
三年四月初四日特轉朝請郎十一月
內丐祠二十三日除直煥章閣主管紹
興府千秋
鴻禧觀

楊紹雲

朝散大夫權尚書戶部侍郎紹定四年
二月初九日到任當年五月二十二日
因慶壽恩轉朝請大夫當年九月初
十日封烏程縣開國男食邑三百戶五
年四月初四日以酬賞轉朝議大夫六
月十三日磨勘轉中奉大夫當年九月
內準　敕差提舉安
慶府眞源萬壽宮

吴潛　朝散大夫太府少卿紹定五年九月十九日到任供交割權江東轉運司職事六年十二月五日準　省劄　召赴行在未起行間當月十七日準　省劄時暫兼權沿江制置使兼知建康府十八日準四省劄除太府卿依舊總領端平元年四月二十七日準　省劄除祕閣修撰樞密都承旨五月六日離任

蔡範

何元壽　中奉大夫祕閣修撰知太平州除行太府少卿淮西總領兼知本州嘉熙二年閏四月十三日就州交割職事六月十二日歸司嘉熙三年八月二十一日準告守太府卿依舊總領十一月六日替罷

李曾伯　朝散大夫行尚書戶部員外郎嘉熙三年十一月初六日到任嘉熙四年十月

十五日準　告以磨勘轉朝請大夫至
當年十一月二十五日奉　聖旨令赴
行在奏事續於十一月二十
九日除右司郎官得替離任

尤焴　朝奉大夫司農少卿兼淮西總領嘉熙四
年十二月二十六日交割職事淳祐二年
正月八日準　省劄時暫權管沿江淮
西制置留司建康府江東安撫司　行
宮留守司職事七月十八
日起　行在奏事離任

池聖夫

王熻　朝請郎尚書戶部員外郎淳祐五年五月
十二日到任七月十七日準　告磨勘轉
朝奉大夫六年閏四月初八日準　省
劄除左司郎官五月十八日得替離任

鄭霖

韓補 朝奉郎尚書戶部員外郎淳祐七年二月十七日交割職事五月準 告磨勘轉朝散郎併準 省劄兼督視行府參議官八年正月一日準 省劄除將作監二月初六日準 省劄令赴 奏事

陳綺 朝請郎尚書戶部員外郎淳祐八年四月二十九日交割八月磨勘轉朝奉大夫當月被 旨兼督視行府參議官九年五月除將作監十二月磨勘轉朝散大夫十年五月除司農少卿八月令赴 行在奏事

徐㮚 中散大夫行太府寺丞兼權戶部郎官淳祐十年十一月初三日交割職事十一年五月八日除戶部郎中淮東總領兼知鎮江府五月二十四日離任

呂好問 中奉大夫依舊將作監淮西總領淳祐十一年十月二十日交割職事淳祐十

二年二月八日準　省劄時暫兼權江
東路轉運判官當年五月十一日準
省劄除司農少卿依舊淮西
總領時暫兼權江東運判

馬光祖　中奉大夫守司農卿淮西總領寶祐元
年八月二十二日交割職事當年九月
空日　省劄暫權江東轉運司職事至
寶祐二年二月二十八日準　省劄奉
聖旨暫權江東轉運使司事當年十一
月十三日準十一月九日　省劄備奉
御筆除權戶部侍郎兼知臨安
府浙西安撫使日下前來供職

趙與弼　朝請郎司農卿淮西總領兼江東路運
判寶祐二年十二月初二日交割職事
至三年正月二十八日以前任删修敕
令該賞轉朝奉大夫試司農卿仍舊當
年七月十三日準　省劄時暫權建康
府留鑰職事九月十五日以磨勘轉朝

散大夫四年四月二十二日奉御筆
除權戶部侍郎依舊淮西總領兼江東
計度轉運副使五年正月一日奉聖
旨除右文殿修撰兩浙轉運副使日下
前來供職十七日續奉聖
旨除集英殿修撰職任依舊

余晦

中奉大夫依舊權戶部侍郎改除淮西總
領兼江東運副鄞縣開國男食邑三百戶
賜紫金魚袋寶祐五年四月十一日交
領職事至當年五月二十六日準告
命授中大夫差遣封如故當年七月二
十一日準告命授太中大夫差遣封
如故當年十二月二十日告命進封
鄞縣開國子加食邑二百戶當年十二
月二十一日三省同奉御筆除戶部
侍郎職任依舊至寶祐六年二月二日
準省劄奉聖旨除寶章閣待制知
潭州湖南安撫使至當年二月五日奉

御筆改知平江府
兼淮浙發運使

鄭羽　奉直大夫尚書戶部左曹郎中淮西總領
兼江東運判寶祐六年二月十八日交割
職事至七月二
十三日離任

倪垕　朝散大夫幹辦行在諸軍審計司於寶
祐六年七月二十二日到任權管兼江東
運判當日奉聖旨除太府寺丞仍舊
職八月二十一日準告磨勘轉朝請
大夫十一月二十一日準省劄奉
聖旨除戶部郎官淮西總領兼江東運
判十二月二十一日準告行尚書戶
部員外郎依舊職開慶元年正月二十
二日準省劄以左曹郎中繫銜正月
二十六日準省劄時暫兼權建康府
管幹沿江大使司留司事務二月二十
七日準二月空日省劄兼權提領江

淮茶鹽所五月二十八日準五月二十
二日省劄正兼茶鹽所六月九日準
告特轉朝議大夫九月二十八日準
省劄兼建康府制置留司職事當年[redacted]
月[redacted]日
離任

印應雷 朝奉郎守軍器監淮西總領兼江東運
判開慶元年十二月十三日到任景定
元年正月初二日準 省劄兼提領江
淮茶鹽所當年[redacted]月[redacted]日以磨勘準
告轉朝散郎至當年四月二十九日準
省劄備奉 聖旨除直煥章閣樞密院
副都
承旨

馬光祖 景定元年五月以資政殿大學士通奉
大夫沿江制置大使知建康府江東安
撫使 行宮
留守暫兼

轉運司在行宮西紹興八年建

國史志有使副使判官並以朝官以上充掌均調一道租稅以待邦國支費分巡所部以察官吏能否○舊制有計度轉運使副判官兩省五品以上任者爲都運使建炎以來逐路都轉運使除授不常唯使副判官常置○江南東路江南西路轉運使太平興國初分江南東西路後併爲一路置使副二員天禧四年復分爲兩路各置使一員○太平興國六年分遣朝臣爲江南轉運副使尋廢副使復爲轉運使禮部

郎中張去華爲之○嘉祐五年八月詔[redacted]運使之任所以寄耳目治財賦也江南東西去京師數千里而皆一轉運使領之處則無與參慮出則無與同力設有緩急之警調輸之煩機會一失民受其弊甚非豫慮先具之策也其各選置轉運判官一員○建炎三年十二月十八日江南東路轉運司言靖康元年勑贍學錢糧物帛田產皆係轉運司窠名拘收續準發運司拘收充轉般糴本未蒙撥還詔令轉運司拘收○四年五月二十七日三省言江南東西路既分

置三師其兩路轉運司難以仍舊分路差官欲併爲一司江南路都轉運司爲名今後差漕臣三員內一員爲都轉運使並通管應辦漕計有闕誤一等任責從之○紹興元年正月十日　詔江南路依舊分東西路各置轉運司見任漕臣依舊分路管幹職事

題名記 轉運之置雖昉於唐然第掌水陸之輸其黜陟按察猶別命使至　國朝始得刺舉一道吏之能否民之戚休獄訟錢穀無所不當問慶歷中歐陽文忠公爲河北都轉運使則又請與聞邊事以調軍儲

察將帥　仁宗因是從之然則重矣今江東亦邊
也地總九郡而治建業
天子南巡狩建業新立行幸之宮宿重師以控江淮
餽餉繁而道里舒故所謂轉運者視它路爲劇元吉
之濫官于此既踰年矣欲求前人名氏以質其居職
久近而碑志壞滅莫可蹤跡葢問諸故府開寳八年
江南輿地始上于職方以揚克讓知昇州寔兼轉運
事太平興國初遂以使[redacted]樊若冰六年張齊賢去華
相繼爲副旋又充使時踵害開元舊制分江南爲東

西路未幾復合天禧四年始定爲東西興國之三年也諸路置轉運判官未幾復省嘉祐五年又置之其間名卿賢大夫不能盡見建炎以來所盡見者則亦有其名氏而亡其官稱或存其官稱而逸其到罷懼益遠而不可攷故自建炎次第錄之得四十有八人夫以　朝廷置使之重一道將輸廉按之劇寖失其傳由吾不肖者而復焉則賢者之來其忍遽廢而不舉也乾道三年九月戊子潁川韓元吉記

李尙行　左朝散郎副使

王琮　左中奉大夫直顯謨閣副使

陳敏識 右朝散郎運判　黃子游 右朝散郎運判

劉景眞 右宣義郎運判　張滙 右朝散郎運判

向子諲 右朝請大夫直龍圖閣轉運使　張滙 右朝請郎直祕閣副使

朱巽 左朝奉郎運判　曾紆 右中奉大夫直寶文閣副使

郭康伯 右奉直大夫運判　俞俟 右朝請大夫運判

馬承家 右中奉大夫副使

唐閎 右朝請大夫運判紹興八年八月一日到任九年二月七日滿罷

沈昭遠 左朝散郎直祕閣副使紹興八年八月二十八日到十年八月二十八日滿罷

韓琨 右朝請大夫運判紹興九年七月八日到任十年三月三日致仕

張杲左朝請大夫運判紹興十年四月十四日到任十一年五月二十九日滿罷

陳敏識右朝請大夫副使紹興十年九月一日到任十一年十月六日罷

王晚右中大夫祕閣修撰副使紹興十一年七月二十四日到任十二年九月七日罷

章茇右朝議大夫運判紹興十一年十一月六日到任十四年正月十二日滿罷

黄敦書右中奉大夫直徽猷閣副使紹興十二年十一月十六到十四年十月十六罷

趙伯牛左朝奉大夫直祕閣副使紹興十四年到任

王禔右朝請大夫運判紹興十四年十月二十三日到任十七年八月七日滿罷

趙不弃右中奉大夫運判紹興十五年三月二十八日到任

林大聲左朝請大夫直祕閣副使紹興十六年四月二日到任

鄭僑年 右朝請大夫直祕閣運判紹興十七年八月二十八日到任

趙士粲 左朝請大夫運判紹興十八年六月十六日到任

王鑄 右朝請郎運判紹興二十一年九月二十七日到任

周石 右朝請大夫直祕閣副使紹興二十五年八月十七日到任

趙公智 右朝奉郎運判紹興二十五年十二月十四日到任

黃仁榮 右朝請大夫運判紹興二十六年正月二十日到任

葉義問 左朝請郎直祕閣運判紹興二十六年三月四日到任

周綰 左朝議大夫副使紹興二十六年五月二十九日到任

鄧根 左朝請大夫運判紹興二十七年十月十五日到任

徐度　左朝請郎運判紹興二十八年三月四日到任

李稙　右朝請大夫運判紹興二十九年三月二十三日到任

吳縣　右朝請大夫運判紹興二十九年四月二十三日到任

孟處義　左朝請大夫運判紹興三十年正月十三日到任

魏安行　左朝散大夫直敷文閣副使紹興三十年七月三日到任

李若川　右朝散大夫運判紹興三十一年四月八日到任

呂稽中　右朝請大夫運判紹興三十一年十月十一日到任

柳大節　右朝奉郎運判紹興三十一年十一月十八日到任

陳良弼　右朝請大夫運判紹興三十二年二月二日到任

向子忞 右奉直大夫副使紹興三十二年九月二十三日到任

薛良朋 左朝奉大夫副使隆興元年八月二十三日到任

黃瑀 左朝散郎副使隆興二年五月四日到任

沈樞 朝散郎直顯謨閣副使隆興二年五月十七日到任

葉仁 右奉直大夫運判隆興二年十月十八日到任

韓元吉 右朝奉郎直祕閣判官乾道一年八月一日到任

陳漢 右中奉大夫直敷文閣副使乾道二年十二月六日到任

趙彥端 左朝散郎直顯謨閣副使乾道三年十一月二日到任

王秬 右通直郎直寶文閣副使乾道四年十月初四日到任

黄石　左朝散郎直顯謨閣副使乾道五年十二月十八日到任

唐瑑　右朝請大夫充祕閣修撰副使乾道六年二月十九日到任

張松　右中奉大夫直顯謨閣副使乾道六年閏五月十七日到任

沈度　右朝散大夫直龍圖閣副使乾道六年十二月十五日到任

張維　左朝奉大夫直徽猷閣副使乾道七年六月二十六日到任

程大昌　左朝請郎直龍圖閣副使乾道七年八月二十六日到任

程叔達　左朝散大夫敷文閣副使乾道八年十一月十三日到任

呂正己　降授右朝散郎直敷文閣副使乾道九年七月初一日到任

楊師中　中奉大夫直祕閣運判乾道九年十二月二十八日到任

韓元龍　朝奉大夫直寶文閣副使淳熙元年十一月二十五日到任

胡堅常　朝請大夫直祕閣副使淳熙二年十二月二十九日到任

徐本中　朝奉大夫充集英殿修撰副使淳熙三年五月二十三日到任

顏度　朝奉郎直寶文閣副使淳熙四年十二月十三日到任

趙師夔　奉議郎直龍圖閣運判淳熙五年五月一日到任

王師愈　朝請郎運判淳熙五年十二月初十日到任

陳損　朝請大夫直寶文閣副使淳熙六年十一月十九日到任

徐本中　朝散郎充集英殿修撰副使淳熙七年十月二十八日到任

曾逢　朝請大夫權副使淳熙七年十一月二十三日到任

趙師夔 朝奉郎直龍圖閣副使淳熙九年六月十五日到任
蘇詡 朝散大夫祕閣修撰副使淳熙九年七月初五日到任
趙師揆 宣教郎直徽猷閣副使淳熙十一年四月初四日到任
顏度 朝奉大夫充祕閣修撰副使淳熙十一年九月二十七日到任十二年四月宮觀
朱安國 朝散郎運判淳熙十二年十二月二十九日到任十四年改差知廣州
沈揆 中大夫祕閣修撰運副淳熙十四年八月十七日到任十五年七月宮觀
錢象祖 朝奉大夫運判淳熙十五年八月二十四日到任十六年八月改差知婺州
薛叔似 承議郎運判淳熙十六年五月二十八日到任七月罷
林枏 朝請大夫直煥章閣運副紹熙元年正月初三日到任十二月內改知明州

楊萬里 中奉大夫直龍圖閣運副紹熙元年十二月二十六日到任三年八月改差

傅伯壽 朝請大夫運副紹熙三年十月二十六日到任五年九月改除折西提刑

彭椿年 朝請大夫直龍圖閣運副紹熙五年十一月初八日到任次年十二月宮觀

萬鍾 中大夫直龍圖閣副使慶元二年正月十一日到任七月改除司農卿淮西總領

耿延年 朝議大夫直顯謨閣運判慶元二年七月二十三日到任三年十二月知紹興

錢端忠 中大夫運副慶元四年正月二十八日到任十二月改差知平江府

韓亞卿 朝請大夫直華文閣運判慶元五年四月二十一日到任六年改除淮西總領

耿延年 中奉大夫充祕閣修撰副使慶元六年十二月二十一日到任嘉泰二年致仕

鄭㮚 朝議大夫直寶文閣運副嘉泰二年六月二十一日到任十二月致仕

趙公豫 中大夫充祕閣修撰運副嘉泰三年正月十二日到任十月宮觀

魯宜 朝議大夫直寶謨閣運判嘉泰三年十一月一日到任四年五月別與差遣

王閗禮 朝奉大夫運判嘉泰四年六月九日到任開禧二年五月宮觀

卓洵 朝奉大夫運判開禧二年六月二十六日到任三年三月解任

徐邦憲 奉議郎運判開禧三年三月二十二日到任五月改除戶部郎官淮西總領

鍾將之 朝請大夫運判開禧三年七月二十六日到任嘉定元年七月改除江西提刑

俞亨宗 朝請郎運判嘉定元年八月二十九日到任二年十月改除福建提刑

莊夏 朝散郎運判嘉定二年十一月十二日到任四年正月除尚右郎官

胡㴻 奉直大夫運判嘉定四年三月十二日到任五年二月改淮南漕三月致仕

孟猷 朝請大夫直龍圖閣運副嘉定五年七月二十三日到任六年四月宮觀

章良肱 承議郎運判嘉定六年六月十五日到任七年五月除金部郎官

真德秀 朝請郎祕閣修撰運副嘉定八年二月一日到任十二月除知泉州

俞建 朝奉大夫直寶謨閣運副嘉定十年六月五日到任十二年七月除金部郎中

岳珂 奉議郎運判嘉定十二年八月五日到任十四年八月除軍器監淮東總領

陳宗仁 承議郎運判嘉定十四年閏十二月二十七日到任十七年五月令赴奏事

巳壽邁 朝請大夫直煥章閣運副嘉定十七年六月十二日到任紹定元年四月赴召

江湛 朝散大夫運判紹定五年十月初十日到任端平元年三月放罷

高定子 中奉大夫直寶謨閣江東運判端平元年四月到任嘉熙元年正月赴召

唐璘　朝散郎直祕閣運判嘉熙元年四月十三日到任二年七月直華文閣知廣州

李曾伯　起復朝散郎尚書兵部員外郎運判嘉熙三年四月到任兼督視行府參議官

徐鹿卿　朝奉郎運判嘉熙四年十月二十一日到任五年七月五日除浙東提刑

孟㸃　朝請大夫直祕閣運判淳祐元年八月十三日到任續準省劄兼權太平州江東淮東茶鹽所三年[redacted]月日令赴行在奏事

鄧泳　太中大夫寶章閣待制知太平州兼江東運副提領江淮茶鹽所淳祐三年二月二十八日到任同提領安邊所四年三月除華文閣待制沿江副使知江州

何元壽　淳祐四年四月七日以中大夫右文殿修撰知太平州兼提領江淮茶鹽所兼江東副使同提領安邊所五年二月罷

丘岳 淳祐五年五月初一日以中奉大夫直顯謨閣知太平州兼提領江淮茶鹽所兼江東運判同提領安邊所八月改知江州沿江制置副使江西安撫使

陳塏 淳祐五年十月初九日以太中大夫集英殿修撰知太平州兼江東運副兼提領江東淮東茶鹽所同提領安邊所七年五月除戶部侍郎提領茶鹽所知太平州

趙希坙 以朝議大夫試禮部尚書督視行府參贊軍事兼江東運使淳熙七年六月九日到任九年閏二月除端明殿學士知建寧府

舒滋 以宣教郎直祕閣江東運判兼提領江淮茶鹽所尚書省財用所參詳官淳祐九年三月二十八日到任十一年十二月除直寶章閣知溫州

呂好問 中奉大夫依舊將作監淮西總領淳祐十一年十月到任十二年二月兼江東

運判五月十一日除司農少卿
依舊淮西總領兼江東運判

馬光祖 中奉大夫守司農卿淮西總領寶祐元
年九月暫權江東運司事二年十一月
除權戶部侍郎兼知臨安府浙西安撫
使日下前來供職

趙與𥲅 朝請郎司農卿淮西總領兼江東路運
判寶祐二年十二月初二日到任三年
七月十三日時暫權建康府留鑰職事
五年正月七日右文殿修撰兩浙運副

余晦 中奉大夫依舊權戶部侍郎改除淮西總
領兼江東運副寶祐五年四月十一日到
任六年除寶章閣待制
知平江府兼發運使

鄭羽 奉直大夫尚書戶部左曹郎中淮西總領
江東運判寶祐六年二月十八日到任

倪垕 朝散大夫幹辦行在諸軍審計司於寶
祐六年七月二十三日到任權管淮西總

領江東運判當日奉聖旨除大府寺丞開慶元年正月省劄左曹郎中繫銜時暫兼權建康府管幹沿江制置大使司留司事務二月二十七日時暫兼權提領江淮茶鹽所當年[redacted]月[redacted]日離任

印應雷 朝奉郎守軍器監淮西總領兼江東運判開慶元年十二月十三日到任景定元年正月二日兼提領江淮茶鹽所景定元年四月除直煥章閣樞密副承旨

陳綺 朝議大夫直徽猷閣江東轉運副使兼提領江淮茶鹽所景定元年六月到任二月二月兼江東提舉[redacted]月進寶文閣八月除直龍圖閣樞密副都承旨

侍衛馬軍司 在城西門內天慶觀右

題名記 漢京師有南北軍衛尉掌宮門屯衛兵中壘校尉掌北軍營壘之事後又增置八校及羽林期門之屬儌巡藩護兵威隱然爲後世立軍不易之制國家並列三衙雖曰沿襲五代然實本西都遺意侍衛馬軍司蓋創於後梁至後唐爲侍衛親軍後周改爲龍捷左右軍 本朝復更鐵騎曰捧日龍騎曰龍衛各十指揮所領騎兵之額蓋三十有五 端拱元年冬十月甲子特置馬步軍龍衛神衛四廂都指揮

使捧日天武於焉並建與　殿前侍衛馬步軍都副
指揮使及都虞候凡八員通號管軍其選顧不重歟
中興之初禁旅親衛名籍僅存迨紹興收諸將麾下
作三衙　御前諸大軍　國威益震然綦峙星布拱
扆嚴翼率在內畿
孝宗皇帝明謨雄斷銳意外禦迺乾道七年三月始
命分騎司屯金陵特捐緡錢凡六十萬以勞戍役以
壯龍蟠虎踞之勢誠　命將帥衛中國之遠慮今三
十年於此矣俛不武曩者被　命俾董騎士自念累

世涵濡　國恩淪浹肌髓無以報塞顧復叨備管軍之列夙夜勉厲職業所當爲者罔敢怠忽軍務之暇因思殿步二司皆有題名而諸軍都統制亦各書之唯謹獨馬司因循未舉是誠闕文迺攷訂　國初以至于今得百十有七人自建隆累朝名將則略紀其除罷歲月而　中興以來則併稽其遷改之所自序列姓氏刻之堅珉不惟垂示方來庶幾推繹功緒躍然起慕藺之意以堅報　國之心以無忘先世之勳業是倪所以建題名之本意非直爲觀美也慶元五

年十月　日武略大夫榮州刺史侍衛馬軍都虞候

郭倪記

張光翰　建隆元年正月除都指揮使八月罷

韓重贇　建隆元年八月除都指揮使二年七月改差

劉　名犯太宗舊諱　建隆一年七月除都指揮使開寶　年九月罷

張廷翰　乾德五年　月除都虞候開寶二年二月致仕

李進卿　開寶二年八月除都虞候九月改差

党進　開寶六年九月除都指揮使太平興國二年十一月罷

李漢瓊　開寶六年九月除都虞候太平興國二年十一月罷

白進超 太平興國二年十一月除都指揮使
三年四月改差

米信 太平興國三年四月除都虞候六年
八月遷都指揮使雍熙三年七月罷

劉延翰 太平興國五年十月權

李繼隆 雍熙三年七月除都虞候端拱元年二
月遷都指揮使至道三年五月罷

王漢忠 端拱二年三月除都虞候
五年六月改差

王榮 淳化五年

范廷召 至道三年七月除都指揮使
咸平三年二月改差

康保裔 至道三年七月除都虞候
咸平三年正月死節河間

王漢忠 咸平三年二月除副都指揮使
四年三月改差

葛霸咸平四年三月除都指揮使景德二年十二月罷

高瓊咸平六年五月權

劉謙咸平六年五月權景德元年八月除都虞候二年十二月改差

曹璨景德二年十二月除副都指揮使大中祥符九年十二月遷都指揮使二年九月

張旻景德二年十二月除都虞候大中祥符元年改差

鄭誠大中祥符元年四月權十二月除都虞候二年九月改差

張旻大中祥符二年九月除副都指揮使九年正月除樞密副使

高翰大中祥符二年九月到七年十月改差

王守贇大中祥符七年十月除都虞候九年正月改差

蔚昭敏大中祥符九年正月除副都指揮使天禧二年七月改差

靳忠大中祥符九年正月除都虞候

王守贇天禧三年七月除副都指揮使天聖三年三月改差

劉美天禧三年七月除都虞候五年八月致仕

楊崇勳天禧四年二月除都虞候

夏守贇乾興元年二月除都虞候天聖二年二月改差

楊崇勳天聖二年三月除都指揮使三年十月遷殿前副都指揮使

郝榮天聖二年三月

康繼英天聖二年三月除都虞候十月改差

彭睿　天聖三年十月除副都指揮使
六年正月致仕

張遵　天聖三年十月除都虞候
五年九月改差

高繼勳　天聖五年九月除都虞候
六年正月改差

石斌　天聖六年正月除都虞候
七月改差

王德用　天聖六年七月

鄭守忠　明道元年八月

高繼勳　明道元年八月除都指揮使
景祐二年三月罷

張昭遠　明道元年八月除都虞候
二年六月罷

張守遵　明道二年六月除都虞候
景祐元年

張濳 景祐元年十二月除都虞候 二年五月改差

鄭守忠 景祐二年五月除副都指揮使 四年閏四月改差

許懷信 景祐二年五月

劉平 景祐二年八月除都虞候 四年閏四月改差

高化 景祐四年閏四月除副都指揮使 康定元年十二月改差

石元孫 景祐四年十一月除都虞候

孫廉 康定元年二月除都虞候 四月改差

方榮 康定元年四月除都虞候

李用和 康定元年十一月除副都指揮使 慶歷二年三月改差

任福　康定元年十二月除都虞候

曹琮　慶歷二年三月除副都指揮使　五年五月致仕

王元　慶歷四年八月除都虞候　五年閏五月改差

許懷德　慶歷五年閏五月除副都指揮使　八年四月改差

王信　慶歷五年閏五月除都虞候　八年四月改差

郭承佑　慶歷八年四月除副都指揮使　八月改差

周美　慶歷八年四月除都虞候　八月改差

張茂實　慶歷八年

狄青　慶歷八年八月除副都指揮使　皇祐三年六月罷

范全 慶歷八年八月除都虞候 皇祐三年六月改差

王凱 皇祐三年六月除都虞候 四年九月遷殿前都虞候

周美 皇祐三年六月除副都指揮使 四年九月致仕

張茂實 皇祐四年九月除副都指揮使 嘉祐六年五月罷

王達 皇祐四年九月除都虞候 十一月致仕

紀質 皇祐五年二月除都虞候

王從政 至和元年二月除都虞候 五月改差

范恪 至和元年五月除副都指揮使 嘉祐四年改差

王興 至和元年五月除都虞候 嘉祐三年九月改差

孟元 嘉祐三年九月除都虞候 十一月致仕

郝質 嘉祐四年十一月除都虞候 六年五月改差

馬懷德 嘉祐六年五月除都虞候 九月改差

李璋 嘉祐六年九月除副都指揮使 十二月改差

賈逵 嘉祐六年九月除都虞候 十二月改差

郝質 嘉祐六年十二月除都指揮使 治平元年八月改差

宋守約 嘉祐六年十二月除都虞候 八年五月改差

郭逵 嘉祐八年五月除都虞候 治平元年八月改差

竇舜卿 治平元年八月除都虞候 三年二月改差

賈逵 治平元年八月除副都指揮使元豐元年六月改差

楊遂 治平三年五月除都虞候熙寧五年十一月改差

盧政 熙寧五年十一月除都虞候八年二月遷殿前都虞候

張玉 熙寧八年二月除都虞候三月致仕

楊遂 元豐元年六月除副都指揮使二年正月改差

劉永年 元豐元年六月除都虞候二年正月改差

盧政 元豐二年正月除副都指揮使三年十二月改差

燕達 元豐二年正月除都虞候三年十二月除副都指揮使四年八月改差

苗授 元豐三年十二月除都虞候四年十二月改差

林廣　元豐五年四月除都虞候七月致仕

劉昌祚　元祐元年三月除都虞候二年十一月改差

劉舜卿　元祐二年十月除都虞候三年七月改差

李浩　元祐三年七月除都虞候

呂眞　元祐五年十二月除都虞候紹聖元年正月改差

姚麟　紹聖元年正月除副都指揮使二年九月改差

王崇拯　紹聖二年六月權元符三年除都虞候八月改差

王恩　元符元年二月除都虞候

張整　元符元年二月權八月致仕

賈嵒 元符元年九月替

曹誦 建中靖國元年八月除都指揮使崇寧元年四月宮觀

徐和 崇寧元年閏六月除都虞候大觀二年四月除副都指揮使三年七月罷

王恩 崇寧元年八月四年三月改差

曹評 崇寧四年二月除副都指揮使大觀二年正月宮觀

劉德 崇寧四年二月除都虞候

劉法 大觀二年二月除都虞候三年十月罷

高俅 政和元年四月除副都指揮使八月遷殿前副都指揮使

劉法 政和元年四月除都虞候八月改差

杜大忠　政和元年八月除都虞候

郭仲　政和元年八月除副都指揮使

何灌　宣和七年十二月除都虞候

王元　宣和年除副都指揮使

曹濛　宣和年殿前都虞候忠州團練使權主管侍衛馬軍司公事

李邀　靖康元年中衛大夫果州團練使權主管侍衛馬軍司公事

郭仲荀　靖康元年侍衛親軍馬軍都指揮使遂安軍承宣使主管本司公事改差主管殿前司公事

薛嫈　靖康元年七月龍神衛四廂都指揮使黔州觀察使權侍衛親軍公事

楊惟忠 建炎二年檢校少保建武軍節度使龍神衛四廂都指揮使主管侍衛馬軍司公事

左言 建炎年侍衛親軍步軍都虞候常德軍承宣使權主管侍衛馬軍司公事

李質 建炎年中侍大夫明州觀察使權主管侍衛馬軍司公事

劉錫 龍神衛四廂都指揮使明州觀察使權主管侍衛馬軍司公事

趙哲 建炎年左武大夫明州觀察使樞密都承旨權主管侍衛馬軍司公事

邊順 建炎三年九月龍神衛四廂都指揮使萊州防禦使權主管侍衛馬軍司公事紹興二年九月改差

辛永宗 紹興元年十一月中衛大夫達州觀察使神武中軍統制權主管侍衛馬軍司

閻勍　龍神衛四廂都指揮使明州團練使
公事續改差
江西總管

蘭整　紹興二年平海軍承宣使權主管侍衛馬
軍司公事四年八月授龍神衛四廂都指
揮使五年閏二月
改差浙東總管

韋淵　紹興四年昭慶軍節度使開府儀同三司
權主管侍衛馬軍司公事

王爕　紹興五年閏二月龍神衛四廂都指揮使
建武軍承宣使除主管侍衛馬軍司公事
改宮
觀

邊順　紹興五年閏二月步軍司權馬軍司公事

解潛　紹興五年十一月協忠大夫華州觀察使
權主管侍衛馬軍司公事十一月權三司

職事六年九月扈從車駕
幸平江七年正月宮觀

劉公權 右武大夫和州防禦使知閤門事權主
管馬軍司公事

蘭整 紹興六年九月浙東總管權主管侍衛馬
軍司公事七年六月罷軍職宮觀

劉錡 紹興七年正月右武大夫開州團練使帶
御器械權主管侍衛馬軍司公事兼三司
職事十一
月解罷

邊順 紹興七年六月步軍司兼權馬軍司職事
七月致仕

解潛 紹興七年十一月協忠大夫華州觀察使
權主管步軍司八年四月正權馬司公事
九年正月改
差福建總管

劉錡 紹興九年三月自淮西軍回供職十年二
月改差

劉光烈紹興十年三月中衛大夫慶遠軍承宣使權主管馬軍司公事十三年三月內改差

趙密紹興十三年龍神衛四廂都指揮使宣州觀察使步司權馬軍司公事八月免兼

田晟紹興十三年八月龍神衛四廂都指揮使鎮西軍承宣使除主管馬軍司公事十九年六月改差

劉寶紹興十九年六月殿前司選鋒軍統制除天武四廂都指揮使武泰軍承宣使主管馬軍司公事八月改差

成閔紹興十九年八月宣州觀察使權主管馬軍司公事三十二年三月除主管殿前司

李顯忠紹興三十二年六月寧國軍節度使龍神衛四廂都指揮使建康府駐劄御

前諸軍都統制除太尉主管馬司公事
隆興元年六月罷

張守忠　隆興元年六月利州觀察使步軍司後軍統制除主管馬軍司公事乾道元年二月致仕

李舜舉　乾道元年三月左武大夫忠州刺史馬司選鋒軍統制除主管馬司公事六年十月改差

李顯忠　乾道六年十月復威武軍節度使左金吾衛上將軍除主管馬司公事七年三月奉聖旨移屯建康府行司六月復太尉九年正月宮觀

王權　乾道九年閏正月復武康軍承宣使除主管馬軍司公事致仕

趙撙　乾道九年閏正月昭化軍承宣使除主管馬司公事四月除馬軍司都指揮使淳熙

二年八月致仕

李川　淳熙二年八月武功大夫文州刺史除侍衛馬軍司都虞候九月改除

王明　淳熙二年九月武功大夫惠州刺史除馬軍司都虞候三年十月宮觀

吳拱　淳熙三年十月武康軍節度使右金吾衛上將軍除馬軍司都指揮使五年十二月致仕

馬定遠　淳熙六年正月武德郎左領軍衛郎將除侍衛馬軍都虞候七年九月改差

雷世賢　淳熙七年十月武翼大夫右驍衛將軍除馬軍司都虞候十二年十二月除副都指揮使紹熙元年十月改除

張師顏　紹熙元年十月武德郎左領軍衛郎將除馬軍司都虞候慶元四年三月主管

台州崇
道觀

郭倪 慶元四年三月十六日以武義大夫除主管馬軍司公事五年六月八日除馬司都虞候嘉泰元年八月二日改除

李珪 嘉泰元年八月除主管馬軍司職事三年七月除都虞候開禧元年六月赴　召

李汝翼 開禧元年六月除主管馬軍司職事開禧二年四月去司

王瑛 開禧二年六月以右武大夫江南東路馬步軍副總管除主管馬軍司職事當年八月赴
召

戚拱 開禧二年八月以武德郎鎮江府諸軍副都統制知楚州管內安撫除主管馬軍司職事開禧三年十二月赴　召

周虎 嘉定元年八月以文州刺史知和州兼管内安撫提舉淮南西路兵甲公事除主管馬軍行司公事四年閏二月除馬軍司都虞候五年五月二日改除

許俊 嘉定五年五月二日以武功大夫池州諸軍副都統制主管馬軍司公事嘉定六年十月十一日改除

馮榯 嘉定六年十月十一日以武功大夫開州刺史左領軍衛將軍除主管馬軍司公事嘉定七年十月九日改除

劉琸 嘉定七年十月十三日以武經郎江州諸軍副都統制改除主管馬軍司公事嘉定十年七月二十三日改除鎮江都統制

李慶宗 嘉定十年八月二十八日以訓武郎平江府許浦水軍副都統制改除主管馬

軍司公事十二年
十月三日赴召

扈再興　寶慶二年三月五日以左武大夫忠州團練使充鄂州江陵府駐劄御前諸軍都統制兼知康陽軍改除蘄州防禦使侍衛馬軍司都虞候三年二月致仕

許俊　寶慶三年九月十六日以左武大夫潭州觀察使除主管侍衛馬軍司公事兼權建康諸軍都統制司職事紹定四年七月除馬軍司副都指揮使

孟珙　端平元年四月二十三日以訓武郎江陵府諸軍副都統制除建康諸軍副都統制兼權馬軍司職事五月十一日除主管馬軍司事十一月二十九日除帶御器械日下供職十二月二十四日準告因除主管馬軍司公事特轉武功郎二年正月十九日依舊職時暫黃州駐劄十一月七日兼權知黃州嘉熙元年

三月二十四日改除

王鑑

嘉熙元年四月十二日以拱衛大夫福州觀察使江東馬步軍副總管兼權馬軍司職事九月十四日除主管馬軍司公事時暫兼知黄州二年六月二十八日除馬軍都虞候三年三月除武康軍承宣使馬軍副都指揮使四年九月兼知濠州淳祐三年正月改除

呂文德

淳祐三年正月除福州觀察使馬軍副都指揮使兼知州四年五月除保康軍承宣使六月除淮西招撫使兼知濠州五年四月十九日除樞密副都承旨七年五月二十六日除左領軍衛上將軍

御前諸軍都統制司 在行宮北 紹興十二年建

題名記

高宗旣成中興大業　駐蹕錢塘歸馬牧牛鞬櫜弓矢盡收兵柄掌之　樞庭遴將列師分屯要區以金湯屏蔽刱兹建業爲時　陪京控阨長江襟帶淮右尤爲重鎭始紹興丁巳以張公循王俊駐劄于此由丁巳至辛亥實五十有五載由張公至今更十有三人或十有七年或十有四年或四三年或一二年而去其賢智勳業固有　國史與天下之公論不可泯

滅然未有以紀去來之月日與夫相代之前後者是亦一司之闕典濟旣備數之明年始克稽諸故籍次其後先礱石而識之爲之說曰天下有事將在乘機以立功天下無事將在解嚴而養士若夫繕武庫之械器精士卒之藝能豐有司之財帛有事無事皆不可一日惰也承　君之寵而受　君之任者其可安安而居哉能知後之視今亦猶今之視昔則必務自勉而求無媿如是則題名之設豈特紀姓氏書歲月記後先而已耶紹熙二年四月　日武功大夫榮

州刺史充建康府駐劄　御前諸軍都統制趙濟記
○紹定續題名題名有記舊矣　聖朝人物將於是乎觀而況將帥者三軍司命爪牙王室關繫非輕去來除代詎可聽之湮沒而無傳哉金陵爲古都會粤自　警蹕南渡增屯重兵屏蔽畿甸　累聖相承遴命尤謹　中興名將磊砢相望闔勳碩畫彪炳汗青類繇兹出友諒謏　恩此來始至之日捘舉戎務倥傯靡暇越三月軍事稍稍就緒因詢前哲或曰廳之左有題名在焉鈎畫翠珉鸞停鵠峙摩挲熟視表表

虎臣姓名先後品秩崇庳往來歲月昭然可攷而刊載鏻次溢于顛尾逾年帥貳鐫題無所顧瞻衰裒長切慨歎因念日月駸尋名跡易泯苟憚續爲是孤前誌載礱堅石用寘廳壁之側以紀後來異時斯刻既漫與我同志嗣而廣之是亦今日之事也紹定辛卯仲冬上澣合肥夏友諒續記

張俊　少師鎮兆崇信奉寧軍節度使淮南西路宣撫使兼河南北諸路招討使兼營田大使齊國公隨　車駕駐蹕臨安府於紹興四年三月內將帶所部神武右軍人馬前來建康府駐[illegible]紹興五年十二月三日改充　行營中[illegible]軍於紹興六年八月內起

發前去泗州紹興七年三月內復回建康
府至紹興十一年四月二十七日被　召
除樞密使其所部軍馬奉
聖旨改充　御前軍

王德 侍衛親軍馬軍都虞候清遠軍節度使
御前統制紹興十二年十一月二十一日
赴　召差充建康府駐劄　御前諸軍都
統制紹興十二年十二月十四日到任至
紹興十五年九月七日改差兩浙
東路馬步軍副都總管明州駐劄

王權 龍神衛四廂都指揮使寧州觀察使殿前
司忠勇馬軍統制除武康軍承宣使差充
建康府駐劄　御前諸軍都統制紹興十
五年九月十二日到任任內除清遠軍節
度使至紹興二十一年十
一月七日赴　行在奏事

李顯忠 寧國軍節度使龍神衛四廂都指揮使
池州駐劄　御前諸軍都統制差充建

康府駐劄　御前諸軍都統制　御營先
鋒都統制紹興三十一年十一月九日到
任任內兼淮南西路制置使京畿河北西
路淮北壽亳州招討使至紹興三十二年
五月二十七日除太尉
主管侍衛馬軍司公事

郭振　武節郎殿前司左軍統制兼知壽春府主
管管內安撫司公事除蘄州防禦使權主
管建康府駐劄　御前諸軍都統制職事
紹興三十二年六月十六日到任至當年
七月二十一日改差兩浙西
路馬步軍副總管秀州駐劄

邵宏淵　親衛大夫常德軍承宣使兼閤門宣贊
舍人池州駐劄　御前諸軍都統制差
主管建康府駐劄　御前諸軍都統制職
事紹興三十二年八月九日到任任內除
廣州觀察使又除武安軍承宣使檢校少
保寧遠軍節度使兼淮南京　京東河北

路招討副使於隆興元年六月十四日降
授武功大夫至隆興二年四月二日復成
州團練使改差江南西路
馬步軍總管隆興府駐劄

王彥
保平軍節度使龍神衛四廂都指揮使知
襄陽府充京西南路安撫使差充建康府
駐劄御前諸軍都統制兼淮南西路招
撫使節制本路軍馬隆興二年四月七日
到任至乾道元年三月二十四
日差提舉江州太平興國宫

劉源
武功郎閤門宣贊舍人侍衛馬軍司中軍
統制特轉武略大夫忠州團練使差主管
建康府駐劄御前諸軍都統制職事乾
道元年四月五日到任任内轉武顯大夫
高州防禦使至乾道三年八月十四日
差充荆湖南路馬步軍總管潭州駐劄

張榮
武功大夫建康府駐劄御前左軍統制
差充建康府駐劄御前諸軍副都統制

乾道三年閏七月二十七日到任任內轉
右武大夫至淳熙元年二月十一日改差
荆鄂駐劄御前
諸軍副都統制

郭振 侍衛親軍步軍都指揮使奉國軍承宣使
主管侍衛步軍司公事差充建康府駐劄
御前諸軍都統制乾道三年九月二十六
日到任任內兼知廬州充淮南西路安撫
使馬步軍都總管轉侍衛親軍馬軍都指
揮使除武泰軍節度使至乾道六年十月
六日守本
官致仕

李舜舉 榮州刺史主管侍衛馬軍司公事差充
建康府駐劄 御前諸軍都統制乾道
六年十月二十八日到任至
乾道七年十二月四日放罷

郭剛 左武大夫達州刺史池州駐劄 御前諸
軍都統制差充建康府駐劄 御前諸軍

都統制乾道七年十二月[redacted]日到任任內
轉蘄州防禦使又轉拱衛大夫明州觀察
使兼知和州主管管內安撫司公事又轉
親衛大夫寧遠軍承宣使又除福州觀察
使至淳熙十一年三月
十八日守本官致仕

翟瓊 武顯大夫侍衛馬軍行司中軍統制權管
侍衛馬軍司職事差充建康府駐劄御
前諸軍副都統制淳熙元年三月十日到
任至當年十二月十九日添差江南東路
馬步軍副總管
太平州駐劄

張榮 右武大夫左千牛衛大將軍再差充建康
府駐劄御前諸軍副都統制淳熙二年
正月四日到任至淳熙三年正月十七日
添差江南東路馬步軍副總管建康駐劄

劉沂 武節大夫帶御器械差充建康府駐劄
御前諸軍副都統制兼知和州淳熙三年

二月十四日到任至當年八月十六日罷

王世雄　武顯大夫權知郢州差充建康府駐劄御前諸軍副都統制兼知和州淳熙三年十月二十六日到任至淳熙六年正月二十六日赴行在奏事除右千牛衛將軍

李彥孚　武經大夫殿前司護聖步軍統制差充建康府駐劄御前諸軍副都統制兼知和州淳熙六年四月十八日到任當年七月內罷知和州至當年十月六日改差平江府許浦鎮駐劄御前水軍副都統制

劉光祖　武節大夫英州刺史江州駐劄御前諸軍副都統制改差充建康府駐劄御前諸軍副都統制淳熙十年十月二十二日到任至淳熙十一年五月十七日罷

郭鈞　武功大夫楚州團練使右驍衛將軍兼權侍衛馬步軍司職事差充建康府駐劄

御前諸軍都統制於淳熙十一年五月五日到任任任內轉右武大夫蘄州防禦使至淳熙十五年六月二十一日赴
行在奏事除殿前副都指揮使

梁師雄 武經郎步軍司中軍統制差充建康府駐劄 御前諸軍副都統制淳熙十一年六月九日到任至當年七月九日召赴 行在除左領軍衛中郎將兼權侍衛步軍司
職事

閻仲 保義郎殿前司選鋒軍統制特授修武郎差充建康府駐劄 御前諸軍副都統制淳熙十二年三月五日到任任內轉訓武郎於淳熙十五年七月二十七日就任差充都統制任內轉武翼郎武經郎至紹熙元年四月二十日赴 行在奏事轉一官
差主管華州雲臺觀

馮湛 降武翼大夫兼閤門宣贊舍人鎮江府駐劄 御前諸軍副都統制改差充建康府駐劄 御前諸軍副都統制淳熙十五年十二月十八日到任任內轉武經大夫武節大夫武德大夫至紹熙五年二月十二日改差江陵府副都統制

趙濟 武功大夫榮州刺史權主管侍衛步軍司公事兼權侍衛馬軍司職事紹熙元年四月二十九日差充建康府駐劄 御前諸軍都統制五月十六日到任至紹熙四年六月初九日致仕

皇甫斌 武德郎權發遣楚州軍州事紹熙五年二月十二日改除建康府駐劄 御前諸軍副都統制二月二十八日到任任內轉武翼大夫武經大夫閏十月七日差充都統制至慶元元年二月二十四日罷

王知新 武功郎左武衛中郎將紹熙五年閏十
月七日改差充建康府駐劄御前諸
軍副都統制十一月三日到任任内轉武
經大夫至慶元元年三月七日差兼知廬
州三年帶忠州刺史再任於慶元四
年六月十五日就任除知閤門事

吳曦 起復濠州團練使知廬州軍州事主管淮
南西路安撫司公事慶元元年二月九日
除建康府駐劄御前諸軍都統制四月一
日到任任内轉蘄州防禦使至慶元三年
五月二十四日除
殿前司都指揮使

趙[redacted] 武功大夫吉州刺史充池州駐劄御前
諸軍都統制慶元三年五月二十四日改
差充建康府駐劄御前諸軍都統制六
月十五日到任任内轉濠州團練使至嘉
泰三年二月
二十日致仕

董世雄 武德郎侍衛步軍都虞候兼權侍衛馬軍司職事嘉泰三年三月二十四日改差充建康府駐劄御前諸軍都統制於四月十五日到任至嘉泰四年三月二十四日赴行在奏事至四月初二日罷

李爽 武德郎鎮江府駐劄御前諸軍都統制嘉泰四年三月二十二日赴行在奏事改差建康府駐劄御前諸軍都統制當年四月十三日到任至開禧元年八月內差兼知廬州開禧二年六月十四日罷

郭倬 武翼郎左驍衛中郎將嘉泰四年四月十九日差充建康府駐劄御前諸軍副都統制五月十六日到任任內轉武經郎又轉武節郎開禧二年三月十二日改差池州駐劄御前諸軍都統制

田琳 武翼郎建康府駐劄御前水軍統制開禧二年四月二十四日除建康府駐劄御前諸軍副都統制四月二十九日到任六月二十一日除都統制七月十二日差兼知廬州任內轉武翼大夫果州團練使又轉武節大夫依前果州團練使又轉達州刺史開禧三年十月十六日致仕

李郁 忠州團練使左領軍衛大將軍開禧三年九月七日除建康府駐劄御前諸軍都統制兼知廬州節制淮西軍馬十月十九到任任內轉鄂州防禦使至嘉定元年七月十六日差提舉建寧府武夷山沖佑觀

何汝霖 武功大夫殿前司選鋒軍統制兼知盱眙軍嘉定元年二月十二日差充建康府駐劄御前諸軍副都統制三月初一到任於嘉定元年七月十六日被奉聖

旨前去盧州屯駐節制淮西出戍軍馬嘉
定四年四月二十四日赴 行在奏事六
月二十六日
除環衛官

莊松

武功大夫忠州刺史楚州駐劄御前武
鋒軍副都統制兼知楚州嘉定元年七月
十六日改差充建康府駐劄御前諸軍
都統制九月初六日到任任內轉忠州團
練使嘉定六年十月三日被奉
聖旨與宮觀至十月十四日罷

許俊

武功大夫吉州刺史主管侍衛馬軍司公
事嘉定六年十月十一日被奉 聖旨除
建康府駐劄御前諸軍都統制十月十
四日到任任內因提兵前去安豐軍究心
經畫保護邊面訓練士卒築濬城濠製辦
軍器打造戰艦比他司實爲整備奉 聖
旨特轉兩官於嘉定十一年十一月二十
五日準 告轉右武大夫忠州團練使左

驍衛將軍嘉定十四年五月二十九日差提舉紹興府千秋鴻禧觀七月一日離任

許國　武功大夫吉州刺史右屯衛將軍充鄂州江陵府駐劄御前諸軍都統制兼知隨州州兼京西湖北沿邊都巡檢使提督隨棗信陽三城節制屯戍軍馬嘉定十四年五月三十日被奉聖旨除建康府駐劄御前諸軍都統制八月二十四日到任於當年十月十一日被奉聖旨兼權知廬州主管淮南西路安撫司公事馬步軍都總管節制本路屯戍軍馬至嘉定十五年十一月內差提舉建康府崇禧觀十二月[illegible]日離任

翟朝宗　武德大夫高州刺史鎮江府駐劄御前諸軍副都統制楚州置司同節制屯戍軍馬嘉定十五年十一月二十五日被奉聖旨除建康府駐劄御前諸軍都

統制兼權知廬州軍州兼管內勸農營田事淮南西路安撫副使馬步軍副都總管兼提領措置屯田專一措置提督修城節制本路屯戍軍馬十二月十七日到任任內轉武功大夫忠州團練使寶慶元年六月十九日被　命特轉一官令時暫歸司至寶慶元年十月二十六日除知閤門事兼客省四方館事提點製造御前軍器所十一月十一日離任

夏友聞

武節郎右武衛郎將寶慶元年十一月二十日被奉　聖旨時暫兼權建康府駐劄御前諸軍副都統制職事管幹軍馬十二月十六日到任任內陞左驍衛中郎將轉武德郎紹定三年四月十九日致仕贈武畧大夫宜州刺史

許俊

左武大夫潭州觀察使主管侍衛馬軍行司公事紹定三年十月初八日準　省劄

時暫兼權建康府駐劄御前諸軍都統制司職事十月初十日交割管幹任內正授潭州觀察使紹定四年九月初三日離任

夏友諒 武略大夫忠州刺史池州駐劄御前諸軍副都統制紹定肆年捌月十六日準樞密院劄子被奉聖旨江西討捕獲捷立功特除建康府駐劄御前諸軍都統制九月初三日到任任內該遇慶壽赦恩特轉武顯大夫又曾提領人馬總統諸項節制調遣䂓取盱泗全復城壘其功優異奉聖旨特轉四官未準告下紹定六年九月二十日致仕特贈武功大夫和州防禦使

李虎 武略大夫達州刺史池州駐劄御前諸軍都統制改除建康府駐劄御前諸軍都統制紹定六年十一月十四日到任至端平元年六月十七日兼知光州任內轉

右武大夫端平二年五月十九日回司依
舊建康都統制改兼知泗州當年七月十
五日改除鎮江府駐劄
御前諸軍都統制

王鑑 左武大夫和州防禦使帶御器械兼權主
管侍衛步軍司公事兼侍衛馬軍司職事
兼權建康府駐劄御前諸軍都統制總
統淮西一路軍馬端平二年十一月二十
八日到任任內轉拱衛大夫福州觀察使
霍丘縣開國男食邑三百戶端平三年五
月初三日
免兼離任

王忠 保義郎特差權發遣江南東路馬步軍副
總管時暫兼權建康都統司職事嘉熙元
年三月十五日到任嘉熙二年五月二十
九日兼權建康府駐劄御前諸軍副都
統制嘉熙三年三月二十七日帶行環衛
官除建康府駐劄御前諸軍都統制任

內帶行左衛將軍文州刺史節次轉武節
郎淳祐二年正月十一日召赴　樞密院
禀議

王福

利州觀察使左武衛上將軍知安豐軍兼
管內勸農營田屯田使沿邊都巡檢使節
制本軍屯戍軍馬淳祐二年正月十二日
除建康府駐劄　御前諸軍都統制兼知
安豐軍任內帶行帶　御器械合肥縣開
國男食邑三百戶特除安遠軍承宣使淳
祐四年五月二十七日奉　聖旨依舊帶
御器械建康都統制時暫赴　樞密院禀
議當年六月十五日解離安豐軍職事續
準　樞密院劄子奉　聖旨時暫於揚州
駐劄同共措置捍禦淳祐四年十一月初
八日改除主管侍衛步軍司公事仍兼侍
衛馬軍司
舊司職事

鄭進

武功大夫進郡刺史閤門宣贊舍人淮南西路馬步軍副總管兼侍衛馬軍行司中軍統制淳祐四年六月空日樞密院劄子六月十四日奉聖旨兼權建康府駐劄御前諸軍副都統制職事於當年七月十八日到任任內準告授吉州刺史淳祐七年五月空日樞密院劄子五月十九日奉御筆除江州駐劄御前諸軍都統制六月初五日離任

劉全

拱衛大夫福州觀察使左屯衛大將軍京西南路安撫使馬步軍都總管知襄陽軍府事兼管內勸農營田屯田使充鄂州江陵府駐劄御前諸軍副都統制隨縣開國男食邑三百戶淳祐五年三月十一日樞密院劄子奉聖旨召赴樞密院禀議續準樞密院劄子四月十八日奉聖旨除建康府駐劄御前諸軍都統制

於六月初六日到任至七月二十六日準
尚書省劄子三省同奉　聖旨兼權知真
州節制本州屯戍軍馬至淳祐六年閏四
月十六日離任回司任內準　告轉授親
衛大夫加封隨縣開國子食邑五百戶淳
祐七年五月空日　樞密院劄子五月十
九日奉　聖旨除環衛
官六月初四日離任

張仲宣
拱衛大夫揚州觀察使左武衛大將軍
鎮江府駐劄　御前諸軍都統制沈巨
縣開國子食邑五百戶淳祐七年五月空
日　樞密院劄子五月十九日奉　御筆
除建康府駐劄　御前諸軍都統制於當
年六月十六日到任任內該遇　明堂大
禮赦恩　告進封沈巨縣開國伯加食
邑二百戶淳祐九年八月初六日致仕

王忠
武節郎文州刺史左武衛大將軍荊湖南
路馬步軍副總管帶行環衛官左武衛大

將軍濬州駐劄仍釐務兼濬州飛虎親兵忠義諸軍都統制後來知院陳大使改除其行府一行官屬結局隨司解職淳祐九年八月空日樞密院劄子八月十四日奉御筆除建康府駐劄御前諸軍都統制於當年十月二十二日到任任內節次準告轉充武經大夫淳祐十一年八月空日樞密院劄子八月十三日奉聖旨王忠赴樞密院稟議

馬汝海

武功大夫閤門宣贊舍人江南東路馬步軍副總管和州寧淮軍統制淳祐八年六月空日樞密院劄子六月十一日奉聖旨除建康府駐劄御前諸軍副都統制於當年六月二十一日到任淳祐九年五月空日樞密院劄子五月六日奉御筆除池州駐劄御前諸軍副都統制離任訖

孫琦　武功大夫左衛將軍平江府駐劄　御前
許浦水軍副都統制淳祐九年五月　空日
樞密院　劄子五月六日奉　御筆除建康
府駐劄御前諸軍副都統制於當年五
月十九日到任淳祐十年三月空日樞
密院劄子三月二日奉　聖旨帶行右驍
衛將軍續准淳祐十年五月空日樞密院
劄子五月十五日奉　聖旨差知招信軍

湯孝信　左武大夫福州觀察使左屯衛大將軍
兩浙東路馬步軍副總管淳祐十年六
月空日樞密院劄子五月二十七日奉
御筆除建康府駐劄　御前諸軍副都統
制於當年六月十五日到任續准樞密
院劄子兼總制鎮江府殿前司策應軍馬
時暫鎮江府駐劄淳祐十一年八月空日
樞密院劄子七月二十六日奉　聖旨且
與宮
觀

張文彬 修武郎總制眞州軍馬淳祐十一年八
月空日 樞密院劄子八月十日奉
御筆除建康府駐劄御前諸軍副都統
制續準 樞密院劄子八月十八日奉
聖旨特與帶行左驍衛郎將令聽兩淮制
置大使司調遣於當年九月十一日到任
任內節次轉充武翼郎淳祐
十二年四月二十八日離任
王德 武功大夫左屯衛將軍特差淮東制置大
使司計議官淳祐十二年五月空日樞
密院劄子樞密院奏右五月二十一日奉
聖旨特與叙復元官時暫兼權建康府駐
劄御前諸軍副都統制職事於當年六
月八日到任淳祐十二年十一月六日奉
御筆除建康副都統制 寶祐
二年正月十九日致仕
陳璽 訓武郎江南東路馬步軍副總管淳祐十
一年八月空日 樞密院劄子八月十三

日奉　聖旨王忠令赴　樞密院稟議所
有建康都統制職事交割與江東總管陳
聖兼權於當年八月二十八日到任淳祐
十一年十二月空日　樞密院劄子十二
月八日奉　聖旨除建康府駐劄　御前
諸軍都統制任內昨因部兵前去渦河勦
殺立功特轉三
官轉充武節郎

湯孝信 左武大夫福州觀察使左屯衛大將軍
除建康府駐劄　御前諸軍都統制於
寶祐二年六月二十八日到任
至寶祐二年九月十四日離任

陳奕 武功大夫閤門宣贊舍人除建康府駐劄
御前諸軍副都統制於寶祐二年七月二
十五日到任至寶祐五
年閏四月十九日離任

王鑑 武康軍承宣使沿江制置使司諮議官除
建康府駐劄　御前諸軍都統制於寶祐

三年九月十五日到任續改差京湖宣撫
大使司諮議官寶祐五年七月初十離任

紀智春 武德大夫閤門宣贊舍人除建康府駐
劄 御前諸軍副都統制於寶祐五年
閏四月二十日到任至寶祐六年
十二月十四日離任改知通州

朱廣用 武功大夫右驍衛將軍沿江制置使司
諮議官池州駐劄 御前諸軍都統制
次改除建康府駐劄 御前諸軍都統制
於寶祐五年七月十一日到任至景定元
年九月初
十日離任

孫虎臣 武德郎閤門宣贊舍人除建康府駐劄
御前諸軍副都統制於寶祐六年十二
月十五日到任至開慶
元年三月十六日離任

鍾寶 武德大夫閤門宣贊舍人淮西馬步軍副
總管除建康府駐劄 御前諸軍副都統

制於開慶元年三月十七日到任
至當年十二月二十四日致仕

趙國英 武略大夫兩淮制府帳前都統制除建康府駐劄御前諸軍副都統制於景定元年二月二十八日到任至景定元年八月初五日離任

蘇才 武功大夫帶行環衛官建康府駐劄御前諸軍都統制兼沿江制置大使司計議總統建康太平州兩郡江面兵舡於景定元年六月十八日到任

李海 武功大夫閤門宣贊舍人建康府駐劄御前諸軍副都統制於景定元年八月初六日到任

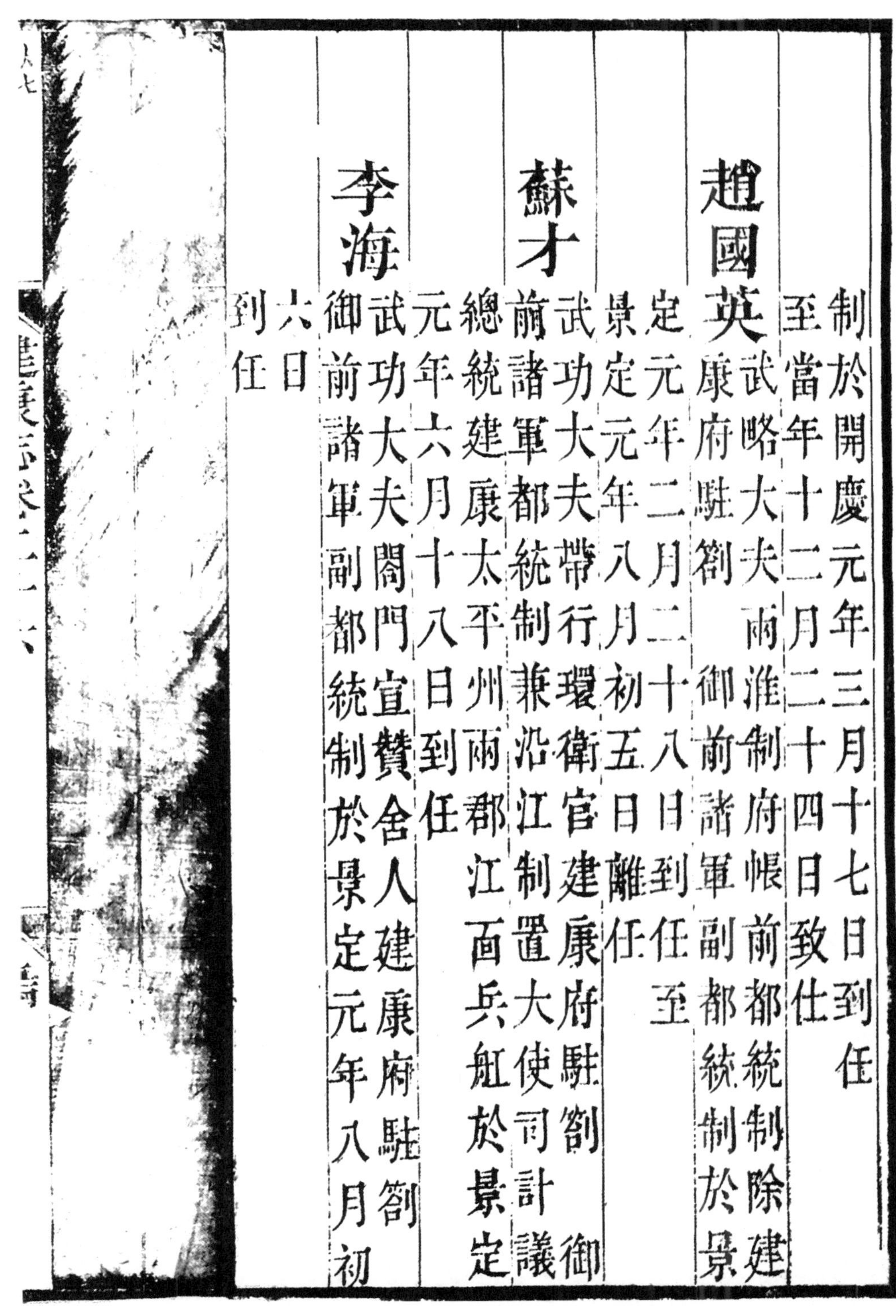

提領江淮茶鹽所

嘉熙四年八月創制置茶鹽使以戶部尚書岳珂爲之御筆賜珂曰　朕以邊事未息國計告匱思爲變通之策遂稽先朝故實畀卿以制置茶鹽使意欲絕私販以收利權通浮鹽以豐邦課去苛征以惠商賈卿其竭心體國毋弛法毋徇情使用足於上而擾不及民以副委任責成之意則予汝嘉此司存之所由始也淳祐元年五月珂被　召省制置茶鹽使置提領以江東庾節兼徐公鹿卿孟公㬎鄧公泳何公元壽

丘公岳陳公塏舒公滋皆以太平守臣江東轉運兼吳公淵以太平守臣兼淳祐寶祐凡再至馬公光祖淳祐間以江東轉運淮西總領兼寶祐中復以沿江制置使兼其後倪公垕印公應雷皆以轉運總領兼陳公綺則以轉運副使兼由珂而後凡以太平守臣兼領者則置司本州不爲太平守臣者置司皆在建康淳祐四年四月給奉使印始正提領江淮茶鹽所之名此司存之所由定也其初客販正鹽浮鹽每一袋收錢二十貫六百文眞州賣鹽不理資次者每袋

收錢一十貫三百文皆名曰助軍錢客販茶每一長
引收錢十二貫三百六十文每一短引收錢一十貫
三百文皆[redacted]審驗錢內有分隸曰吏祿錢凡所收
錢並用三分十八界會七分十七界會又置秤盤局
于采石鹽以三百二十斤爲一袋草茶以百二十斤
爲一長引百斤爲一短引末茶百二十斤爲一長引
九十斤爲一短引剩數拘沒鹽罪此則吕尚書制置
之時也其後因之又添置鄧步梅渚二局拘浙鹽助
軍錢則孟運幹之時也罷采石秤盤住收鹽袋助軍

錢省鄧步梅渚二局則侯進副之時也印給出山由
子鳫汊添局拘確則吳尚書之時也淳祐中兼領財
用分司遂撥鎮江榷貨務併歸本所又創采石分司
復秤盤局又創池口局及常州丹陽上下局拘徽嚴
處等州草茶之過淮者皆使納錢又創宜興溧陽二
局拘浙鹽搭買香引又創江州分司凡上江茶每一
長引收錢二百貫以三十貫入分司百七十貫入本
所每一短引收錢百七十貫以二十貫歸分司百五
十貫歸本所皆名曰貼納錢江東草茶審驗錢如舊

仍不問長短引每引並收貼納錢一百貫於是茶鹽
所歲入倍於常時財用所之入亦與本所等此則舒
運司之時也此後申請六事一曰禁止權攝照對前政任內
率以鄉曲新故分任諸局目曰應副人情甚者白帖
借補縱橫其間既不以榮進自期又非以職業自見
朝營暮度惟務攫拏如蟻慕羶如蠅見血入於公者
不一二而入於私者已什百局務既不可爲而商旅
亦重困矣今自光祖到官爲始諸局並差見任文武
官雖未能盡必其廉謹無玷然按察之所及譴罰之
所加其有盡瘁首公洗手奉職爲官辦事者當行剡
薦或有違戾定當按劾所有以前權攝之弊並行止絕
二曰省併諸局照對上江之茶下江之鹽緊要纂節
去處誠不可不置立局分前此所刱
子局星羅碁布不分緊慢月益日增被差之官下逮
吏卒欲飽溪壑必不徒行挾刷搜羅無所不至而商

旅始有罹其患者矣今就中逐項斟酌除采石秤製鹽袋蕪湖貼納搭引香口檢視批發不可廢外其建康池州池口鎮江府丹陽常州并無錫江陰諸局並就委各處州縣佐官拘確本所更不差官置局外有宜興溧陽元係秤盤浙鹽搭賣茶引乳香去處今浙鹽既未打發上件局權且停止却候續作區處其鎮江一局止是檢察下江草茶照對本官既無所收亦合省併

三曰訂正權衡

所秤盤客人袋鹽正要輕重適平公私兩便前此局官不能潔已奉公貪風相扇每遇客船到岸先行打話以賄賂之多少爲斤兩之低昂秤子等人全用手法秤盤之際暗號多端或摸領捫巾或搖頭瞬目但知逐鹿不見泰山傳笑邇遐貽害商旅今光祖躬親前去采石喚上客人對面是正權衡刻定印押將前來所用私秤當官劈毀務在公私兩不相虧僉曰公平已雕板牓爲照

四曰禁戢苛取

照對各局事例本是贍給官吏幷一行人所以防其苛取前政任內已嘗具申朝省自有成例近年以來又於此

外創立名色層見迭出有所謂到岸錢有所謂住賣錢又有所謂遞局錢甚至批引得號有錢客買鋪買有錢判狀請印之類亦皆有錢不買他誅求未易枚舉茶以引計鹽以袋計積而言之不知其幾自光祖領事以來已戒飭官吏將前件弊竇一切蠲革如有違戾官員按劾吏卒決配已出榜在局張掛約束去訖

五曰住給茶由 照得江西產茶州郡客人起茶既有太府寺所給茶引又有分司入山公據及筒袋印紙關防已爲嚴密昨因審驗棄名又給出山由子委是重疊徒資通判廳官吏邀阻乞覓攪人之弊今 朝廷新降指揮已併審驗而爲貼納之所有上件由子並行住給已施行去訖

六曰約束牙儈 照得茶船到岸例係牙人保稅牙儈無狀挑收騰倒以客人之財本爲私家之營運將新歷舊那後換前動涉歲時不還客本又有攬下客人納官之錢歸已侵用却待賣出客貨逐旋補納公私兩受其害光祖自到官即帖局官喚上係籍 官牙責立罪狀不許循習舊弊如違定作施行 **此則**

馬總領之時也罷采石分司併歸本所則陳運副之
時也其規模之因革如此主管文字一員或二員以
院轄差充或從本所於已作縣人選辟幹辦公事一
員準備差遣二員蕪湖采石屬官三員或選辟或堂
差其官職之建置如此課入有殿最有勸賞著于令

提領建康府戶部贍軍酒庫所

中興以來創酒庫于建康府者　行宮一庫本府三庫江東安撫司二庫淮西總領所四庫　侍衛馬軍司一庫　御前諸軍都統制司十八庫總二十九庫乾道中周總領閎申　朝廷置戶部贍軍酒庫所將二十九庫併入本所於是城內置東南西北中五庫及嘉會鎮淮鳳臺三庫城外置豐裕龍灣兩庫共爲十庫至嘉定年間又於石井韓橋湖孰增置三庫淳祐二年池總領聖夫又將在城八庫併作三庫鳳臺

鎮淮爲一庫東西北及嘉會爲一庫南中爲一庫淳祐十二年呂總領好問省東南西北中五庫城內只作嘉會鳳臺鎮淮三庫其城外二庫仍舊紹定中趙大使善湘又於城外創置防江一庫淳祐初吳制使淵又創置激賞等五庫此六庫皆隸沿江制置司淳祐十一年呂總領好問申 朝廷將制置司六庫併入本所拘認歲額改防江爲城北庫激賞爲城南庫城西門爲城西庫靖安爲龍灣新庫天禧爲南子庫寶祐二年將城南西子庫併入豐裕庫龍灣新庫併

入舊庫今一歲之入解納　御前酒庫所者七十五萬貫十七界官會下同分隸沿江制置司者七十六萬貫分隸江東安撫司者二十三萬三千三百五十一貫四十文分隸建康府者一十五萬四千四百五十五貫月有小盡則計日除之分隸　侍衛馬軍司者二萬二千二百七貫七百八十文分隸　御前諸軍都統制司者三十七萬八千二百三十七貫三百九十六文餘皆入于淮西總領所充饟軍等用此酒所因革之大略也

提領以總領兼

主管文字一員

嘉定年間置或堂除或從本所選辟並以已作縣京朝官充二年滿轉一官

幹辦公事或準備差遣一員

嘉定年間置京選通差並從本所選辟三年滿轉一官零月日計日理賞減磨勘

酒庫監官

乾道七年各庫置兩員開禧初省一員增使臣五員嘉定以後嘉會鎮淮鳳臺豐裕龍灣五庫

並係本所選辟其東西南北中五庫係吏部注
差淳祐十年省東西南北中五庫官餘五庫官
仍從選辟任滿照　條格推賞
糴場監官
嘉定年間置兩員以司糴買淳祐十年省一員
或部注或選辟任滿照　條格推賞
都錢庫監官
嘉定年間置一員以司出納吏部注差任滿照
條格推賞

景定建康志卷之二十七

承直郎宣差充江南東路安撫使司幹辦公事周應合修纂

官守志四

諸縣令

上元縣廳壁記秣陵治上元江寧兩縣明道先生嘗主上元簿攝行令事均稅聽訟挈其民於敬孫視由眞令等風行瞬息欠申間播流至今於是地靈光燄旁左莫與京吾里曹君之格隨牒賦邑適得此百里地引領想像如先生復出率職廸誼捐身相民曩吏

攬爲帀廋欺賦租類足爲民病鋭一切洞究根原緩民急吏經界法不行詭蔽寄挾釀詐萬端昧旦坐聽事揆賦輿所當輸簿正以差户税一境頌平兩競在庭不下席亟决亡何險健退聽事浸省狴圄屢空則以餘暇定傾換蠹若亭若堂錯絡近遠門皇吏舍悉趨堅亘合亡慮屋百楹縣無它美飭材庚費皆已出尙以銅章刓爲縣闕典前閲令長置莫問歲亦云屢亟上之府從　朝廷更鑄下之縣事復有小於印章者君無不踈理安植之矣且終更踐遺信重跡來請

記蓋環百里爲縣聚民萬室欣戚怙愉我乎繫豈徒以熟瀆制商功利趣了朝暮哉令之健有決者徒曰縣負我以力勝民惟恐不至顧有詳考而深思以今準昔如君行縣事以休吾民者不自意廼獲見只君立扁識壁跋而竦俛而悟想雖一草一木直欲護惜如存先生固謂縣之政可達於天下則揭之政達以名吾堂先生固謂存心愛物利未有不及人則揭之存愛以名吾亭先生之道之化吾周夫子之道之化也則又惟夫子愛蓮有說而揭之同愛以名吾傷池

之澹之亭正使扁拆櫰夷道固在也惕若有懷因其嘗仕也而表厲尊顯之抑以明尚賢治俗之本旨云耳此不足書若何而書寶祐乙卯日南至朝議大夫集英殿修撰提舉建寧府武夷山沖佑觀江萬里記

○縣有令所以行君之令致之民也君有令焉自朝廷至於部刺史部刺史以尺紙付州州易尺紙嚴期會付縣縣窘矣盤錯倥偬爲庶事責成之地故其任爲難建康東南一都會管鑰所繫視它邦爲重而所隸邑五上元在城邑也府敘事于下而吾邑先焉故

視它邑爲尤難紹興辛巳費皇李闓之來宰是邑闓明強斂才刃有餘理未幾虜蹴淮瞰江　朝廷大爲守備已而黄屋勞軍公廬于江壖董民兵察營砦所宜植嚴烽燧謹糧饟而又經理千乘萬騎百司庶府之所須幬帟餼廩薪釜之屬無一不備首以辦理聞
聖天子召而見焉奏章剴切深中時病於是皆頌公非特長於材而達於事宜又如此也一日謂鄰曰前未嘗刻石紀令名氏追而求之蓋十數歲以往則亡之矣自紹興以來得十二人將書其到罷歲月使來

者有攷焉予其爲我記之郯貳丞是邑久與公周旋辭不獲乃刻于兹石紹興三十二年四月初八日右承事郎知建康府上元縣丞主管學事葛郯記○寶慶續題名記建業今之别都釐爲屬邑者五邑居帥守治所者二其最大而且壯者上元是已夫麟符重寄側畀近臣位貌穹崇弗與列郡等以墨綬吏晨夕從事乎其前曾弗獲肆志展布而所治之地又壯而大焉信乎其勝任之難矣前後莅兹邑者往往皆自度其材而後授是以居焉而多可紀去焉而多見思

舊有豐碑具載名氏自紹興以迄嘉定斑斑可攷今
令尹趙公時僑襄留守大帥觀文彥逾之孫也觀文
之去是邦垂三十載民懷其德如一日然眷眷召棠
弗忍翦伐況覩其象賢乎惟公挺有祖風律已以廉
臨民以公不嚴而威令行不擾而催科辦撫字之暇
百廢具飭治事有廳向者圮而今更刱焉退食有堂
向者陋而今增敞焉且又闢後圃營新亭自非邑事
整裕何以及此再考云邁瓜代有期顧瞻題名之碣
鑴勒已遍命工更造載續前記廼屬文舉爲之文既

忝竊寀親目善政其敢以蕪陋辭噫嘻當　新天子
龍飛之初元而刻諸堅珉以親賢標的孝居其首煥
乎韙哉然公之意非欲以是自耀也周而復始適惟
其時繼自今茲歌于兹者皆得以揭名乎其上是亦
有補於將來云爾要之毀譽之公久而後見異時邑
中耆老覩其名思其人感遺愛於無窮播休聲於不
泯必如是則大書特書可無愧矣來者其鑒諸寶慶
元年立春日朝奉郎簽書建康軍節度判官廳公事
賜緋魚袋劒津鄧文舉謹記

徐端輔 右朝奉郎紹興二年七月內到任

蔣閎祖 右宣義郎紹興四年四月內到任

趙不化 右朝奉郎紹興五年三月內到任

曾恢 右宣義郎紹興六年五月內到任

吳樞 右朝奉郎紹興十年二月內到任

吳芑 左宣義郎紹興十三年三月初三日到任

許頌 右承議郎紹興十三年十一月初二日到任至十六年十二月十六日任滿

胡廷直 右通直郎紹興十六年十二月十六日到任至二十年二月初七日任滿

馮和叔 右承事郎紹興二十年二月初七日到任至二十三年五月初四日任滿

黃霖右通直郎紹興二十三年五月初四日到任至二十六年五月初十日任滿

許宧右承事郎紹興二十六年五月十日到任至二十七年三月內改差監潭州南嶽廟

滕瑾右奉議郎紹興二十七年十月二十日到任至三十一年三月十七日任滿

李闢之右通直郎紹興三十一年三月十七日到任至隆興二年四月十六日任滿

李允升左從政郎隆興二年四月十六日到任至乾道二年四月二十七日罷

魏楫右宣教郎乾道二年九月初一日到任至五年九月十九日被旨都堂審察

方廷瑞右承議郎乾道五年十月三十日到任乾道九年四月二十八日任滿

蘇囿通直郎乾道九年四月二十八日到任淳熙二年三月八日任滿

趙公崇通直郎淳熙二年三月初九日到任至淳熙四年四月十九日任滿

薛褒 通直郎淳熙四年四月十九日到任六年五月二十七日任滿

趙伯晟 奉議郎淳熙六年五月二十七日到任至九年六月二十七日任滿

冷世修 宣教郎淳熙九年六月二十七日到任至十二年七月初九日任滿

鄭若容 奉議郎淳熙十二年七月初十日到任至十五年八月一日任滿

王允蹈 宣教郎淳熙十五年八月初一日到任至紹熙二年八月十九日任滿

姜楷 奉議郎紹熙二年八月二十日到任至五年八月二十七日任滿

程阜 奉議郎紹熙五年八月二十八日到任至慶元元年十一月初九日請急難假離任

方楷 景祐初釋褐歷三任以攷課遷衛尉寺丞知江寧府上元縣嘗親獲羣盜不干賞曰吾縣令爲　天子舉職爾功何有哉歐陽文忠公有送方希則序期待甚厚蓋贈公

也其後乾道丙戌公之曾孫諱滋以敷文閣待制居守金陵又三十年五世孫叔恭復叨試邑而題名偶失記載到罷月日當在慶歷皇祐間姑摭大畧附于左方

方叔恭 承議郎慶元二年三月二十五日到任至五年四月十二日任滿

莫柯 奉議郎慶元五年四月十三日到任

鄭緝 宣教郎嘉泰二年五月初三日到任

扈卞 奉議郎開禧元年五月二十日到任

趙希蒼 通直郎開禧元年閏八月初九日到任至二年十一月二十三日改差制機

史復祖 宣教郎開禧三年三月二十七日到任至嘉定二年五月四日任滿

戴槩 承議郎嘉定二年五月[illegible]四日到任

柳説 宣教郎嘉定四年二月二十五日到任至七年六月初九日任滿

洪圭 奉議郎嘉定七年六月初九日到任至十年八月初三日任滿

司馬逖 宣教郎嘉定十年八月初三日到任至十二年八月二十七日改寧海軍簽判

葉宰 宣教郎嘉定十二年十月二十一日到任至十五年十一月初九日任滿

趙時僑 嘉定十五年十一月初九日到任至寶慶元年十一月十八日任滿

趙崇健 宣教郎寶慶元年十一月十八日到任至三年十一月二十四日任滿

奚柷 通直郎寶慶三年十一月二十四日到任至紹定三年十二月二十日任滿

錢逢 通直郎紹定三年十二月二十一日到任至六年十二月[redacted]日任滿

樓淮 奉議郎端平元年二月初六日到任至嘉熙元年四月十三日任滿

豐雲昭 通直郎嘉熙元年四月十三日以句容兩易到任至二年十二月十四日改通判建康府

戴宗昭 奉議郎嘉熙二年十二月十四日到任至三年十一月十九日改通判建康府

蔣孝參 奉議郎嘉熙四年二月[redacted]日到任

譚谷 宣教郎嘉熙四年六月十六日到任淳祐二年四月十五日沿江制司劄隨司解任

陳夢高 奉議郎淳祐二年四月二十八日到任至五年七月二十四日任滿

趙若琉 宣教郎淳祐五年七月二十四日到任

王旦 通直郎淳祐七年十月十五日到任至十年[redacted]月[redacted]日任滿

陶夢桂 淳祐十年十一月二十四日到任

曹之格承事郎淳祐十二年十月初八日到任
寶祐元年二月轉宣[redacted]郎二年閏六月
轉宣教郎三年五月內申省部給下新
銅印一顆以上元縣印爲文當年十二
月差通判
無爲軍

陳寅宣教郎寶祐三年十一月初八日
到任至六年十二月望日任滿

許鑰通直郎寶祐六年十二月望日到任至景
定元年五月改添差通判臨安軍府事

鍾蜚英奉議郎景定元年八月到任

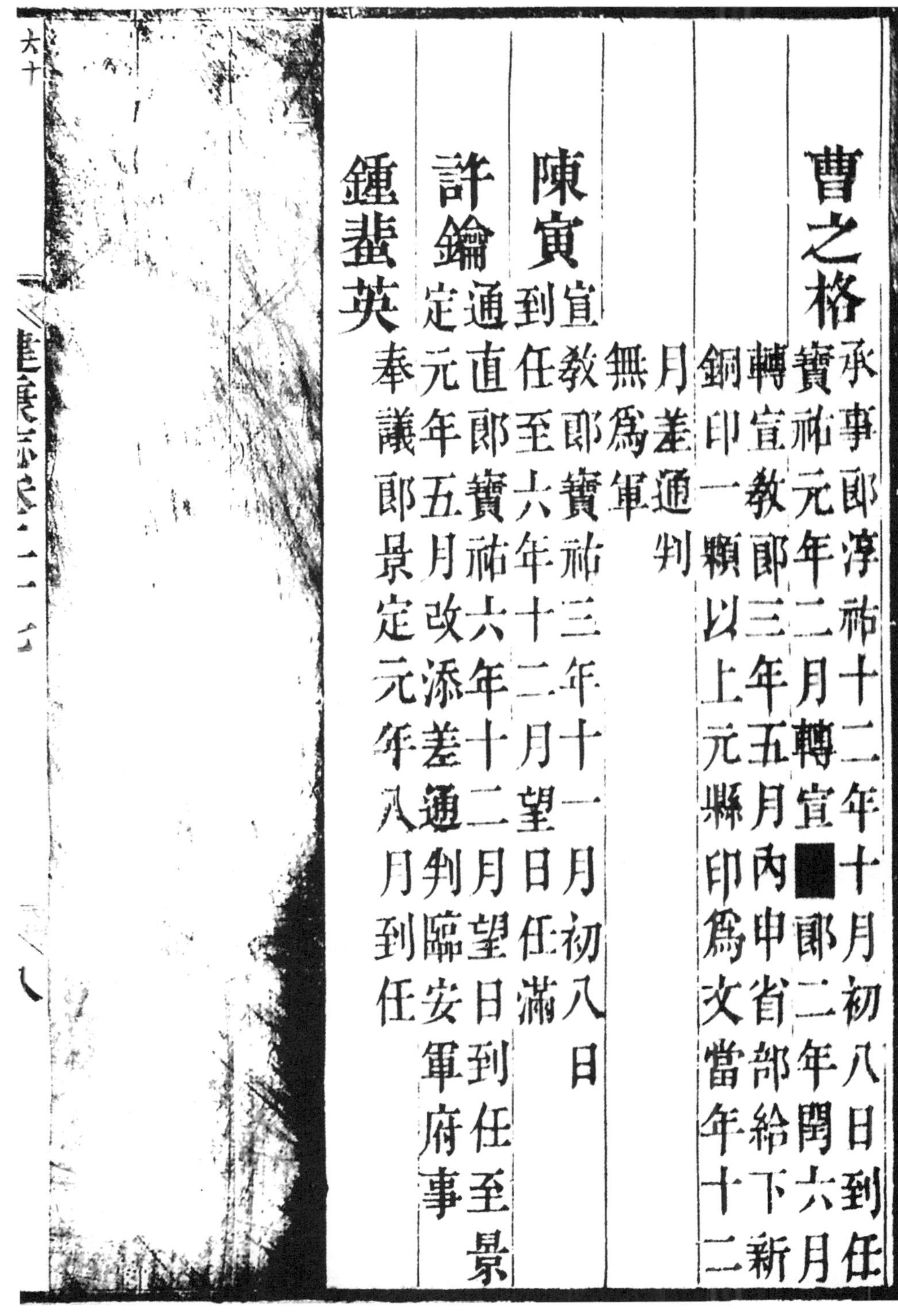

建康志卷二十七

八

溧水縣蘇魏公頌作題名記云縣令題名舊無其傳頌始到職以非便民先急之務而未遑經營也一日鄉民有訟田者辭逮數室咸造于庭紛辨交爭初莫能决訊其劑約則曰亡之矣訊其移受之始曰不能記矣所能言者某令時接某事至某之鄉鄉實某祖受田立籍之歲也縣有版籍盡載之矣因求其令在事之年而邑之胥吏皆無能言者乃爲之捃摭數十年簿書始見其令之官氏閱其籍果得訟田者之祖名具載其地數而侵冒者乃詘頌於是歎曰昔之居

官者去而留名氏紀歲月於府寺豈特好事者爲之哉是亦有謂爾斯獄也以令之官氏乃得致訟之歲月因版籍而後知民之情僞版籍雖具而民不能言其歲月縣令雖去而民猶能言其爲治之迹是令去而題名於後不爲無益於治理也於是條次前令官稱姓名起開寶李氏去國郡邑歸職方始命王官涖兹慶歷六年凡七十載歷三十八令而拙者繼焉因命礱石紀其交承之次第龕於聽事之壁閒非雅記乎歲月而已又念夫居是職者坐廣居享豐祿假天

子威刑案籍以莅政事其不能釐體以督簿書之務平心以待生齒之訟殆非朝廷所以建官分職之意也矧在是邑密邇大府號爲望縣其地之廣袤百里有畸編戶逾二萬而閒年逋逃未復者且千齒倍戶有半而隸名于力役胥徒者幾三十之一其賦傜之重輕貲貨之移用兼并之彊弱紛爭之是非蓋日有焉一繫乎長人者之决之也苟失其當民實受弊在治者得不爲之用心哉故予因紀年而又論政又書其命事之繇于左方將以告于民官庶幾悉意民務

毋俾其人曰某令者治某事而非是我將何告焉姑待來者聽治之非惟警于來者抑將以自警焉則曰升斯堂而受訴牒舉而視之曰前日某事其人稱某令之不治則子之弊事是必將審覆其詞而求索其情亦冀臻夫理而少紓其責也○淳熙壁記古者記事繫日月此官治壁記之所繇設歟詎非古耶自記則媢已代作則媢人或謂春秋之旨於是委地固也其欲述治道別賢不肖以訓于後則誰宜爲亦必詔興廢列姓氏而止耳江寧名縣肇晉太康辛丑歷宋

齊梁陳隋唐五季六百四十有五禩爲　我朝天禧
二年廼用此名建府中間縣名之廢易不一　中興
以來　行殿所居物衆事劇爲令滋不輕歷陽張君
伯子寔來既三載得令姓氏歲月日斷自樂君迄于
今二十二人刻石陷置官治之壁記事之意於是乎
在噫設官以爲民通于上下於民尤近其孰易令今
江寧有令閱歲逾七百其人幾何居此有紀進此有
立而姓氏有傳寥寥也仰俯之際誰其無志於斯苟
志於斯民且得職而令不與焉則吾不知而其傳與

否又不係夫壁記之有無也然雕屏銘几殆弗章乎君屬叙其顏敬爲之書伯子名孝伯淳熙甲辰日南至同郡龔敦頤記○紹定壁記江寧廳事舊有壁記刱於淳熙之甲辰既久鐫題殆遍寶慶三年夏建安劉君來越歳政成遂刻石以續于左金陵帝王州江寧爲赤邑按前記　行殿所屋物衆事劇爲令滋不輕旹沿江未置司也自制府宏開應疇調遣於是滋繁則爲令者毋乃尤不輕於前日乎責愈重任此責愈難今迺闕而不續則前乎此其間有賢且材者或

不得以著其名氏而後乎此將曰觀其人之賢且材
而無所證則壁記果可以間而不續乎是記也非徒
記歲月云耳某人以某年某月至而某年某月之邑
事理歟民無擾歟則人必曰某人果賢且材矣天下
有公是非人心有公好惡繼是爲令者將莫不奮焉
以賢且材者自期而使後之視今猶今之視前也然
則江寧之民不其愈多幸歟此君之所甚望也此壁
記之所以續也君名璽尙書文簡公之子其爲政豈
弟慈祥不擾而事辦制閫以其賢聞諸 朝俾兼幕

府云紹定巳丑九月既望宣教郎行國子正董洪記

樂

朝請郎紹興元年到任

朱舉直 修職郎紹興三年到任

盛瑞 宣教郎紹興六年到任

張昌 奉議郎紹興九年到任

臧梓 宣教郎紹興十一年到任

苟紳 奉議郎紹興十二年到任

葉義問 宣教郎

曾譓 朝奉郎

姚劭 宣教郎

竇安國 右承事郎紹興二十年九月到任至二十三年九月二十四日任滿

曾浩 右朝奉郎紹興二十三年九月二十五日到任至二十六年十月初九日任滿

洪适 左承議郎紹興二十六年十月初十日到任至二十九年十月二十七日任滿

陳希平 右宣教郎紹興二十九年十月二十八日到任至三十二年正月致仕

喻仲遠 左宣教郎紹興三十二年四月十三日到任六月內致仕

張椿 右從事郎紹興三十二年九月二十九日到任隆興元年十月改差四川制司幹官

趙彥恂 左宣教郎隆興二年三月十七日到任乾道二年八月十五日成資

陳峊 右宣教郎乾道二年十二月二十四日到任至四年七月內罷

何作善　右宣教郎乾道四年十月十七日到任至八年四月十九日任滿

葛郛　右奉議郎乾道八年四月二十日到任至淳熙元年七月十八日任滿

趙伯渙　右宣教郎淳熙元年七月十九日到任至三年七月二十日任滿

章騆　通直郎淳熙三年七月二十一日到任至五年十月初三日任滿

趙善興　奉議郎淳熙五年十月初四日到任至九年正月十九日任滿

張孝伯　奉議郎淳熙九年正月二十日到任至十二年二月初四日任滿

曾炎　通直郎淳熙十二年二月初五日到任至十五年二月十三日任滿

虞汝翼　承議郎淳熙十五年二月二十四日到任至十二月初八日丁憂

求揚祖　宣教郎淳熙十六年四月二十三日到任至紹熙三年五月三日任滿

陸峻 承議郎紹熙三年五月四日到任至慶元元年十月十二日任滿

劉履忠 奉議郎慶元元年十月十三日到任至四年十月二十三日到任

于倬 通直郎慶元四年十月二十四日到任至嘉泰元年十一月二十七日任滿

楊九鼎 通直郎嘉泰元年十一月二十八日到任至四年七月二十四日丁憂

何中實 嘉泰四年十一月初七日到任至開禧二年七月宣劄權廬州通判

馮必大 開禧三年五月初一日到任至嘉定元年五月二十五日致任

潘櫄 宣教郎嘉定元年九月二十七日到任至二年九月初八日丁憂

徐龜年 宣教郎嘉定三年正月初一日到任至六年正月改監建康府榷貨務都茶場

胡林卿 宣教郎嘉定六年二月十九日到任至九年四月十六日任滿

莫光朝 宣教郎嘉定九年四月十七日到任至十年十一月十七日致仕

王大臨 宣教郎嘉定十一年四月初五日到任至十四年四月初十日任滿

季端誼 宣教郎嘉定十四年四月十一日到任

潘子高 宣教郎嘉定十七年五月初十日到任至寶慶三年五月初九任滿

劉垕 奉議郎寶慶三年五月初十日到任至紹定三年六月初八日任滿

陸衍 朝奉郎紹定三年六月九日到任至六年[redacted]月[redacted]日任滿

周大昌 通直郎紹定六年六月十一日到任至端平三年七月二十八日任滿

惠孔時 宣教郎端平三年十月十七日到任至嘉熙二年八月任滿

王圭 通直郎嘉熙二年八月初六日到任至淳祐元年九月二十七日任滿

趙與桸 奉議郎淳祐元年九月二十八日到任至四年十一月十[redacted]日任滿

錢謙孫 通直郎淳祐四年十一月十六日到任至七年十二月初三日辟滁州通判

錢崇鐐 宣教郎淳祐七年十二月初三日到任至八年六月十六日丁憂

孫樟 宣教郎淳祐八年八月初一日到任

曹庭褒 奉議郎淳祐十年八月初三日到任至寶祐元年八月[redacted]日任滿

趙崇嵛 奉議郎寶祐元年八月初十日到任至三年十一月[redacted]日致仕

葉信厚 宣教郎寶祐三年十二月二十四日到任至四年[redacted]月[redacted]日避親離任

趙希瓏 宣教郎寶祐五年正月初五日到任至六年十一月丁父憂

林暉 宣教郎開慶元年四月二十七日到任

王鏜　宣教郎景定元年三月二十七日到任

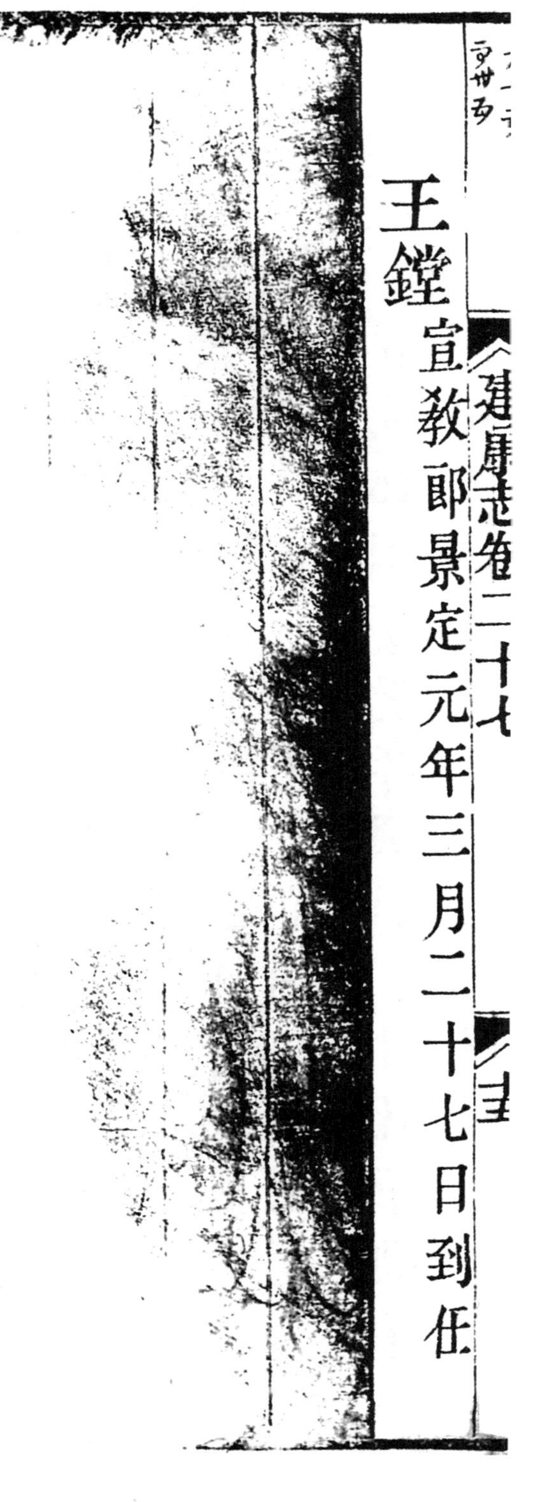

句容縣題名記

句容爲邑甚古自漢以來令長不知幾何人江左號近畿三品佳邑選用尤重而姓名傳者葢寡間有著之史冊見于碑版僅可以一二數當世鉅人長德亦豈無嘗宰是邑而不爲赫赫名者傳記所書泯然無聞然則題名葢不可闕已 國朝建炎之後舊記不存隆興初岑君又宏乃爲立石得晉以下六人元豐中一人建炎以後十有三人未幾其石斷而棄之敏德至邑再朞始得其托本因重加搜訪而無載籍可攷姑求之石章諮之故老又得前代五

人太平興國至宣和八人自岑君以降又七人而至于敏德於是礱石刻之聽事繼自今其有攷矣若其遺闕猶有望於後之君子淳熙十五年正月日承議郎知縣事姑蘇黄敏德記

劉超 晉人　孫謙 宋人

顔繼祖 宋人　賈希鏡 齊人

周洽 齊人　楊延嘉 唐人

岑植 唐人　王昕 唐人

李哲 唐人　吕倕 唐人

邵全遴偽吳人　韓繼閎南唐人

查文直南唐人　王元南唐人

宋籍太平興國三年以下並本朝　馬莊將仕郎守大理評事

曹從壽咸平四年　祖岳咸平四年

方峻朝奉郎太常博士皇祐元年　丘濬景德中衛尉寺丞知縣圖築占星臺

袁轂熙寧十年　葉表將仕郎秘書元豐二年四月

眞元弼宣德郎元豐五年　游冠卿承議郎元祐二年

杜紹承奉郎武騎尉兼崇禧觀紹聖中　滕及通直郎崇寧元年

李琳奉議郎宣和五年　董莘

馬仲宣 朝奉郎尚書員外郎政和中

黃唐傳 政和八年

劉子佾 右承議郎紹興三年

孫時升

劉識

范振 紹興七年

鄒惟叙 右承議郎紹興十年

宗夔 右承事郎紹興十三年

湯退年 右承奉郎紹興十七年

陳孝逸 右宣教郎紹興二十年

龔濤 紹興二十四年

趙不怯 紹興二十六年

胡維 紹興二十八年

施興祖 紹興三十年

范卣 左奉議郎紹興三十二年

岑乂宏 右奉議郎隆熙元年

葛郇 通直郎乾道五年

慕容邦用 乾道七年

陳文琥　右宣教郎　乾道八年
朱光弼　淳熙元年
趙善言　承議郎　淳熙三年
俞洞　宣教郎　淳熙七年
向溉　奉議郎　淳熙十年
黃敏德　承議郎　淳熙十四年
孟益　淳熙十六年
張斗南　承議郎　紹熙元年
葉謙之　紹熙三年
錢師元　奉議郎　慶元元年
趙時侃　承務郎　慶元四年
齊礪　朝奉郎　嘉泰元年
江公亮　通直郎　嘉泰四年
朱拱臣　奉議郎　開禧三年
孫乾曜　承議郎　嘉定四年
魏熹　通直郎　嘉定七年
趙希夔　承奉郎　嘉定十年
施沆　通直郎　嘉定十三年

王通奉議郎嘉定十六年　張偁通直郎寶慶二年

丁宗魏紹定二年六月十八日到任

吳淇紹定三年四月初十日到任六年六月二十六日滿

趙熙紹定六年六月二十七日到任端平三年十月初十日滿

豐雲昭端平三年十月十一日到任嘉熙元年四月十三日兩易上元知縣

王之經嘉熙元年四月十四日到任

蔡蕃嘉熙三年九月二十二日到任淳祐二年正月初八日滿

丁埴淳祐二年正月初九日到任

張榘淳祐五年三月初二日到任

趙汝攣 淳祐八年二月十二日到任十一年三月初八日任滿

吳衍 淳祐十一年三月初九日到任

惠昌 寶祐元年六月十一日到任

趙孟銑 寶祐二年四月二十八日到任三年正月初三日除大理評事

奚季虎 寶祐三年四月十七日到任

趙汝檣 宣教郎寶祐六年六月十五日到任

史十之 通直郎開慶元年四月初九日到任

朱頴達 迪功郎景定二年四月十五日到任

溧水縣廳壁記

秣陵號江左重鎮中山爲秣陵壯邑置自隋開皇中閲令多矣　國朝紹興己卯荆南唐公永夫始追紀前人名氏肇自皇祐壬辰凡四十一人刻石龕壁櫟昔貽後吳興劉公季高爲文記之嘉定庚辰歲杪余來領邑生晚才劣蚤夜飭厲媿未能彷彿其前萬一顧瞻壁記衡廣從廂嗣永夫者裁二十四人而登載班班幾遍思之是雖欲因陋不可也廼訪石它山命工重刻植于便廳左偏旣廣旣宻㠯竢來者綽有餘地憶永夫刻石時距余領邑歲僂指

恰一甲子其更易豈有數乎季高爲永夫記有曰前人作此非徒然也欲知其是非賢否去取之耳余雖不敏請事斯語且錄之曰勉來者云越二載壬午四月既望茗川史改之記

李叔軻 皇祐四年四月到任

史良 至和二年四月到任

詹彥光 嘉祐二年四月到任

皇甫遼 嘉祐四年四月到任

張維 嘉祐六年四月到任

劉處約 治平元年三

畢仲達 治平二年四月到任

關杞 熙寧二年四月到任三年正月除廣西常平

孫汲 熙寧三年四月到任

張綬 熙寧六年四月到任八年四月改差

傅傳正 熙寧八年八月到任

張謂 元豐元年十一月到任

周邠 元豐四年四月到任

張常 元豐六年九月到任

葛諷　元祐元年九月到任

孫廷臣　元祐五年十一月到任

周邦彥　元祐八年二月到任

何愈　紹聖三年三月到任

曹裕　元符二年七月到任

李棨　崇寧元年十一月到任

劉顯　崇寧二年十一月到任

江公明　崇寧三年十二月到任

紀霖　大觀元年十二月到任

張葦　大觀四年九月到任

蔣巘　政和三年八月到任

高舉　政和六年九月到任

鄒雱　宣和元年十一月到任

劉摭　宣和五年四月到任

林彭年　宣和六年二月到任

張知剛　靖康元年十一月到任

高堯明　紹興元年十二月到任

湯克忱　紹興四年二月到任

徐端輔 紹興六年九月到任

李朝正 紹興七年十一月到任 十年四月被召

章藉 紹興十年十二月到任 十二年正月改差

胡懿 紹興十二年二月到任

姚耆宗 紹興十五年二月到任

朱搏 紹興十八年十月到任

薛袞 紹興二十一年十二月到任

李文開 紹興二十四年十二月到任

蘇楷 紹興二十六年五月到任

唐錫紹興二十九年五月到任

劉授之紹興三十年八月到任

李衡隆興元年十月到任乾道二年十月再任乾道三年九月被　召

陳嘉善乾道四年三月到任七年三月滿替

梁公永乾道七年四月到任

程聞一乾道九年正月到任

莊璋淳熙二年正月到任

司馬僖淳熙三年六月到任

强煥淳熙五年七月到任

王衎　淳熙七年九月到任　十年十一月任滿

方仲忽　淳熙十年十一月到任　十四年二月任滿

李泳　淳熙十四年三月初六日到任

張詵　淳熙十五年四月十六日到任

吳友聞　淳熙十六年七月四日到任　紹熙三年七月九日任滿

趙善詧　紹熙三年七月九日到任　慶元元年七月任滿

陳楠　慶元元年七月到任　三年九月任滿

趙希琦　慶元三年九月到任

張攀　嘉泰元年二月初二日到任　嘉泰四年二月初一日任滿

蔡康 嘉泰四年六月初二日到任

張詳 開禧三年二月二十三日到任嘉定三年十月十五日任滿

湯詵 嘉定三年十月十六日到任六年六月十二日任滿

俞邅 嘉定六年六月十三日到任九年十二月十七日任滿

劉允武 嘉定九年十二月十八日到任

李知新 嘉定十年十二月二十四日到任十三年十二月二十七日任滿

史改之 嘉定十三年十二月二十八日到任十五年十月十七日準省劄除評事

汪仁榮 嘉定十六年三月初九日到任

陳洽 嘉定十七年四月二十八日到任寶慶元年十一月二十六日通理滿

向立 寶慶元年十二月初七日到任

黃普 寶慶三年三月二十四日到任紹定元年七月初二日通理滿

史彌鞏 紹定元年十月到任四年十二月滿替

衛社 紹定四年十二月二十七日到任續緣兩通判皆親族準部符成資解任

顏儼 端平元年四月十八日到任二年四月九日磨勘轉承議郎三年四月十七二考成資遞親解任續準省劄改差淮東制機

辛延 端平三年七月內到任至嘉熙元年十月內準省劄改差安邊所幹辦公事

王儔 嘉熙元年十二月十三日到任三年七月內磨勘轉奉議郎四年閏十二月初八日準省劄改差主管臨安府城南左廂公事

李以申淳祐元年正月十八日到任

張梗淳祐三年七月二十日到任

趙崇秉淳祐四年六月初四日到任淳祐五年二月磨勘轉奉議郎淳祐七年六月二十七日任滿

劉棻淳祐七年六月二十七日到任八年八月因磨勘轉奉議郎九年七月初十日改賜緋魚袋十年六月二十三日滿替

趙希崗淳祐十年八月二十四日到任十一年六月磨勘轉承議郎寶祐元年九月二十三日滿替

喬進孫寶祐元年九月二十四日到任當年十月磨勘轉通直郎四年十月二十五日

滿替十月二十三日準　省劄

特差通判無爲軍塡見闕

湯卿月　寶祐四年十月二十六日到任六年十

二月内因磨勘轉奉議郎開慶元年十

月二十九

日滿替

朱南杰　開慶元年十一月初一日到任景

定元年六月就任改辟淸流知縣

潘歸之　景定元年六月十八日到任

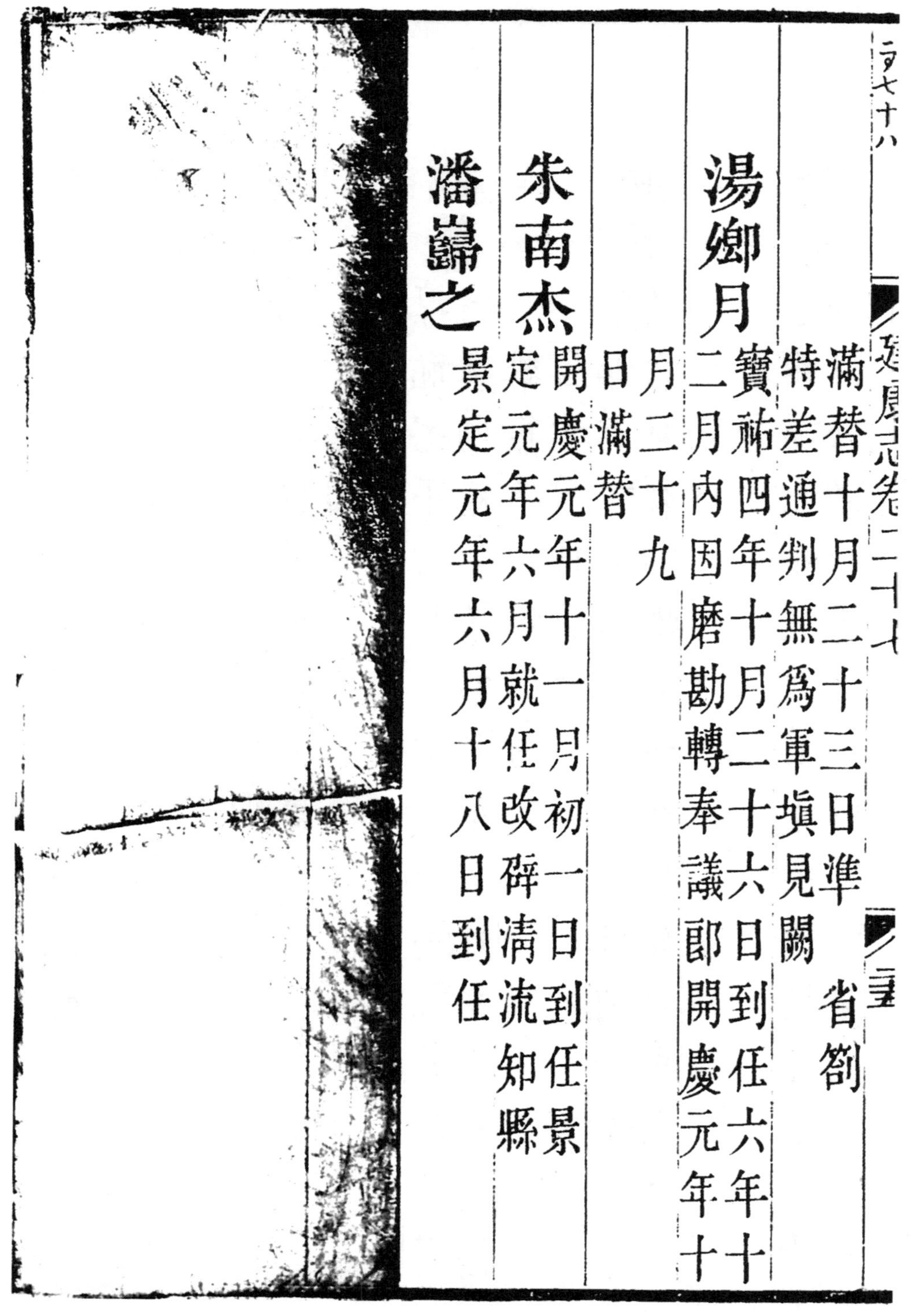

溧陽縣題名

瀨陽本秦置縣計版溢二萬戶提封踦三百里久隸建康邑去所隸越數舍而遙僻處孤絕四介湖山有狡悍之舊俗號稱難治　宋德神靈化南漸江表民陶沐之久又得端亘繼爲之尹摩之以道柔之以正今俗乃恂恂而厚家有令子弟起趨學序庭訟益稀田萊日闢秀髮之樂善者有矣非前後勤教馴變之繇然耶千能藐無術業燭理多昧涖官且將再朞遂享安簡之名逃曠謫之咎則庇前亘之德隆矣想見其人視已成事思章章厥名以昭示後

呼訪舊吏第而牒之得自開寶李氏歸　朝以後距于今爲邑者蓋二十八焉題名于左若曰政之仁鄙操之淸濁質語吾民不誣也夫暇置議哉慶歷七年五月日大理評事杜千能序○平陵隸建康爲鉅邑疆里之廣僻版籍之繁庶風化之厚薄吏民之淑慝則前序述之詳矣歲在癸卯宮舍周侯宰政之二年治成閒暇幾及瓜代因語僚佐以謂杜公始議題名書而揭之第恐久而漫滅無以傳示于後遂命勒於堅珉置之廳廡以告來者繼而刻之憶吾民之心去

而思者有之矣思而不得見想慕遺迹猶有存者其思可得而忘耶是亦長民傳永之深意者歟嘉祐八年九月日將仕郎試秘書省校書郎守縣尉楊照後序朝散郎守太子中舍知縣事賜緋魚袋周景純立石○題名之設所以記往傳後是邑有爲創於杜令而周令繼之然舊石歲久且壞今邑宰按圖考迹得二十年來舊政爵里姓名別勒之石以續二公初志云紹興戊寅七月望右從事郎主簿黃湛記右通直郎知縣事呂文中重立石○溧陽之爲邑其建立因

革則具於圖籍其土俗政理則見於舊記此不洊述子適竊惟邑令之闕揭于尚書左選者動經年歲莫之顧咸曰彼浙之陽輿號爲㝡難且繁矣然規制尙在小施敏手則可立治故人之憚之也輕若斯邑之難故當出天下劇邑上而又弊凋匱竭綱紀蕩弛是惡可復爲子適不度德量力慨然自奮曰天下寧有不可爲之邑於是甘心取人之所弃扁舟獨先俛首就職親黨莫不笑罵之至之日如敗舸壞屋了不可支於是嘗歷險阻含忍羞辱持守堅決具足頑頓閱

歲有半始能除害去閒而百度漸以植立於是始有意於續題名之刻自李撫州而下得四人焉皆有功於是邑者乃敘其歲月而刻之子適誠妄庸獲贅名其後夫天下之最不材學更有甚子適者乎子適且能錯其力如此使才而賢者臨之又當力省而功倍則溧陽之俗故醇厚而邑亦非難治矣釋天下之疑溧此邑之謗請自子適始嘉定十有三年十月甲子承事郎知建康府溧陽縣主管勸農公事山陰陸子適記并書

潘乾 後漢光和中
王舒 東晉初
阮裕 東晉時
阮崇 東晉末
褚球 齊時
蕭某 梁元帝時南史云蕭溧陽馬雖老猶駿
喬翔 唐開元十七年
鄭晏 李白同時
王時 大歷六年見楙太虛觀鍾刻
柳均 見舊縣斷碑
季操 貞元中與孟郊同時
李寂 朝議郎開成二年
史實 銀青光祿大夫天祐三年
郭延沼 南唐昇元三年銀青光祿大夫
王員規 朝議郎保大十四年
李運 開寶中爲令時李氏歸朝之初
張宗敏 在任四年
董寵正 祕書丞

姜公綽 大理評事在任二年
夏侯戩 淳化五年登仕郎在任三年
李拱 太常博士在任三年
董術 秘書丞在任三年
蕭楚材 殿中丞在任三年
孔昭亮 秘書丞在任三年
鄭南 登仕郎試秘書省校書郎天聖二年
宋正已 蘇州觀察支使在任六箇月
蘇叟 在任三年

王保衡 在任四年
李濬 秘書丞在任三年
成悅 著作佐郎在任三年
宋武 試校書郎在任三年
李昭素 職方員外郎在任三年
李昌震 在任二年
王簡 太常博士在任二年
查詠之 大理寺丞在任二年
孟造 衛尉寺丞在任五箇月

王夢臣大理寺丞在任一年半　竇簡大理寺丞在任二年

章賁大理寺丞在任二年

蒲延熙大理寺丞康定二年四月到任慶歷二年五月得替

馮旦衛尉寺丞慶歷二年十月到任四年九月得替

蔣祕著作佐郎慶歷四年九月到任五年五月得替

杜千能大理評事慶歷五年十月到任八年四月得替

孫薰衛尉寺丞慶歷八年四月到任皇祐二年二月得替

查宗閔太子中舍皇祐二年四月到任四年十二月得替

章嶙祕書丞皇祐四年十二月到任至和二年十二月得替

眞昺朝奉郎守太子中舍至和二年十二月到任嘉祐三年八月得替

豐有孚太子中舍嘉祐三年十月到任六年十一月得替

周景純太子中舍嘉祐六年十一月到任八年十月得替

吳君平秘書丞

鍾離景圭太子中舍

方仲謀大理寺丞

雷豫大理寺丞

高初著作佐郎

羅彥輔秘書丞

周伯玉著作佐郎

葛蘋宣德郎

郭琢奉議郎

項瞻宣德郎

何康直右宣德郎元祐二年三月到任

吳勉 右通直郎元祐五年四月到任八年十二月得替

張康孫 元祐八年十二月到任

黃長彥 奉議郎紹聖四年三月到任元符三年四月得替

劉淮夫 奉議郎元符三年四月到任

李亘 通直郎崇寧三年四月到任

龔弁 宣教郎

萬閫 通直郎大觀三年十月到任政和二年十月得替

鄭驤 承議郎政和二年十月到任六年十月得替

袁皦 通直郎在任一年五箇月

曾諮 通直郎宣和元年四月到任五年七月得替

胡似之 通直郎宣和五年七月到任靖康元年八月得替

王棠 左奉議郎靖康元年八月到任十一月丁母憂

楊邦乂 左奉議郎靖康元年十一月到任建炎三年八月差通判建康府

沈棠 右宣義郎建炎三年九月到任紹興二年五月得替

趙公白 左奉議郎紹興二年五月到任四年七月得替

許嘉謀 右承事郎紹興四年七月到任

吳洵武 右宣義郎紹興六年二月到任十一月改監潭州南嶽廟

孫汝翼 左宣教郎紹興七年五月到任八年正月改主管台州崇道觀

何幾先　右修職郎紹興八年三月到任十年九月得替

李孝恭　右朝散大夫紹興十年九月到任十三年十月得替

王昇　右承議郎紹興十三年十月到任十四年十月避親罷任

韋能定　右承議郎紹興十五年四月到任九月避親罷任

施祐　右承事郎紹興十五年十一月到任十九年二月得替

馮迪德　右承議郎紹興十九年三月到任八月罷任

周淙　右通直郎紹興二十年十月到任二十二年六月改差江東撫幹

章鍔　右宣教郎紹興二十二年九月到任二十三年八月通理罷任

黃繹　左朝奉郎紹興二十三年十二月到任二十七年三月得替

呂文中 右通直郎紹興二十七年三月到任

蔣睦 右通直郎紹興二十九年九月到任三十一年十一月差提轄行在雜買務雜賣場

翁翊臣 左奉議郎紹興三十二年三月到任隆興元年四月差主管台州崇道觀

李龜 右宣教郎隆興元年九月到任乾道元年八月罷任

陳蒼舒 右通直郎乾道元年十一月到任五年四月滿替

隃仲遷 右通直郎乾道五年四月到任八年正月丁母憂

趙利 右通直郎乾道八年四月到任淳熙元年八月滿替

劉垃 通直郎淳熙元年八月到任三年八月滿替

周世修 通直郎淳熙三年八月到任五年九月滿替

高特 奉議郎淳熙五年九月到任八年十一月得替

沈綸 宣教郎淳熙八年十一月到任十一年十一月滿替

鄧埏 通直郎淳熙十一年十一月到任十三年七月罷任

周熻 承議郎淳熙十三年八月到任十六年八月滿替

陳楠 宣教郎淳熙十六年八月到任

魏沖 承議郎紹熙二年四月到任五年四月滿替

李卞 朝散郎紹熙五年四月到任慶元三年四月得替

蘇石 奉議郎慶元三年四月到任四年六月罷任

方椈 通直郎慶元四年九月到任嘉泰元年十二月得替

趙贊夫 奉議郎嘉泰元年十二月到任四年得替

陳仲達 承議郎嘉泰四年十一月到任嘉定元年正月得替

錢重 奉議郎嘉定元年正月到任

李大原 宣教郎嘉定二年五月到任五年七月滿替

王棠 通直郎嘉定五年七月到任八年七月滿替

施烇 通直郎嘉定八年七月到任十年四月離任

褚孝錫 奉議郎嘉定十年五月到任是年冬奉祠

陸子遹 承奉郎嘉定十一年正月到任十四年四月滿替

林演 宣教郎嘉定十四年四月到任十六年八月差主管臨安府城北右廂公事

徐子石 宣教郎嘉定十七年三月到任寶慶三年六月滿替

袁喬 宣教郎寶慶三年六月到任紹定二年七月避親離任

章鑄 奉議郎紹定二年九月到任三年十月離任

徐耜 宣教郎紹定四年三月到任端平元年五月滿替

徐謂禮 通直郎端平元年五月三日到任三年十月丁母憂

姚仍 奉議郎端平三年十月初十日到任嘉熙三年五月在任不祿

章説伯 宣議郎嘉熙三年七月十六日到任四年九月離任

趙希準 通直郎嘉熙四年十二月十八日到任淳祐二年六月祠祿

李仲蘢 通直郎淳祐二年九月十五日到任三年五月差通判淮安州

施樞 從事郎淳祐三年六月九日到任六年三月離任

王湘 宣教郎淳祐六年閏四月到任九年四月滿替

汪之純 承事郎淳祐九年五月二十二日到任十一年告假

劉次春 宣教郎淳祐十一年二月朔日到任寶祐二年二月二十二日滿替

趙希羔

王濤

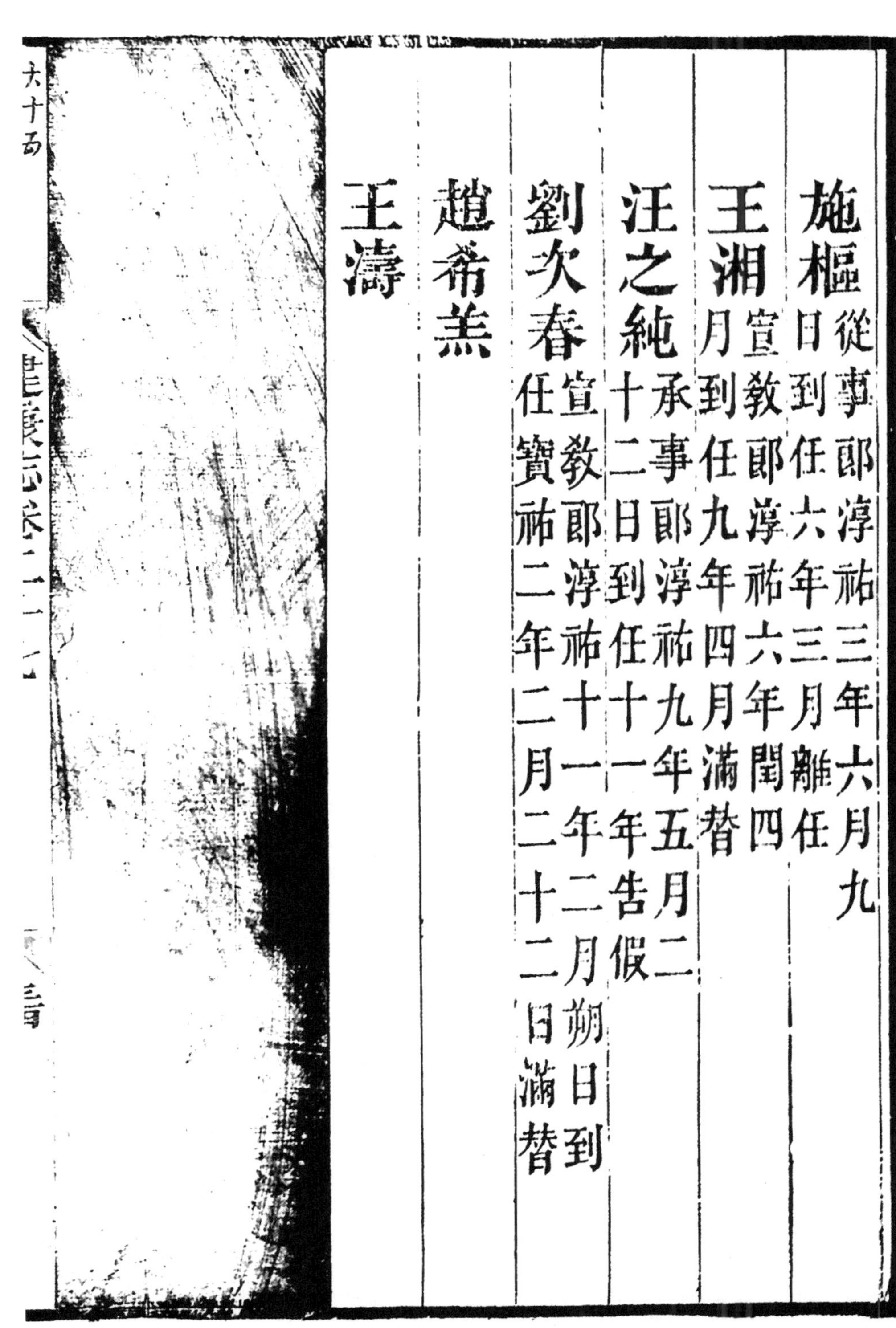

九十二

景定建康志卷二十七

景定建康志卷之二十八

承直郎宜差充江南東路安撫使司幹辦公事周　應合修纂

儒學志一

儒以道得民人不學不知道天地所以位萬物所以育皆儒學之功用也六朝豈無學總明有觀集雅有館北郊崇儒西邸授經鹿苑書臺定林支室然皆無救於時何也學未得其本也我

宋龍興聚奎發祥眞儒輩出正學大明河南程子得濂溪周子之傳上續孔孟之緒則嘗仕于此南軒張

子傳道五峯者也則嘗侍親于此西山眞氏學宗濂洛者也則嘗持節于此先後儒宗壽脉斯文剖符持節奕奕相望所過者化遺風可挹橫經授業率多名勝故其士不止汲汲於科舉尤孳孳於講學固宜治教休明習俗淳厚一洗六朝之陋今廟學聿崇精舍偕闢興所敎也學椽並設山長特命重所職也經籍富儲博所考也帑庾益增盛所養也先哲列祠起所慕也科目得人驗所用也故特書之作儒學志諸郡乘學校無特志唯剡錄有學志今倣之以儒學自爲一志表所重也

前代學校興廢

晉建武元年十一月征南軍司戴邈上疏曰喪亂以來庠序隳廢世道久喪禮俗日弊今王業肇建萬物權輿謂宜篤道崇儒以勸風化元帝從之始立太學○江東大饑詔百官各上封事益州刺史應詹疏曰元康以來賤經尙道以元虛宏放爲夷達以儒術清儉爲鄙俗宜崇獎儒宮以新治化○太興三年皇太子釋奠于太學○咸康三年國子祭酒袁瓌太常馮懷以江左寖安請興學校帝從之立太學於秦淮水

南廢丹楊郡城東南徵集生徒而士夫習尙老莊儒術終不振○太元十年尙書令謝石請復興國學於太廟之南○宋元嘉十五年立儒學於北郊命雷次宗居之明年又命丹楊尹何尙之立元學著作郎何承天立史學司徒參軍謝元立文學○宮苑記儒學在鍾山之麓時人呼爲北學今草堂是也元學在雞籠山東今棲元寺側史學文學並在耆闍寺側○二十年三月皇太子劭釋奠于國學顏延年作釋奠詩見詩類○二十七年罷國子學而其地猶名故學○齊

竟陵王子良開西邸延才俊遂命爲士林館（西邸在雞籠山）○梁大同六年於臺城西立士林館延集學者武帝初好儒術其後尊信佛法講譯內典而士林輕矣○南唐書跨有江淮鳩集典墳特置學官濱秦淮開國子監今鎮淮橋北御街東舊比較務卽其地里俗呼爲國子監巷

本朝興崇府學

雍熙中有　文宣王廟在府西北三里冶城故基天聖七年丞相張公士遜出爲太守奏徙廟於浮橋東

北建府學給田十頃賜書一監景祐中陳公執中又徙于府治之東南卽今學基建炎兵燬紹興九年葉公夢得更造學援西京例奏增置教官一員淳熙四年劉公珙重修慶元二年張公杓建閣以奉 御書閣下爲議道堂稍重釋奠禮儀儲典籍增旣廩文風大振淳祐初年別公之傑增修學宇六年趙公以夫卽命教堂更名明德增造兩廊以妥從祀十年吳公淵列祠先賢增學廩創義莊寶祐中馬公光祖興學校舉孝廉集周漢以來名賢贊而祠之士氣興焉

葉夢得作府學記先王以武定天下必以文終之江漢宣王南征之詩也言甲兵車馬之盛備矣末乃曰矢其文德洽此四國治道豈不有本乎衛靈公問陳子曰俎豆之事則嘗聞之矣軍旅之事未之學也子豈以軍旅爲不足學哉以爲知所以爲俎豆則軍旅無不可爲雖曰我戰則克可也漢高帝悉定楚地獨魯不下引天下兵欲屠之魯中諸儒尚講誦習禮弦歌之音不絕遂不敢加而待其服大道之行固有不期然

而然者孰謂魯諸儒而能折高帝推而上之舜
舞干羽而有苗格謂之誕敷文德蓋禮義之在
人心莫不皆有苟未至於絕滅不幸喪失雖至
於犯上作亂徐返其本亦必悔而知變善爲治
者可待之以變而得所向不可期之以絕滅而
終不返則文德其可一日廢於天下乎學校固
理義之所從出而斯文之所先也建康領江左
八州之地於東南爲大都會異時文獻甲於它
方舊有學在州之巽隅更罹兵火城郭鞠爲巳

墟獨學宮巋然僅存頹垣敗壁壓相藉生徒奔散博士倚席不講紹興二年某始以安撫大使分鎮時自淮以北裂爲盜區蜂屯豕突鼙鼓相聞葢欲葺而未暇後七年　大駕還錢塘詔以建康爲　留都蒙　恩復畀居守視事之明年輯寧荒殘流亡稍復民益安業於是喟然曰可以有事於學矣乃命其屬因舊址盡徹而新之起己未孟冬訖庚申仲春凡五月爲屋百二十有五間南向以面秦淮增斥講肄列置齋

廬高眆爽塏固有加於前不侈不陋下及庖圊
罔不畢具既又作小學于大門之東復命有司
諏典禮簿正祭器作新冕黼皆中程式覈其田
之在屬邑募民耕者千九百十五畝歲入其賦
爲米若豆與麥五百四十斛有奇坊之得自酤
者三區歲入其課爲錢百八十萬有奇地之占
府城得佃而居者八十有五所歲入其租爲錢
六百七十五萬有奇各爲圖籍以時輸之凡廩
給之費無有欺匿乃以上丁釋奠于先聖前期

率郡執事齋于兩序諸生無不從視滌省牲惟謹夙興籩豆在列史告時至以次就位正笏垂紳珮玉鏗鏘降登伏興卒事無違禮成受釐嚌爵於阼觀者數百人無不太息感動退而揖所與祭者而告曰子衿之作鄭人所恥是不知在鄭何公然傳載然明欲毀鄉校子產不可則當子產時鄉校葢復存是鄭之學未嘗終廢有子產則能興之焉四方用兵踰十年學校之列于郡國者其亡與存我不敢知惟天子以仁孝勤

儉治天下克復大業願與中外休息還之承平
者蓋終食不忘也上帝監觀亦既歸我河南之
地兵革漸息惟宣王之德於兹將興吾邦號陪
都視定鼎郟鄏實爲宗周是亦風化之首其復
有學自今始肉食者其可不推子產之爲鄭以
求先聖眷眷俎豆之意相與先後輔成吾君之
志布衣韋帶亦必有宏達英偉之士拔於草萊
接踵繼起由此而出以共濟一世者子大夫尚
勉之皆曰唯遂爲記刻之石後來者其有攷焉

大成殿在欞星門北戟門內從祀位在兩廊舊禮器漆繪竹木爲之寶祐二年王公埜置新禮器尊罍勺爵簠簋坫豆皆造以錫定陳器實饌儀爲一圖春秋上丁釋奠則舒于殿前以示執事

御書閣在明德堂後

默齋游公九言記有國有家者崇設學校將以教民興行也民之生也分則君臣親則父子兄弟配則夫婦責善則朋友是乃人心同然日用之常者而聖人嚴之城池之守甲兵禁令之防

非可少緩而聖人弗恃何哉學校之事固不若威强制禦可以旦暮見效然三綱明則姦宄知畏五教修則良心日生詩書之澤蒙被生民而不知試使六經之言一日墜地名義廢而不存天下事可勝言乎帝王之治始於徽五典謹庠序民興行而朝廷尊秦燔六藝隳大倫而國隨之漢唐以降嚮道雖不及古若仁義起兵緜蕝制禮與夫投戈講藝銳情經典厥祚亦昌末世賤學雖不至秦然名存實亡格言弗用士氣傷

而風節壞兆亂皆一轍耳學校重輕用以卜人之國眞譽禁也歟我　宋肇基務先文教慶歷初遂詔州縣皆建學而　列聖訓告尤備紹興中又以石經嘉惠士子三代之後未有也建康學宮舊在西北隅景祐初元陳恭公執中徙今地建炎蕩於胡寇紹興九年資政殿學士葉公夢得復新之規摹略備獨累　朝御書緘藏夫子殿中嚴奉猶闕慶元乙卯寶文閣學士尙書廣漢張公來鎭扶善翦姦禮延多士教授王

益祥陳與行因有請焉大旨謂學校風化之源
尊君人倫之首不有所表爲政者得無闕典建
康江淮都會曾弗如偏障支壘猶能寳　儲列
聖奎畫願有所尊以明示州人俾知　國家崇
儒也諸生洪鈖裴叔度朱舜庸朱夢龍郭致一
等從其後尚書悚然改容顧歲饑方講荒政明
年遂命安撫司幹辦公事游九言協兩教授經
始其事庀其司者使臣李榮董役徒陳欽核金
穀吏羅演宋繼先俞友仁行文書魏輔李鑑錄

出納計工程者軍典王永譏門者嚴惠卒九人
典用物馮亮尉辛韓鄭耿三旺也分役事薛進
雷興斌旺二李也匠五等魏安正繩墨精巧規
制合度觀者贊焉朱義副之棟梁既具梯雲行
空運機牙而屋之者戴義也瓦甃邵立也織葦
折竹汪德也刻欄雕枅劖木之小者王士寧也
起七月丙午畢季冬望閣左右舊挾滂池慮其
久而淫潤頹吾址焉最後齋諭嚴康時請躬視
役夫運甓覆簣以實之用人之力積二萬八千

有奇訖事不鞭一人葢揭通衢示其直以招之非下諸邑逮追也用緡錢八千碩米七百皆有奇焉閣高陸丈參赤縱廣五丈四赤橫廣視閣高之數加其三奇其赤如之下爲議道堂以待師生閒燕游咏而講論也役無半期費弗盈萬擇人而使之小大協心也敎官復告于府贊舍久且弊益祥與行之來也撙節濫浮得蘆場羨錢八百緡米七十碩願附建閣葺之易命敎堂腐撓四之一門廡之易者十二公廚撤而更造

閣東隅創較藝謄錄舍九楹復可支歲月矣役甫罷尚書移鎮南昌欲求當世大官紀述又明年九言益詳與行俱迫代去諸生謂記文未至來者無攷先生其書之二廣文以九言終始涖役屬筆焉九言曰較期會稽用度職也對揚上賜所弗敢及俟記言之嘗觀孟子論無常產而有常心者士也夫學也者雖以明人倫而倫之所以明實自人心始　國家設置師儒弗以吏道相臨異時士子充貢論官又非止養其身

榮其家也學者亦知所以養其心乎人之心淸
明純粹初本至善無纖毫之私也若養於厥初
安有過失惟其稍長而交於事物則誘而雜之
愛欲之招忿戾之搖利害之奪心始不得其正
爲心萌而事隨其害豈勝旣邪是以朋友之義
參於五者之倫正欲閑其邪以存其心日用致
察而知己私之所從起此心旣正達而行之則
本忠孝崇事業以光明于時居而未出則雍容
令德履蹈規矩以表厲於鄉黨國人豈非士君

子之學歟是知士君子者實爲四民風俗之倡
而學校者又爲一郡士子風俗之倡諸君久被
教育必自知之九言賦且細足跡幾徧江南每
愛金陵士風質厚尚氣前年攝行倅事日受訴
牒不過百餘較劇郡纔十一爾故爲吏爲兵者
頗知自愛少健狡之風工商負販亦罕聞巧僞
二年三被州牒走村墟賑饑省旱澇覗城郛加
樸魯焉若教化素明豈不易治慨念老矣行歸
山林因是役也相與周旋數月能無拳拳敢併

書於後當使金陵質厚之俗得所視傚以無負
國家崇儒之意是九言有望於此邦學士大夫
之心也三年丁巳季秋承直郎建安游九言題記

講堂 即明德堂虛齋趙公以夫所更也

議道堂 在御書閣下

正錄位 在明德堂之左

直學位 在東廊之首

諸職事位 在明德堂之右

齋舍 東序三齋曰守中曰進德曰說禮西序三齋曰

常德曰育材曰興賢又一齋曰由義在職事位之後

直舍二所在議道堂

新祭器庫在　大成殿前東廊之南

舊祭器庫在　御書閣之東偏

客位在西側門裏

公厨在東序後

學廩在西序後

義莊倉在議道堂後西偏

射圃在義莊倉之西有亭名繹志

修學記

化民成俗之由學古矣而王制之興學乃在於無曠土游民食節事時樂事勸功尊君親上之後豈庶富而教三代之制度施置大略然邪人倫之不明聖人不能一日以爲治則學豈緩事也哉凡王制之云云者皆所以爲教必如是而後學可興教可成不得以陵節而施之也建康學故在府之西北隅景祐元年天章閣待制陳公執中重建茲地中厄兵燼紹興九年左丞葉公夢得實新之距今裁四十年而椽棟

陊橈瓦飄壁摧殆無以尊聖祀宏教基者淳熙
二年今觀文殿學士建安劉公珙來塡兹土謁
奠之始視學圮陋心拳拳焉時適以旱告公視
飢由己惟荒政是力旣民被實惠若更生則凡
所以教民者次第修舉以春秋釋奠所以事先
聖先師者率不終敬公已事益虔必視徹乃退
以明道先生實傳孔孟之統而仁民愛物之政
著於爲上元簿時乃祠之學宫以示尊尚民有
與猶子訟至庭者公占辭自責剖析天理民至

慼以泣爭心兩絕由是家傳戶誦閭閻輿輯睦之風公一日詣學顧謂文學掾汝楫黼曰學宇之弊若此葺其時乎乃捐公帑三百萬命知上元縣薛斐董其役學亦傾積歲所儲得錢百三十餘萬以佐費儆工市材易壁之圮腐而峻整之飾象之黜晻而采章之堂廡齋廬廩廥庖湢弊者修壞者創計以堅久不爲苟美歸處所須凡用嚴具以淳熙五年二月戊寅始事四月晦日訖功公臨觀延見諸生因講明爲學之要而

誨之以義利之説莫不感厲懷來茲誦相屬乃卜日之吉躬率寮寀行釋菜禮且肅鄉老而燕饗焉耆艾嘆嗟睹禮知古請伐石以紀不朽汝楫等曰公爲政三年於此而始修學豈諱勞惜費而後姑爲之哉是公不在修學修其教也土木之功易壞而金石之壽有紀 國家敦崇學校過於漢唐所以壽斯文之脉者養士力也上不得不以科第取士士不當止以科第自期自士之溺意於進取而道學廢自進取不在郡學

而鄉校衰凡公之所以留意於此邦拳拳焉而敎之而新之而告之者旣聞耳矣修其身以善於其鄉修於鄉以善其國人則其傳也視土木之功金石之壽寧有旣耶若夫重違耆艾操筆紀事則汝楫等職也敢辭淳熙五年六月甲子迪功郎充建康府府學敎授黃灝承議郎充建康府府學敎授章汝楫記從事郎監建康府戶部大軍庫門許及之書

重修府學 景定四年制使姚公希得差總管曹璘董

其事將本學殿堂齋舍學門欞星門倉屋等處并兩教官廨舍並行修葺一新兼置動用等物總費錢四萬二千一百八十餘緡米六十四石九斗有奇

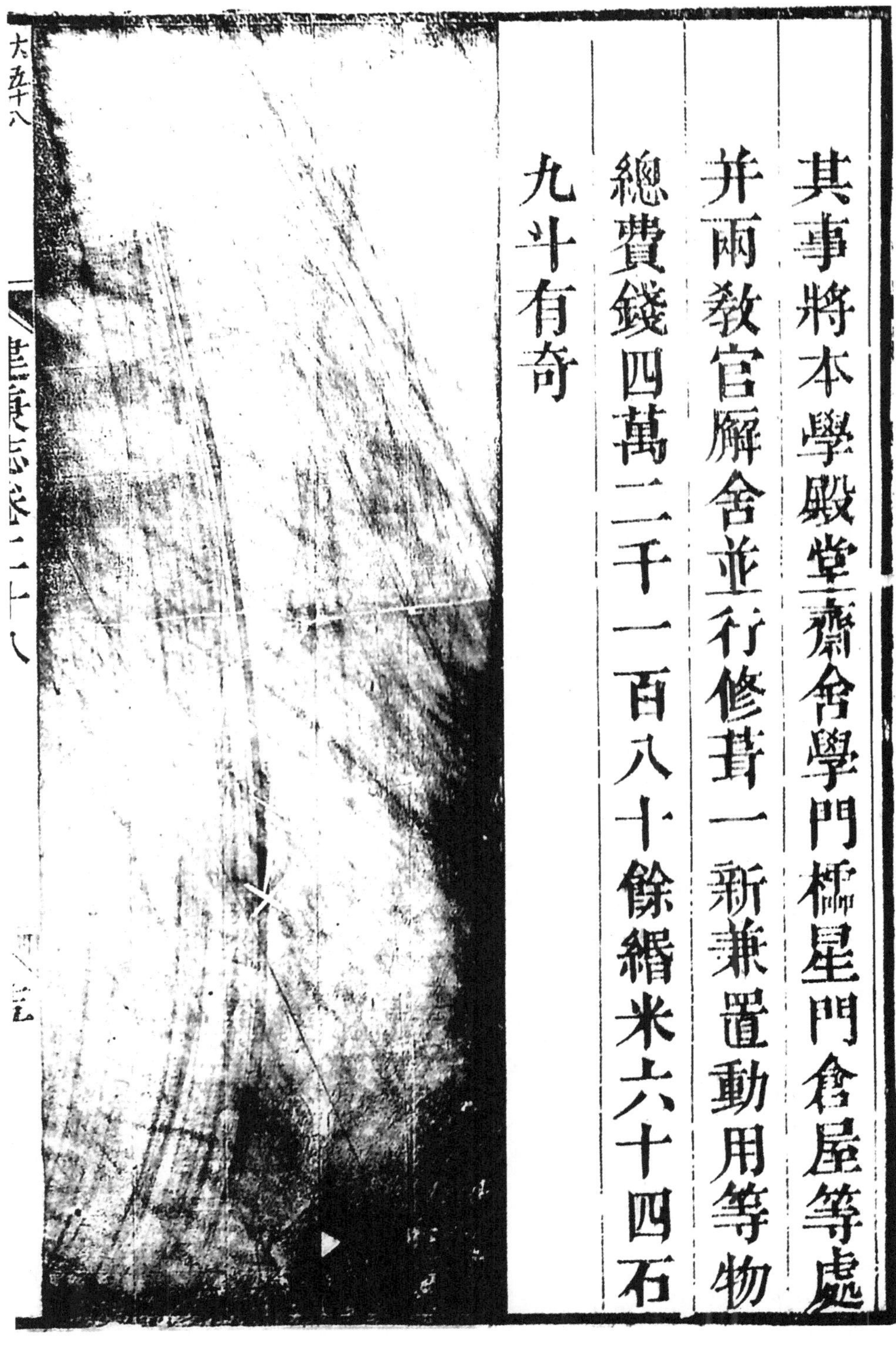

建康志卷二十六

置教授

天聖建學置教授一員紹興九年因左丞葉公奏照西京例增置一員分東西廳東廳在學之左西廳在學之右其初東西題名合爲一後析爲二

東西廳總題名記

學以明倫而建官以傳道而設厥任豈輕也哉建業巨麗視上都多秀民異時冠倫魁秉鈞樞者皆繇是乎出分教于兹亦一時選舊止獨員至紹興初石林葉公居守纔建議增置列廨于學之東西其西惟舊莫詳所始其東則自葉創而以盛

光祖始焉廳故無記前政沈元肖與同僚孫才翁實講求之得三十有二人未暇刻而沈代汝楫乃後之與才翁一見而契喜二廳可跬步日相從不虛有講習樂不知官之冷也於是欲刊之石才翁老於文學宜記乃以屬汝楫辭不可遂書庶繼今相與盡心於斯道俾學者有所興起以追美于前聞人它日明秀雋偉出而爲名公卿則將推其教之所自顧豈不預有榮耀是記豈特列名氏而已哉淳熙四年二月二十二日宣城章汝楫記晉陵孫肅書開封趙善珏題

東廳續題名記金陵號　留都之府學宮設兩教之員自我

高宗六飛南渡則已然矣題名有碑具紀其實東西二廳合爲一記由紹興初迨今未及百年而累政之書充塞盈溢不容附麗於是得堅珉二分東西而兩之各爲之記以續前志曩自盛光祖而下至歐陽偉凡屬於東者一十有八人今新碑之創始於嘉定之癸未而珏也適當其次輙首書以紀歲月自爲而自書之雖■不辭嗣是列銜而累書則以待于後之人

若夫締創之有端紀述之有人則已備見于前志毋庸贅敘旹嘉定十有七年正月旣望修職郎充建康府府學教授三山陳珏記

陳珏 修職郎以嘉定十四年正月四日上十七年正月四日滿

蔣袠然 承直郎嘉定十七年二月十六日到任寶慶三年二月滿

潘忠恕 廸功郎寶慶三年五月十日到任至紹定二年正月十二日解罷

劉泳 從政郎紹定二年八月十三日到任五年八月十三日滿

歐陽方 承直郎紹定六年十月初二日到任端平三年五月三十日離任

孔聖義 承直郎端平三年十二月二十日到任嘉熙三年五月三十日外改知銅陵縣

陳珏 修職郎嘉定十四年正月四日上十七年正月四日滿

徐庭圭 宣義郎乾道二年二月初七日到任

李廷直 迪功郎乾道三年十一月二十日到任六年十二月任滿

薛珪 從事郎乾道六年十二月二十六日到任九年八月初十日任滿

沈宗說 從政郎乾道九年八月十一日到任淳熙三年十一月初十日就任改宣教郎

章汝楫 承議郎淳熙三年十一月十日到任五年十二月二十三日任滿

胡紘 迪功郎淳熙五年十二月二十四日到任六年十月八日開陞從事郎八年四月二日用出疆賞循文林郎

徐嘉言 從事郎淳熙九年二月十二日到任十二月二月二十二日任滿

林思聰迪功郎淳熙十二年四月初五日到任十五年七月初二日任滿

黃黼迪功郎淳熙四年四月初一日到任七年四月二十三日任滿

王誠之從政郎淳熙七年四月二十四日到任

鮑義叔從事郎淳熙七年十二月十三日到任

王萊從事郎淳熙八年十月初三日到任十一年十一月十六日滿

鮑士良迪功郎淳熙十一年十一月十六日到任十五年二月二十五日任滿

朱士挺從政郎淳熙十五年二月二十六日到任紹熙二年三月二十六日離任

陳大應從政郎紹熙二年五月二十四日到任

陳與行迪功郎紹熙五年七月二十六日到任慶元三年十月十三日滿

歐陽偉 從政郎嘉定十年十二月二十一日到任至十[redacted]年[redacted]月[redacted]日任滿

王椿 文林郎淳熙十五年七月初三日到任紹熙元年四月遇覃恩循儒林郎二年八月二十九日任滿

陳震之 從政郎紹熙二年八月二十九日到任

王益祥 修職郎紹熙五年十月二十日到任慶元三年十一月三十日滿

余禹疇 從政郎慶元三年十一月二十日到任嘉泰元年正月二十八日滿

陳儋 從政郎嘉泰元年正月二十八日到任嘉泰四年四月二十六日滿

程珌 從政郎嘉泰四年四月二十六日到任

黃雲翼 迪功郎嘉定元年三月初九日到任於次年六月二十五日開陞從政郎至嘉

定四年四月初一日任滿

蘇漢 迪功郎嘉定四年四月初一日到任

黃膚卿 迪功郎慶元三年十月十三日到任慶元六年十二月二十日滿

范擇能 從事郎慶元六年十二月二十日到任嘉泰三年十二月二十一日滿

田曉 從事郎嘉泰三年十二月二十一日到任開禧三年四月二十日任滿

黃勻 開禧三年四月二十日到任

馮特卿 從事郎嘉定三年七月十四日到任六年七月十六日書滿

黃民望 迪功郎嘉定六年十一月初十日到任七年三月十四日除太社令

朱方大 文林郎嘉定七年十月十六日到任至十年十月[redacted]日任滿

繆師皋 迪功郎嘉定七年五月初十日到任至當年八月十四日離任

楊邁 從政郎嘉定七年十二月十二日到任至十年二月初十日離任

戴[redacted] 從政郎嘉定十一年二月十二日到任至嘉定十四年[redacted]月十六日滿任

沈煇 嘉熙三年九月初九日到任

方逢辰 淳祐二年四月二十八日到任淳祐五年四月二十八日滿

吴必達 淳祐五年七月二十九口到任

蔣熊 淳祐七年十一月二十八日到任淳祐十年十一月二十八日滿

李杞 淳祐十年十一月二十九日到任寶祐元年十月初八日丁母憂

葉維華 承直郎寶祐二年正月初一日到任寶祐五年二月十八日滿任

陳煥武兩科寳祐五年二月到任

趙與种開慶元年十一月十五日到任

西廳續題名記

六經不作史法代興世謂漢辭類經唐辭類史然辭學之盛莫盛有唐攷之當代人自爲家類皆春容嚴鬯雄眎千古繼是而降世教浸舛口耳授受日談苦空以言語之錄而爲經以課試之辭而爲史沉冥汨溺莫能自脫往往理亂不閒臨事失据不止腸枯思涸筆膏不流而已也抑嘗觀諸銓筦尤有感焉縣令者百里之宅主也獄掾者千里之司命也博士者一郡之統學也勝任與否懵不孰問一吏倡呼如格卽注今日以是取士它日以是教人由

前而論則學者之儆由後而言則敎者之責敎明於
上則人興於下故曰古之爲師者由下而宗之後之
爲師者自上而擇之宗者以道擇者以官然守官則
亦守道矣顧擇官易乎哉金陵陪京也典敎重任也
景溫由廟朝推擇而來研精敎事逢掖歸心其爲敎
也求之經以浚其源貫之史以沃其膏則胷中汪洋
渾灝用世有餘奚有於辭章乎變秦淮之地爲鄒魯
之鄉可必也顧予鄙也嘗懷倚席之愧今亦一洗矣
獨此邦之幸哉且登名之石已滿復更植之使來者

有攷焉是又大易敎思亡窮之義也景溫范氏名炎鄞江人其元嘉定其歲壬午月無射日甲子中奉大夫權尚書吏部侍郎兼同修　國史兼　實錄院同修撰兼權中書舍人程珌記

范炎 迪功郎嘉定十四年二月十六日到任至十七年二月十六日滿

王漢章 從政郎嘉定十七年四月二十八日到任寶慶三年五月十日滿

許巨川 文林郎寶慶四年十二月初九日到任紹定四年正月[redacted]日滿

顏儼 承直郎紹定四年[redacted]

計朋龜 儒林郎紹定五年十月到任端平二年正月赴班

陶熾　文林郎端平二年三月二十一日到任嘉熙二年三月十[redacted]日滿

莫子文　從事郎嘉熙二年三月到任淳祐改元四月赴班

趙若炳　從事郎淳祐元年七月二十四日到任淳祐四年八月初四日滿替

胡太初　迪功郎淳祐四年八月初[redacted]日到任六年[redacted]月[redacted]日過滿

薛嶠　迪功郎淳祐六年十二月初六日到任九年十二月初六日滿替

宋自强　從政郎淳祐九年十二月初六日到任寶祐元年三月十七日滿替赴班

趙熄夫　修職郎寶祐元年三月二十七日到任寶祐四年四月二十七日滿替

陳懋欽　迪功郎寶祐[redacted]年[redacted]月[redacted]日到任

劉應子　儒林郎寶祐六年六月初六日到任

劉亘　錢壽朋　孫适

黃唐傑　葉莘　汪喬年

陶去泰　盛光祖　丁婁明

蔣汝功　郟次雲　李木

胡靖　蔡理　王賓

祝公達　李木　謝芷以上歲月皆不可攷

周必大修職郎紹興二十八年二月初二日到任三十年二月十四日除太學錄

戴達先

唐仲友從事郎紹興三十一年十月十三日到任隆興二年正月初七日任滿

王信 迪功郎隆興二年四月二十八日到任

黃石 從事郎紹興二十九年四月初六日到任三十二年二月十四日任滿

曹崈 承議郎紹興三十二年三月二十九日到任隆興二年四月二十七日任滿

徐揚 承議郎隆興二年四月二十八日到任乾道二年四月二十七日任滿

何作哲 承議郎乾道二年四月二十八日到任四年六月初二日任滿

梅瑛 迪功郎乾道四年六月初三日到任

莫澄 從事郎乾道五年十月二十二日到任

朱佾 修職郎乾道六年十二月二十一日到任淳熙元年正月初二日任滿

孫鼒 迪功郎淳熙元年正月初三日到任四年三月初二日就任關陞從事郎

置經籍

天聖中　賜監書紹興初　賜石經今不復全近時師儒收拾經子史集亦多未爲大備閫府方求國子監書以惠多士云

增學計

天聖七年始建學　朝廷給田十頃其後續有增撥至靖康間增至三十八頃五十七畮房廊七十一間及酒坊三處歲收錢一千八百二十四貫有奇至紹興二十八年以秦申王所送錢一萬貫續置到田一

千八百九十畝其後本府又有增撥至于景定田地之所隸者共九千三百八十畝一角六十步坊場之所隸者三歲入錢二萬四千餘貫銅井坊在江寧縣銀林坊鍾山坊皆在溧水縣蘆場之所隸者二歲入錢四千三百餘貫白鷺洲一所計一十五頃三十八畝有奇木瓜洲一所計六百畝有奇通而計之歲入米三千八百八十餘石菽麥四百石錢四萬一千餘貫柴薪絲麻之入不與焉會計有籍記載有碑皆掌于學提督錢糧則通判東廳之職也

立義莊

義莊創於淳祐辛亥退庵吳公守建康時也是年四月府有牒報學其略曰當使昨見四明府學有義莊一所每年收到租課凡簪纓之後及見在學行供破食職事生員遇有吉凶於內支給贍助心甚慕之建康府士子貧窶者多或遇吉凶多闕支用尤可憫念今用錢五十萬貫回買到制司後湖田七千二百七十八畝三角二十八步歲收四千三百餘石市斗米麥相半發下本學置簿椿管如委的簪纓之後及見在學行供職事生員或有吉凶請具狀經學保明申

上給米八石麥七石米每石折錢三十六貫麥每石折錢二十五貫本年發糶田上舊租米麥解到價錢一十二萬餘貫發下提督府學錢糧廳照應拘收自五月爲始照規支給仍將後湖莊田地畝步分明入籍自本年夏料爲始徑自拘催將所催租課於廣濟倉寄敖椿頓本學養士錢米不相干涉牒學照應施行仍示士子知悉府學回申八項一欲就本學空閒地段置倉收椿米麥一欲就學庫旁令夾截一庫收椿錢會一欲專及士著不及游學之人一欲將到殿

入學赴任八委係貧窶者照吉事例併與周給一欲立凶禮支助之例惟祖父母父母自身親兄弟妻子事故者當給不許以疎爲親以無爲有妄陳苟得一欲請教授同正錄直學五員親到倉庫同收同支受入親書交領置簿登載歲終有會一欲置租課總簿催銷季終有會一欲將田畝籍冊及義莊始末並刻于石以垂永久五月二十二日府牒並從申行至次年二月又牒勘會本府昨置立義莊如委係簪纓之後及見在學士著行供職事生員貧窶者或有吉凶

從府學保明申府給米八石麥七石米每石折錢三十六貫麥每石折錢二十五貫則例雖已立定規模尚未爲廣自今月二十六日爲始如是他處游學士人見在本學行供或在本府寓居雖非土著如有吉凶併與一例支給兼照得人人申府亦恐煩瀆今專委西廳通判提督如遇有陳乞之人即請本學契勘詣實保明具申提督廳支給牒學遵照施行

義莊記 昔文正范公自爲西帥迄登二府慨以祿賜所入置負郭膏腴千畝名之義田以贍族

黨錢君公輔高其義而爲之記嘗閲至此喟然歎曰夫義者充一念而萬年可繼周一方而四海具贍若濟以乘輿給以釜粟君子不謂義也世之卿大夫士躡華途飫美食日與族人相娛樂可也而光景自肥本枝皇卹鮮有不屯其膏者念或到此則又力多乏絕況鄉里乎至若位極鼎軸歸榮錦晝日與鄉人摎殷勤宜也而胥漢自尊胡越下視鮮有克貫其脉者枌陰梓曲欲一望羽儀且不可況天下乎惟　留帥資相

吳公則不然公金陵人也以忠勤行六經以忠勤活天下建牙未幾鼎新鄉校豐廩粟增膳錢可謂急先務矣若猶未也每對僚屬必於四明義莊口之弗置迺命攸司亟其經營以錢五十萬緡得後湖莊田地七千二百七十八畝有奇米麥歲爲斛四千三百餘碩歸之學宮度其地得議道堂左闢屋三十楹目曰義莊凡鄉邦簪纓之胄韋布者流嫁娶婚葬皆有給處而學若籍賢關第太常者出而仕若驅行李祗戍瓜者

莫不與焉其關世教不輕矣屬文學椽洎前廊嚴其攷核而時其出入歲終則會之吉與凶例予以米若麥厥碩一十有五惠至渥也州人士讙然歌曰燕竇恤孤西門賑貧昔耳其名今身而親近舉而遠存有以飽我公一念之仁與而麥舟遽而枯骨昔凶而家今幽而宅薄費而厚得有以銜我公至仁之德是仁者義之推義者德之著也噫以范公好施止於親之貧疎之賢者猶未暇他及今秦淮鍾阜大江南北四通八

蓬在在皆春比范公昔年義規益茂長而增之
天下之蒙福未央也郡人若諸生踊躍批巖願
有紀告來者自彊濫巾璜泮職固宜矣服公厚
義遂涉筆以書昔淳祐十一年十一月旣望從
政郎差充建康府府學教授宋自强撰迪功郎
差充建康府府學教授李杞書朝議大夫前主
管成都府玉局觀沈先庚篆蓋

景定建康志二十八卷末

景定建康志卷之二十九

承直郎宜差充江南東路安撫使司幹辦公事周應合修纂

儒學志二

置書院

建明道書院在學宮西北淳祐元年建

宋興以來鉅儒輩出無不尊孔孟習六經發明聖賢之學辯論天理人欲之幾若明道程先生早聞道於濂溪周先生日益光大昔先儒所謂孟子後之一人也今刋其遺書崇其儀型使天下後世之學者收其

心之所思而明先生之教此書院所由建也先是淳熙初忠肅劉公珙祠程子于學宮朱文公爲之記紹熙間主簿趙君師秀來居其官即聽事西偏繪像祠之嘉定乙亥主簿危君和復請于太守劉公榘乃於簿廨之東得鈐轄舊廨之地改築新祠部使者西山眞公捐金三十萬粟二千斛以助之未幾李公珏來繼劉公咸相其役前護重門中儼祠像扁其堂曰春風上爲樓旁二塾曰主敬曰行恕名其泉曰澤物表其坊曰尊賢既成率郡博士及諸生行舍菜禮■是

春秋中丁卒爲彝典置堂長及職事員延致好修之士西山嘗記其事刻諸石崇重未幾忽就隳廢堂宇雖存講肄闕如遂爲軍儲寶寓之所淳祐已酉二月天大雷電書閣忽災退庵吳公因更創之閣視舊益偉下爲春風堂聘名儒以爲長招志士以其學廣齋序增廪稍倣白鹿洞規以程講課士趨者衆

聖天子聞而嘉之親灑明道書院四大字賜爲額與四書院等寶祐丙辰裕齋馬公得西山斷碑於瓦礫中重刻之跋其後開慶已未馬公再建大閣視事之

始與部使者率僚屬會講于春風堂聽講之士數百乃屬山長修程子書刻梓以授諸生給田以增廪而教養之事備焉續善意保成規壽斯文之脉則有望於後之君子云

祠堂居中三間廣四丈深三丈中設塑像榜曰河南伯程純公之祠東西兩廊各一十五間

御書閣在春風堂之上五間廣八丈深四丈五嚴奉宸翰環列經籍

春風堂在祠堂之後七間廣十丈深五丈蓋會講之

所也昔朱公掞見　明道先生于汝歸謂人曰春風中坐了一月堂名蓋取此也中設講座四圍設聽請位臨堦垂簾前築一臺植以四桂

主敬堂在春風堂之北三間廣三丈八尺深二丈三尺蓋會食會茶之所也庭中荷池前植三槐

燕居堂在主敬堂之後山長張顯設先聖及十四先賢神位于堂中

山長位在主敬堂之左

堂長位在主敬堂之右

堂錄位在春風堂上之左
講書位在春風堂後之右
職事位二所一在春風堂上之右一在春風堂後
尚志齋三間在主敬堂前東序之南
明善齋三間在主敬堂前西序之南
敏行齋三間在主敬堂前東序之北
成德齋三間在主敬堂前西序之北
省身齋在春風堂前之左係續添
養心齋在春風堂前之右係續添

公廚在主敬堂前東序之後

米敖在主敬堂前東序之南

錢庫在主敬堂前西序之南

直房在公廚之側

蔬園在書院之右

后土祠居大門內之左

中門屋三間廣四丈深二丈五尺揭

御書明道書院四字于楣左爲幕次右爲吏舍

大門屋三間廣四丈四尺深一丈八尺左右設枑繚

以垣墻

具廩稍

帥府累政撥到田產四千九百八畝三角三十步上元縣徐提舉等三戶佃田七十三畝又三十八畝地二十一畝一角江寧縣邵仁等一十戶佃田七十七畝三十八步句容縣戴日德等四十一戶佃田三百八十六畝二角四十三步地一十二畝一角二十五步雜產二十六畝二角二十步溧水縣平登仕等一十四戶佃田三千五百四十二畝四十七步溧陽縣楊省四等一十八戶佃田產四百九十二畝三十八步歲入米一千二百六十九石有奇稻三千六百六十二斤菽麥一百一十餘石折租錢一百一十貫七百文又有白地房廊錢常州宜興縣管下房賃歲收見錢八十一貫九百文月王監場獻到白地廊三項在[illegible]丫頭巷

北街白地賃錢官減外日收一貫一百四十文足崇道橋南馬司寨前白地賃錢官減外日收四百二十五文省係七十陌雞行街魚市街雞行口房廊屋賃錢官減外日收二百六十文省本府每月撥下贍士支遣錢五千貫十七界官會并蘆柴四十束淳祐十二年二月初二日府牒每年於張莊變糴二麥價錢內撥十七界一十萬貫發下書院充贍士支遣王尚書埜到任每月只支五千貫錢糧官掌其出納所支俸有差歲終有會月俸山長一百貫錢糧官二十貫堂長一百貫米二石堂錄六十貫米一石五斗講書五十貫米一石五斗堂賓二十六貫米一石二斗直學二十四貫米一石二斗講賓一十七貫米一石二斗司計一十五貫米一石二斗掌書一十五貫米一石二斗掌祠一十四貫米一石二斗齋長一十貫米一石正供生員每名五貫醫諭米七斗日供職事生員米二升五合造食錢三百文山堂長貼食

錢七百文堂錄講書貼食錢五百文堂賓至齋長貼食錢二百文各照親書食簿支送不行供者不支宿齋職事生員每夜支油錢二百文堂長堂錄講書每夜支油二兩各照親書宿齋簿支送不宿齋者不支柴月送炭山長入堂日支五斤堂長日五斤堂錄講書日各三斤衆職事生員日各二斤自十月初一日爲始至正月終住支行食宿齋者全支不宿齋者半支凡支錢並用十八界官會凡支米並用文思斛斗

立規程

一春秋釋菜朔望謁祠禮儀皆倣白鹿書院

一士之有志于學者不拘遠近詣山長入狀簾引疑義一篇文理通明者請入書院以杜其泛

一每旬山長入堂會集職事生員授講籤講覆講如規三八講經一六講史並書于講簿

一每月三課上旬經疑中

句史疑下句舉業以孟仲季月分本經論策三場文理優者傳齋書德業簿一諸生德業修否置簿書之掌于直學參考黜陟一職事生員出入並用深衣一請假有簿出不書簿者罰一應書院士友不許出外請謁投獻進者議罰有訟在官者給假事畢日參一請假逾三月者職事差替生員不復再參一凡謁祠聽講供課若無故而不至者書于簿及三罷職住供一凡職事生員犯規矩而出者不許再參

記戴黙齋游公記天下學者同尊夫子同習六經語

孟其援引而藉以爲說又多同也然自孟子歿皆謂
微言墜地不得聖人之心若趙有荀卿氏漢有揚雄
氏唐有韓愈氏咸自著書將脗合聖人而後世以爲
未盡明乎大道之要自是而下大人先生闊希不作
學者無所矜式各是其私務濟所欲則倡曰宗孔孟
足矣何必他求嗚呼由漢以來諸儒繼起曷嘗不宗
孔孟而功業卑陋終莫能復帝王之盛烈甚則諱談
釋老而心實慕信恥從管商而事實施行流于術數
借于險回無世無之儒者豈容盡道其責哉聖人之

道雖曰極深研幾參天地之藴奥窮事物之精微乃近不離乎人心之所同然而親切乎忠信孝悌日用之間流風益衰師道旣已弗立學者察於日用而求諸同然者皆廢是以倀倀莫知所歸論說徒多踐履益薄終日談六經未必不疑六經也

宋興鉅儒輩出若明道先生程氏蚤聞道於濂溪周先生日益光大自吾心驗之必見夫天之所受本體昭然無纖毫之妄然後盡性至命窮神知化亦無纖毫之疑以之獨善其身則立乎斯世行天下之大道

不愧怍於俯仰之間以之措于天下則堯舜三王至
仁之政綏來動和之效粲然明備其本實起於此六
經具存莫究厥旨有能識孔孟之心犂然當於人心
者吾斯從之嗟乎億兆之衆雖不人人聞道而此心
至神弗可厚誣百世之下其有知先生之風者矣上
元縣主簿趙君師秀謂九言曰師秀實踐先生昔日
所居之官也今建康府既有祠以風勵士子顧所臨
舊地尙爲闕典敢卽聽事西偏繪粹容俎豆之趙君
蚤由進士登于科不汲汲乎近功速效而尊信在此

知所務矣求記於九言竊惟先生乏職佐貳施雖不遐然風行一邑已非小補見諸當時記述者數家茲不復載敢存其大者以著趙君建祠之意學者儻能即先生緒言而驗諸吾心則其所以誠身擇善而達於孔孟之道者當自知之慶元丙辰季冬建安游九言記〇西山眞公記聖人之道布在方冊昭然示人至矣堯之授舜曰中而已舜之授禹加二言焉其曰人心者人欲之謂也其曰道心者天理之謂也擇之精守之一而後中可執中也者天理當然之則而一

毫人欲之私無所與乎其間者也大學論語孟子指言義利之分皆同此意未嘗以天理言獨見於樂記曰不能反躬天理滅矣又曰物至而人化物也人化物也者滅天理而窮人欲者也世謂禮記之書類出於漢儒之言傳者多矣有及於是者乎自時厥後道日晦冥更千餘年以及我

朝治教休明風氣醲厚於是始有濂溪周子出焉獨得不傳之妙明道先生程公見而知之闡幽發微益明益章今觀遺書所載論學必以達天德爲本論治

必以行王道爲宗有天德而後可語王道天人内外一以貫之無殊轍也故先生嘗語學者曰吾學雖有所受然天理二字自吾體驗而表出之嗚呼至哉此所以上繼堯舜孔孟之統緒而下開萬世學者之準的也歟夫維天之命於穆不已品物流形而理亦賦焉仁義禮智之性惻隱羞惡辭遜是非之情耳目鼻口四肢百骸之爲用君臣父子兄弟夫婦之爲倫何莫而非天也人知人之人而不知人之天物欲肆行義理汩喪於禽獸奚擇焉知人之天而後知性善知

性善然後能窮理能窮理然後能誠意正心以修其身推之治國平天下無非順帝之則也先生之生鍾乎元氣之會學之所至純乎天理故其生色也盎然若春陽之溫其吐辭也泛然若醴酒之醇同設教於家而士之願從者衆同爭新法於朝而天子亮其忠用事者感其忱一時忤意者皆貶而先生獨畀憲節力辭不就去之久而猶見思及其歿也士大夫知與不知皆爲流涕以爲使時見用必將有綏斯來動斯和之效而重哀生人之不遇不得與於先生佐興王

道之澤也非夫先生之心學純乎天理其孰能與於斯乎先生之仕也嘗主江寧之上元簿攷其設施若均田賦興水利息邪說正人心等事皆天理之流行著見者也中更變故鄉之人士罕有能言之者乾道中資政殿大學士劉公珙知府事始祠先生于學宮而侍講文公先生實爲之記則既較然昭著而足以風厲學者矣其後主簿趙君師秀復卽廨舍之前爲屋數楹以寓尊事之意而庳隘弗稱嘉定甲戌臨川危君和嗣居其職始請于帥守莆田劉公榘增而大

之德秀時將漕焉捐金三十萬粟二千斛以助之未幾豫章李公珏繼至咸相其役爲堂三間中嚴像設而扁之曰春風其上爲樓高明潔清內爲齋二東曰主敬西曰行恕後爲小室焉曰讀易外爲齋一曰近思齋之側爲亭曰靜觀又爲兩廡翼之而刻表墓與河南雅言于其壁危君之於斯役勤矣而劉公之經始也嘗屬德秀爲之記危君又重以爲請再三返而不置德秀以固陋力辭而不可得也顧自惟念少知誦習先生之書初蓋茫然不知所嚮而粗若有見者

竊謂自有載籍而天理之云僅見於樂記先生首發揮之其說大明學者得以用其力焉所以開千古之祕覺萬世之迷其有功於斯道可謂盛矣而其所以進於此則又有二言焉毋不敬以操存於未發之先思無邪以戒謹於將發之際涵養省察動靜交飭知天事天二者兼盡及其至也中一外融顯微無間則雖人也而實浩浩其天矣若是者其於先生之道有合乎否也過不自料次第其說以授之危君幸以爲然則刻寘堂上以示來游於斯者使知先生之道雖

高而用力有要萬有一可爲興起之助云爾嘉定丙子正月吉日眞德秀記

裕齋馬公跋

盈宇宙間一天理而已明道先生體驗而表出以傳孔孟之傳先生天人也書堂乃遺教之地西山眞先生記之首述精一之傳直以道心爲天理之謂教學者知天事天而天其人西山之旨卽先生之教以先生之傳望學者傳之也其以人心爲人欲之謂或者疑之盍知夫心之未發本無理與欲之分則無道與人之別其發於理而爲道心固無不善矣其發於欲而爲人心雖不

能皆善亦曷嘗皆不善哉精之則理制欲而不相雜
一之則欲從理而不相離動靜語默無適不善則無
適非天此帝王之心傳也學者果能操存於未發之
先戒謹於將發之際而於此心之天有自得之趣則
可以洞然無疑矣寶祐戊午仲春上澣日門人通奉
大夫守刑部尚書沿江制置使知建康軍府事兼管
內勸農使江南東路安撫使馬步軍都總管兼節制
和州無爲軍安慶府三郡屯田使兼　行宮留守兼
提領江淮茶鹽所武義縣開國子食邑六百户馬光

祖謹跋○**晉齋王公記**御書臣埜恭惟
皇帝陛下躬踐聖域心探道原式崇先民以厲後學
迺眷建鄴實惟儒臣程顥簿正之邦道德流風迄未
澌泯有嚴祠宇日就堙蕪前制臣吳淵訪舊圖新用
昭文明之化拜手稽首請　宸翰揭巨扁而寵綏
之星漢昭回鸞鳳飛舞猗歟盛哉臣埜承乏分閫猥
被末光於是諗四方之士而誨之曰河南之學粹矣
如坐春風如會元氣運行亭毒見者盎然曰鄠曰洛
曰澶曰汝皆歷仕之邦也緊此陪都遺轍獨存赫赫

斯文孰主張是蓋嘗仰窺　聖朝以仁立國言仁之盛莫如　昭陵龍潛舊藩肇啓茲土至仁一脉山峿川衍厥有儒宗來筮來游出其緒餘載之行事昔臣朱熹嘗曰均田塞隄及民之政爲多脯龍折竿教民之意亦備其此仁之發達乎夫以黃旗紫蓋之區叶雲龍風虎之應氣類感召千載一時延洪之休有自來矣厥今聖主撫世仁之運明行仁之政及是時新美多士景行先哲俾山立典刑復見于今日是豈但敷文教而已奕奕鍾阜由昔鎬京豐芑之仁萬世永

賴臣埜敬爲明時誦之寶祐元年正月旦日寶章閣直學士通議大夫沿江制置使兼知建康軍府事兼管內勸農使充江南東路安撫使馬步軍都總管兼營田使兼　行宮留守節制和州無爲軍安慶府兼三郡屯田使金華縣開國子食邑五百戶臣王埜拜手稽首謹言○裕齋馬公作程子序孔孟之道至程子而大明程子之道至淳祐表章而益尊大哉

王言比之顏曾所以示學者求道之標的也明道書院之在金陵實因仕國而烝嘗之程子之徒位之以

師友而講學其間以爲尊聞行知之地然登程子之堂則必讀程子之書讀其書然後能明其道而存於心履於身推之國家天下則天地萬物皆於我乎賴然斯堂爲程子設而未有程子之書非闕歟余每有志於斯會易閫未果已未重來嘗以語客周君應合乃萃二程先生之言之行輯爲一書以大學八條定其篇目表以程子無何文君及翁來相與參訂而書遂成雖然昔二程子之學於師也嘗令尋仲尼顏子所樂何事程子十五六時脫然欲學聖人今之讀其

書者當尋程子所以學聖人者何事則此書不徒輯矣先儒論明道之學皆謂孟子之後一人而已今程子之書非續孟子者乎韓退之嘗曰觀聖道自孟子始余亦曰孟子之後觀聖道自程子始開慶巳未秋八月中澣後學金華馬光祖序程子書成山長周應合以不受月俸五千貫充刻梓費首尾百六十七版藏于書閣司書掌之

置提舉官 開慶元年從山長之請倣東湖書院例置提舉官以制幹文及翁兼充尋省

重修明道書院景定四年姚公希得任內重修門樓
廳廊墻壁粲然一新總費一萬一千一百二十
餘緡米三十碩

橘洲姚公**再爲明道先生立後**先是往歲　朝廷曾
劄池州選擇伊川五世孫日偃孫者爲之後前
政馬覲文以是邦明道書堂在焉迎就教育併
其母曾館之官宇月給有差未及兩載而偃孫
亡曾母無依先賢弗嗣委爲可念景定三年據
學官申遂再行下池州訪問別無本宗嫡派可

以昭穆遂牒郡庠及書院擇同姓而可教者保
明申續據申選到程掌儀必貴兄程子材男慶
老年方十歲生質厚重家世詩書可爲明道之
後於是擇日行釋菜之禮告于　純公之祠立
爲假孫之子命名幼學俾職掌祠就學於其叔
父程掌儀旬有課程講學不廢其祖母曾就同
奉養使不失祖孫相依之義倘天祐斯文教養
至於成立先賢無或廢祀庶有補於世教云一
行禮幣費用及每月教養廩給具于下方

祖母曾氏送五百貫十七界爲衣被之用
掌祠程幼學送五百貫十七界置衣服
生父程子材送一千貫土絹四疋
建康府月支三百貫十七界米兩石一半
付程掌儀收支爲曾母日逐供給
之用一半椿之書堂爲曾母衣服
等用

明道書堂每日行供折錢月支四十五貫
十七界米七斗五升撥過程掌儀

家爲幼學日食之用

程掌儀必貴任教導之責書院月餽束脯

五十貫十七界米五斗

開堂講大學 大學之道在明明德在[illegible]於至善

學何如其爲大也易之乾坤天地之性情也乾之象曰天行健君子以自強不息所以效天也坤之象曰地勢坤君子以厚德載物所以法地也學聚問辨易言於乾敬內直外易言於坤人學天地也百川學海而至於海人學天地而至於與天地相似然後爲學之大堯舜禹湯文武汲汲仲尼皇皇者此學也曾顏思孟切切偲偲者此學也天子之元子衆子公侯卿大夫士之適子與國之俊選孜孜講習者此學也學始於效法天地之象終至於天地由此而位始於窮盡萬物之理終至於萬物由此而育始於格物致知誠意正心修身終至於家由此而齊國由此而治天下由此而平學之大信乎其爲大也大學正經目有八綱有三綱者目之大焉者也在明明德在新民在止於至善三在者大學之大綱也何謂明明德心之本體惟虛故靈惟靈故明朱子謂虛靈不昧者

指心而言也具衆理者指性而言也應萬事者指情而言也合而言之心統性情也心得於天故曰德屬於火故極明試一猛省圓明方寸照耀八紘德太陽正中魑魅潛伏其或顯無晶光者物欲漬之也刮磨澡雪還其本然之明常使清明在躬志氣如神嗜欲將至有開必先至誠之道可以前知見乎蓍龜動乎四體不愧屋漏不欺暗室塵去而鑑空波停而水止浮雲歛而日月明此之謂明明德何謂新民我明矣不可聽他人之昏舊染汙俗咸與維新後覺後知貧我知覺必使康衢順則比屋可封黎民於變時雍百姓徧爲爾德中林武夫皆可干城漢上游女無思犯禮民樂其有靈德人皆有士君子之行此之謂新民何謂止至善非明德新民之外別有至善已德無一毫之不明卽是明明德之至善民俗無一處之不新卽是新民之至善明德新民徹頭徹尾到十分盡善處是之謂止至善此大學之大綱也論其目則修身以上四條卽明

明德之事修身以下三條即新民之事綱舉而目自張也經言古之明明德於天下于以見明德必推而新民傳言作新民而先以盤銘日新于以見新民必本於明德彼有揚眉瞬目而直指此心葆光襲明而務私諸已此釋老之所謂明德而不能推之於新民者也其有舞智數而塗世之耳目假仁義而鼓民之驩虞此管晏之所謂新民而不知本於明德者也茲其所以爲異端爲曲學卒不可與入大學之道金陵重鎮名世者多江左六朝姑寘勿論我朝大儒程純公仕於此邦者也熙寧宰相王荊公寓於此邦者也諸君來游來歌過上元縣之甘棠望鍾山寺之雪柏亦嘗知程氏之學與王氏之學同乎異乎愚也竊聞程夫子教人先之以大學遺言往訓布在方策可舉而行貫百王而不易歷萬世而無弊王氏之學恃强明而出新意作聰明而亂舊章以新經蠱壞士心以新法刼制天下以新進少年播棄元老不務自明其德一切取

辨於新政欲圖新民之功學術一差天地分裂昔人謂神州陸沈百年丘墟王衍甫諸人不得不任其責愚亦謂中原板蕩今百餘年獸蹄鳥跡麥秀黍離王介甫諸人不得不執其咎使介甫而早用程子順人心之言不作順人心之事不蓄聚斂之臣不殖悖入之貨不專任長國家而務財用之小人以首犯大學之明戒又安有異日不可勝言之禍學者知王氏之學爲非然後知程子之學爲是入春風坐千載如生出半山亭萬古遺恨學者亦審其是而已矣知乎此則庶幾不畔程子之教而可與入大學之道

又講中庸

天命之謂性率性之謂道修道之謂教

中庸何爲其名篇也子思子明堯舜禹湯文武周公仲尼之道揔不外乎中庸也中者何不偏不倚無過不及之謂也太極此中也皇極此中也天地此中也聖賢此中也事物此中也堯舜禹三聖相授允執其中湯建中文王順帝之則武王惟皇作極周公制禮之中仲尼時

中之中皆中也庸常也惟中故常惟常故中自常情觀之堯舜不傳子而傳賢禹不傳賢而傳子湯放桀文事殷武伐紂周公誅管蔡仲尼欲從中牟佛肸之召而又不從媚奧媚竈之說不取晨門荷篠之徒而又有取乎飯蔬飲水之樂疑若不常也然不知此正所以爲中正所以爲常何以言之使堯舜之子丹朱商均而克肖則堯舜亦必傳之子使禹之子啓而不肖則禹亦必傳之賢使夏桀商紂天命未改人心未離則湯武亦必如文王之遵養時晦使管蔡不流言不挾武庚祿父以叛則斧不必破斨不必缺鴟鴞之詩不必作而常棣之燕樂自如也使仲尼果用則有時乎不俟駕而往如不用則有時乎不稅冕而行可仕可止可久可速毋意毋必毋固毋我兹中也乃所以爲常也此堯舜禹湯文武周公仲尼之中庸也此子思子中庸名篇之大旨也天命之謂性何也自然而然者天也非令之令者命也與生俱生者性也自天之賦予

而言曰命自人之稟受而言曰性天命即性性即天命故曰天命之謂性率性之謂道何也性即理也理即仁義禮智也率即循也率性之仁則父子有親矣率性之義則君臣有敬矣率性之禮則長幼有序矣率性之智則是非有別矣故曰率性之謂道修道之謂教何也以天之賦予而言曰命曰性曰道固人之所同以人之氣稟而言或厚或薄或清或濁不能於不異惟聖人能全天地不全之功盡君師當盡之職即是道而品節之爲法於天下可傳於後世是之謂教然其爲教亦不出乎三綱五常而已因其所有而不強其所無故曰修道之謂教然則性也道也教也名雖三而實則一以其同出於一也嘗因是而參考聖經賢傳立言之要如出一口帝典曰人心惟危道心惟微惟精惟一允執厥中道心即天命之性精一即率性之道執中即修道之教湯誥曰惟皇上帝降衷于下民若有恒性克綏厥猷惟后帝降之衷即天命之性若

有恒性即率性之道克綏厥猷即修道之教泰誓曰惟天地萬物父母惟人萬物之靈亶聰明作元后元后作民父母天地萬物父母即天命之性人為萬物之靈即率性之道元后作民父母即修道之教周詩曰天生烝民有物有則即天命之性民之秉彝好是懿德即率性之道修道之教劉子曰人受天地之中以生即天地之性是以有禮義威儀之則以定命即率性之道修道之教孟子之道性善得於子思之中庸者也荀子之所謂性惡揚子之所謂善惡混韓子之所謂性三品昧乎子思之中庸者也善乎程子之言曰論性不論氣不備論氣不論性不明二之則不是自孟子以後發明性理有功於人心有補於世教者程子一人而已其論中庸曰此篇乃孔門傳授心法又曰善讀中庸者得此一卷書終身用不盡惟諸友精思而力踐之以入乎中庸之道

置山長一員教養之事皆隸焉自建書院以來閫府於諸幕官中選請兼充景定元年以後從吏部注差

吴堅淳祐十二年二月以江東撫幹兼充

開堂講義

子曰吾十有五而志于學三十而立四十而不惑五十而知天命六十而耳順七十而從心所欲不踰矩

此聖人自謙之詞而教人以爲學之工程也學之大要無他在不失其本心而已志學所以求其本心此學之始事從心不踰矩則本心在我矣此學之極功明道先生曰聖賢千言萬語不過欲人將已放之心約之使反復入身來自能尋向上去大哉斯言其深得此章之要旨者乎約之使反卽志學之事尋向上去則自立而不惑以至於從心不踰矩皆在其中矣嘗試推之天之生民莫不予之以是道之全體而所謂道之全體者實渾

然具於一心惟外物攻之者衆此心或與之遷則不得爲之主此所以必志於學者心將明善以復其初焉耳夫子聖人也知則生知行則安行若無待乎學其自稱以志學云者蓋爲學者立法使之知所趨嚮先立其在我者盈科而後進成章而後達者也且夫子之所謂學者果何學哉朱子曰此所謂學指大學而言其綱則明明德而新民而止於至善其目則格物致知誠意正心修身而達於國家天下體全而用大非學不足以充之志者何心之所之之謂也精神凝定念慮專一其於大學之道如射者之求中如行者之赴家聲色貨利不足移其守富貴利達不足以易其操必如是而後可謂之志由志學而立則知已明而行之進也由立而不惑知天命則行已力而知之進也耳順則知之極致不思而得者也從心不踰矩則行之極致不勉而中者也志學即從心不踰矩之始條理從心不踰矩即志學之終條理始終條理一以貫之亦

惟不失其本心而已古者八歲入小學而教之以洒掃應對進退之事禮樂射御書數之文已足以收其放心養其德性而爲大學之根本十五入大學而教之以窮理正心修身治人之道又所以使之開發聰明進德修業以收小學之成功是以聖人設爲工程使學者及時而學循序而進卽其積累之功致其體驗之實率以十年之期課夫日新又新之效必志學而後能立必立而後能不惑以至於耳順不踰矩具有次第不可躐等而升也苟志於學矣由是而往節節省察不至於極不止又豈有中道而畫者哉人之一身有血氣之累少而不學則血氣未定而本心易蔽壯而不學則血氣方剛而本心易汨老而不學則血氣既衰而本心易泯學問與血氣相爲消長惟不志學故血氣用事少未定壯而剛老而衰皆足爲本心之害能志學則志氣爲之主而血氣聽命焉自學而立自立而不惑以至於知天命耳順不踰矩皆志氣之不衰

者爲之學至於不踰矩則寂然不動感而遂通本心瑩然與道爲一隨其所欲莫非至理蓋心即道之體從心所欲即道之用聲爲律身爲度天下之矩皆自我出何何踰矩之有明道先生自十五六歲時即有志學爲聖人此固是其天資之高然即其約放心一語而觀之則知其爲學有程而聖學之始終條理所以修已教人者舉不外是明道學夫子者也今諸朋友登明道之堂豈可不以明道學夫子之心爲心學者玩此志學一章一則要知聖人不自聖其聖二則要知聖人道體不息如此三則要知聖人年愈高而道愈盛而體驗之實行著習察自有不容掩者今之學者視聖人遠甚豈可玩愒歲時而不知所以自勉蓋緣進學工夫全在立志立得志定則自三十以至七十一節緊一節自立以至從心所欲一步峻一步知行並進愈進愈極此聖人之所以爲聖也開堂之初講學發端正在今日諸君盍先立厥志

大入

胡崇淳祐十一年六月以江東撫幹兼充

開堂講義 大學之道在明明德在親民在止於至善

大學者聖道之門庭此三者大學之綱領至善一語又明德親民之標的程子曰大學孔氏之遺書而初學入德之門也又曰初學入德之門無如大學其次莫如語孟此所以為聖道之門庭也朱子曰大學一篇之旨摠而言之不出於八事而八事之要總而言之不出乎此三者此所為大學之綱領也程子謂義理精微之極故以至善目之凡欲盡夫明德新民之實者必求止於是而不容少有過不及之差焉此所以為明德新民之標的也蓋古之學者方其幼也則入小學及其長也則入大學小學則明夫洒掃應對進退之節習夫禮樂射御書數之文大學則窮夫格物致知誠意正心之本達夫修身齊家治國平天下之用學之小大雖殊其為道則一而已粤自无極之眞二五之

精妙合而凝化生萬物而人之與物同圍形於天地之間得其氣之偏且塞者爲物得其氣之正且通者爲人所謂天地之性人爲貴所謂人受天地之中以生所謂人者天地之心所謂惟人萬物之靈所謂惟人也得其秀而最靈所謂得五行之秀者爲人所謂天地之塞吾其體天地之帥吾其性德者得也謂之懿德謂之俊德謂之達德謂之天德皆原於禀賦之初方寸之中虛靈洞徹物物具足在在呈露不慮而知不學而能則知人之所以異於物而可以育乎物圍於天地而可以參乎天地者以其有是明德也然明德禀於天而明之則存乎人明德根於性而明之則由乎學明德雖夫人之所同得而明之則聖賢之所先得是德也純乎天理者能明而雜以人欲者不能明道以問學者能明而蔽於氣質者不能明覺者約其情養其性則能明愚者縱其情梏其性則不能明明德不明則我之所以異於物而可以育乎物圍於天地而

可以參乎天地者亦既迷而不能覺矣昏昏而不能昭昭矣然人者雖熾而天者終不泯光明之學雖未加而本明之性有不可得而昧者故大學之教先之以格物致知所以發其明之之端繼之以誠意正心修身所以盡其明之之實明德我所自有體認必眞而洞然有見於性分之內所以因其本明之德而明之也明德我所素具操存必篤而顯然著見於躬行之閒所以修其本明之德而明之也此成巳之學也學而謂之大則不特成巳而巳又有所謂成物者焉是德之明我有之人亦有之迷者皆可使之覺也聖賢有之愚不肖亦有之昏昏者皆可使之昭昭也盡巳之性以盡人之性明巳之德以明人之德雜以人欲者吾開導之蔽於氣質者吾啟發之縱其情汨其性者吾防閑而保養之使晦斯光窒斯通如醉之醒如夢之覺如迷晴之見日月始於齊家中於治國終於平天下謂之新者澡雪其精神發揚其風采出之陰濁而登

之陽明掇之否塞而蹟之泰通釋之卑陋蹇淺之域而處之高明光大之地人皆稟是明德自吾新之而明德始明非昔無而今有也人皆具是明德自吾新之而明德始明非昔無而今有也人皆具是明德自吾新之而明德復明非前虧而後益也此成物之學也明德所以成已新民所以成物皆不可以私意小智行乎其間天下之理莫不有定則存焉況明德非自外來而明之新之又非一毫人力所可增損豈無所謂當然之則哉則者何至善是已至善者明德新民之則也君止於仁臣止於敬子止於孝父止於慈與人交止於信此之謂至善此之謂知止凡而明已之德新民之德必止於是而後天理可純不雜於人欲矣問學可道不蔽於氣質矣性其情而不情其性矣不然未足以言成物之道也大學之道惟此一章而道之門庭學之綱領與夫用力之標的具見於四語之中學者捨至善之外其何以為精切用力之地雖然學者

修巳治人之方固莫切於此書國家化民成俗之要亦莫急於此書斯道也太極之所以判二氣之所以分五行之所以播兩儀之所以立四時之所以行一息不停萬世無弊先天地而始後天地而終孰主張是孰綱維是則必有任其責者伏羲神農黃帝堯舜氏開宇宙而肇人極邁神化而使民宜時則大學之道渾融於斯世禹湯文武周公繼之敘彝倫而建皇極設庠序以申孝弟時則大學之道公行於天下世衰道微吾夫子以大學之序見之言曾子以大學之傳發其意孟子之後寖以微滅天開我　宋濂溪夫子二程夫子出焉晦庵先生又從而發明之大學之道如天地久鬱忽開而清日月久翳忽開而明信可傳於萬世吾黨之士何幸得生於今讀大學之書煥然冰釋怡然理順優游而自求饜飫而自得于以眞履實踐夫大學之道晦庵先生又慮讀是書者昧所從入且曰敬之一字聖學所以成始成終又引程夫子所謂主

一無適言之所謂整齊嚴肅言之然則大學之道凡其自格物致知以至於治國平天下在明德新民惟止於至善者皆不可一日忘乎徹其所以喫緊爲後學言之者不其深切著明矣乎抑又聞之學者之爲學求諸書不若求諸已求諸言不若求諸心聖賢著書千言萬語不過欲開吾心之明啓吾心之新始終爲善不爲不善而已不求諸已而求諸書不求諸心而求諸言則書自書言自言書言在明德而吾心之不明者自如書言在新民而吾心之不新者自若書言在止善而吾心之不善者猶故則書言何益於我或明而不能常明新而不能常新皆非底於至善遊明道之堂讀明道之書誦明道之言盍亦反求諸已反求諸心開其明圖其新而歸於至善之地也哉　雖然要在主之以敬

朱貔孫　寶祐二年■月以江東撫幹充

開堂講義大司徒以鄉三物教萬民而賓興之一曰六德知仁聖義忠和二曰六行孝友睦婣任恤三曰六藝禮樂射御書數古人選舉之法大率教之於前而取之於後此人才之所以盛也如不教而取是猶不耕而期穫不蓄而望畬無是理也故堯舜時契敷人倫夔典樂教胄子及其格則承之庸之翕受敷施無非九德之人以此教亦以此取歷夏而商如出一轍蓋至於周而其法遂大備焉大司徒曰以鄉三物教萬民而賓與之所謂三物德行藝是也明而不惑謂之知公而不私謂之仁大而化之謂之聖行而合宜謂之義不欺謂之忠中節謂之和是六者為天下之全德自孝而友自友而睦自睦而婣以至任於朋友恤於鄉閭是曰六行自五禮六樂五射五御以至六書九數是曰六藝雖三物之殊而合則一道也揚子曰道以導之子思子曰修道之謂教吾夫子曰志於道據於德依於仁游於藝無非物也而亦無非道

也六德以知仁爲首此教法之所先知所以明道仁所以會道教其先於開夫人之心知而融會夫人之心德由知而仁則聖義忠和四者備矣六德苟全則行藝在其中矣蓋六行仁之事六藝又知之事也人不能備六德之全則隨其仁之所充可以爲孝友爲睦婣爲任恤而爲六行人也隨其知之所及可以爲禮樂爲射御之爲書數而爲六藝人也其教法之詳如此而取之法又加詳焉始而閭胥則書其敬敏任恤者繼而族師則書其孝弟睦婣有學者上而黨正則書其德行道藝以歲時莅校比又上而州長則考其德行道藝而興賢者能者教之之法既詳取之之法又詳其規模宏大其條目纖悉才生斯時服習其教屢經品題則他日使之出長入治無一事之不稱其職者矣是故以六德舉者爲至聖大賢周公召公之徒是也以六行舉者爲善人君子康叔君陳之儔是也以六藝舉者則所謂占小善者率以錄名一藝者無不庸如

三百六十屬之各專一職之類也至於下而胥
徒府史輿臺皁隸待御僕從亦無往而非正人
則亦耳濡目染聲應氣求有不期然而爲德行
道藝之歸先王之教其效豈可量哉先漢舉孝
廉舉茂異雖有得於行藝賓興之意而三物之
教則不復見矣故三代而上人才皆出於道化
之所成三代而下人才特隨其天資之所就儒
術益人之國者也無周之教則西都適以儒術
壞名節重人之國者也無周之教而東漢適以
名節衰晉無周之教而人才溺於清談之相高
唐無周之教而人才止於詞章之相尚非人才
之不古蓋教法之不古耳嗚呼成周雖遠所謂
三物之教豈以古今爲存亡哉士君子入而家
庭出而鄉黨游而學校皆所以服習其教之地
也正當以古人自期以先王之教自律奈之何
安於卑陋者不能習是教恃其穎異者不復習
是教工於進取者不暇習是教三歲大比率以
斯人而應斯舉其有愧於賢能兩字多矣明道

先生曰一以道德仁義教養之又專以行實材學升進去其一切無義理之弊不數年間學者靡然丕變矣伊川先生曰人皆謂某不教人習舉業然舉業可以取科第足矣如十日以兩日習舉業則餘日儘可爲學明道先生所謂丕變伊川先生所謂爲學夫豈外夫六德六行六藝者耶必有取於成周之教必克遵乎明道伊川二先生之訓則可以爲賢能矣 聖天子又將賓與師帥又能以道化私淑學者謹毋曰操數寸之管書盈尺之紙苟可中有司程度則可以媒利祿必求無愧於吾心求無戾於先王之教求無畔於明道伊川二先生之誨以求自附於德行道藝之人而後可也願與同志勉之

寶祐三年[redacted]月

趙汝訓以建康節推充

開堂講義 **大學經一章** 此一百六十五字大學之首章也全書之綱領盡在是矣餘

章皆廣義也此書要經先儒考正緣其間先後失序或文脫不全或分裂不合或隔絕太多所以竟未盡其善也今合以首章爲綱餘章爲目首章有三在二知六先之文餘章有廣三在二知六先之義如在明明德在新民在止於至善與夫知至知本及先誠意先正心先修身先齊家先治國皆有廣義散在餘章尚可改也如**格物致知**廣義則闕豈非世遠而亡逸耶或先聖留待後人心領而意會耶嘗攷之諸儒之書晦庵朱先生則謂格者至也想其意謂至者事事物物之理皆要見得到極至處平庵趙先生則又謂格者以物爲對而窮其理猶格敵之謂想其意謂吾身之理與萬物之理相對萬物之理即吾身之理知吾身之理則知萬物之理況天地萬物與我同出于一原吾能探索其原則物斯格矣物一格則知至矣知極其至則致其知於不用之地而無知矣無知者非釋氏死灰槁木之謂乃文王不識不知孔子無知之謂也致

者致其爲臣而去之義苟所知未極其至則物理未格物理未格則知雜其中知雜其中則意不誠意不誠則心不正心不正則身不修身不修則家不齊家不齊則國不治新民事業吾未見其能修舉也請試以吾心觀之方其冥心靜默之時其意未嘗不誠也一或吉凶悔吝纔紛沓於目前則其患得患失便膠擾於胷中何也見物未透故爲物所動也動則有知知則意雜雜則不誠噫大矣哉格物致知之學也敢以是說補廣二章之義

潘驤 寶祐四年[redacted]月以江東帥參充

開堂講義 復亨出入无疾朋來无咎反復其道七日來復利有攸往彖曰復亨剛反動而以順行是以出入无疾朋來无咎反復其道七日來復天行也利有攸往剛長也復其見天地之心乎 一陽始生於卦爲復觀其象辭足以斷一卦之義矣而必贊之曰復其見天地之

心何心也天地以生物爲心而人之生也又得天地之心以爲心蓋自太極肇判分陰分陽而闔闢動靜之端循環而不息剝極必復陽無終盡之理亦無頓長之理也故先儒以動之端爲天地之心動之端其眇綿之間兆朕之始歟於月爲子於律爲黃鍾生意之妙有不可名狀者雷在地中聖人特取象而言耳先正觀復之象則以至日閉關商旅不行所以養陽氣也君子齊戒處必掩身亦以是歟即天地之心以驗人之心人心之善初無朕迹而此心之發則有所謂惻隱羞惡辭遜是非四者之端焉四端之仁即四德之元是心也天地生物之心也六爻之中則又以聖賢孳孳爲善之意見天地生生不窮之心初九乃顏子庶幾之事不違仁者也以陽剛君子之德爲復之最先故曰不遠復二能比初之仁而下之亦顏子克已復禮之謂復莫美於斯矣故曰休復吉三之頻復雖厲而无咎過在失而不在復故許其頻復以求仁不以其

頻復而爲咎也四之中行獨復而不言吉而五之篤復而止於无悔蓋四以柔居羣陰之間弱而无援乃欲獨復以求濟未能復於仁也故不得无咎五以陰居尊賢人在下而無助僅以中順成其身而已未能普其仁也故不克致亨聖人垂戒之意深矣上六居復之終迷而不復本心既失則何虛靈知覺之有哉此正孟子所謂自暴自棄不仁之甚者也象以天地之至仁言之故一言而有餘爻以君子之求仁言之故於得失之際一美一戒屢致意而不足也自漢以來易學不傳而天地之心不可得而見蓋千有餘載矣明道先生元氣之會渾然天成其啓發學者必使觀天地生物氣象且曰滿腔子是惻隱之心是不假訓詁而復之義已森然於胷中矣上元廼先生舊游自昔有祠諸君肄業於其間亦已久矣歲在丙辰以十一月癸丑日南至越五日而爲嘉平之朔潛陽微動生意始回裕齋先生以當世大儒承道學正統特於是日屆

審是先生領袖於斯堂之上命後學潘驥講復之一卦以觀天地之心驥衰積汨沒何足以發明大易之奥旨然竊有聞焉復有二義復者天之道也復之者人之道也一氣在天屈伸往來而不已者復也一理在人萬古常存而不能無消息盈虛者復之也復者天之所以行健復之者君子所以自强不息然天道未始外於人也諸君當陽復之時盍盡人道而求所以復之義則善端日生而德之本在是矣若狃於舊習而無作新之機移於外誘而無務內之實則日復一日歲復一歲終於迷而止耳非生生之義也敢併以晦庵先生贊復之說係于後萬物職職其生不窮孰其尸之造化爲工陰闔陽開一靜一動於穆無疆全體妙用奚獨於斯潛陽壯陰而曰昭哉此天地心蓋翕無餘斯闢之始生意藹然具此全矣其在于人曰性之仁斂藏方寸包括無垠有茁其萌有惻其隱于以充之四海其準曰惟茲今眇綿之間是用齊戒掩身閉關

仰止義圖稽經協傳
敢贊一辭以詔無倦
開慶元年四月

周應合 以江東撫幹充

開堂講義 子曰學而時習之不亦說乎有朋自遠方來不亦樂乎人不知而不慍不亦君子乎

聖賢之書要旨每寓於篇首大學之首揭明德新民止至善之要領孟子之首辨仁義與利之界限中庸之首明性道教之一原皆要旨也至若論語一書孔門弟子記諸善言隱然自有次序先儒謂首篇乃入道之門積德之基學者之先務也因其所已言悟其所未言切以爲首篇之要又在首章首章之要又在首句首句之要又在首字論語字字言仁爲仁自爲學始故學爲論語之第一字入之第一事也先認得學字分曉方可與讀論語然學之一字固有童能言之而老未知其要者何也學之爲言效也效所當效者學之正效非所當效者學之

說效虛無寂滅以相高者爲異端之學效記聞辭章以相夸者爲世俗之學彼皆有所效而自謂之學非吾聖門之所謂學也聖門之學唯在於明善而復其初耳人之初生同得天地之塞以爲體同得天地之帥以爲性性即理也理無有不善也無聖愚賢不肖之殊也秖緣所稟之氣清濁粹駁或有不同故於本然之善或明或蔽明者全其初則上而爲聖次而爲賢蔽者失其初則流而爲愚爲不肖是豈其初之固然哉所貴乎學者明其固有之善而復其已失之初省察克治變化氣質必以聖賢爲標的如曰顔何人哉睎之則是如曰志伊尹之志學顔子之學如曰我所願則學孔子如曰文王我師也如曰舜何人哉有爲者亦若是此皆卓然有見而所效之不差也此善未明而其初未復視聖賢殆若霄壤此善既明而其初既復則賢可至而聖亦可至蓋天子之初本無不同特人不善學棄其皆可聖賢之初而安於不可聖賢之陋此

聖人之所深憫而望之以學也既曰學矣必繼之以時習何哉蓋學固在於知其理尤在於能其事不知而能固無是理知而不能所學何事故未知未能而求知求能之謂學已知已能而用工不已之謂時習且如知得孝弟之理則必習爲孝弟之事無一時而不孝弟則可以學古者孝弟之人知得忠信之理則必習爲忠信之事無一時而不忠信則可以學古者忠信之人效之而不習非學也習之而不時不足以成其學也此學而時習之所以爲論語之弟一句夫未知其理切於求知所知既通烏得不喜未能其事切於求能所能既熟烏得不喜所知日深一日所能日熟一日默識心通知能並進渙然冰釋怡然理順自得之趣蓋有悅懌於中而不可以語人者集註於此載程子之言有二先言時復思繹浹洽於中故說此言說生於所知也又言學者將以行之時習之則所學在我故說此言說生於所能也不亦說乎所以繼於時習

之後此首章之第一節也又申以下文之兩節聖人豈無深意哉古之學者爲已此聖人意也程子所謂浹洽於中而所學在我者卽爲已之意也爲已者務內也爲人者務外也然豪芒疑似之間正須明辨蓋爲已與爲我不同爲人與及人亦不同爲已者以已之所當爲而爲之非有所誘於外爲我者梏於有我之私見我而不見物也及人者推已之善以及人視人無間於已爲人者但務求知於人而已之所存皆不實也但知爲已而不知及人其弊將流於爲我則陷於異端之學而非聖人之所謂學樂於及人而不樂於人之不知其弊又流於爲人則溺於世俗之學亦非聖門之所謂學故聖人訓左攔右截必欲學者爲已而無爲我之弊及人而無爲人之弊此下文兩節之意所以互相發明蹶首言時習之說而必繼之以朋來之樂此欲學者爲已而不流於爲我也蓋性者萬物之一原非有我之得私其初同則其善同其善同則

其學同獨學之喜孰若與人共學之尤喜自爲君子之爲幸孰若天下皆君子之爲大幸學而有朋吾學不孤朋而遠來共學益衆時習之說與衆衆共之則昔者在心之說今發爲在外之樂說生於吾心之所自得樂生於衆心之所同得蓋人已同此一天而已時習而說工夫精密朋來而樂氣象廣大此即大學所謂自新新民之事莫非已分之所當爲者徒知時習之爲說而不知朋來之爲樂則是知明明德爲已分事而不知新民亦已分事視人與已截然爲二其不流於爲我者幾希矣既言朋來之樂而必繼之以人不知而不慍此又恐學者狃於及人之樂遂流於爲人之私也蓋遠來之朋善之所已孚者不知之人善之所未孚者以朋來爲樂者非急於人知也樂其善之足以及人而人之善無以異於已也人不知而不慍者非以已而忘人也蓋所學在我本無與於人之知不知也慍與樂正相對人不知與朋來正相反樂朋來者公

也慍不知者私也此及人與爲人之所以不同也苟以朋之遠來爲樂又以人不知爲慍則向之所學皆爲求知於人計而所謂自得者實未嘗自得矣學有爲已爲人之異乃君子小人之所由分爲已之學至不慍不知而後驗則君子之德至不慍不知而後成集註於此載程子之言曰雖樂於及人不見是而無悶乃所謂君子兩節之意豈非互相發明歟孔門弟子記諸善言而揭此章於首篇之首者蓋示人以入道之要也然此章雖有三節其實緊要秖在弟一節蓋朋來而樂所以尤時習之說不知不慍所以驗時習之說也弟一節兩句緊要只在學字習者學之工時者學之常說者學之味也若不先認得學字分曉不知所學之爲何事則所習者差所說者亦差樂與慍處無往而不差皆由所效之未能審也集註中明善復其初一句乃示人所以爲學之準的可不審諸其所謂善者何也即仁義禮智之理也分言則四專言則仁實

包之故程子曰仁者天下之公善之本也天之所以命於人而人之所以爲人者也不失其所以爲人者則可以爲賢爲聖者在此可以參天地贊化育者亦在此世之學者或未識仁之全體大用往往專指愛以爲仁不知愛固仁之用而不足以盡仁之體先儒謂仁只是當理而無私心此言實發三代而下儒者之所未識也聖門傳道僅許顏曾克已復禮爲仁顏子之所以學也仁以爲已任曾子之所以學也故論語第一章說一學字第二第三章便說出仁字仁之外無學也其所謂學學此而已其所謂習習此而已其所謂說說此而已朋來而樂此即已欲立而立人已欲達而達人與天地萬物爲一體之意人不知而不慍此即是無一豪私心爲仁由已而由人乎哉之意合而觀之皆仁也字字言仁於此益信知聖門之所謂仁則知聖門之所謂學願與共學之士勉而進之以求無負天之予我者○有子曰其爲人也孝弟而好犯上

者鮮矣不好犯上而好作亂者未之有也君子
務本本立而道生孝弟也者其爲仁之本與子
曰巧言令色鮮矣仁孔門之教何先曰學爲先
故論語首章先言學爲學何要曰仁爲要故第
二三章便言仁爲仁何所始曰自孝弟始故言
仁而必先於孝弟也仁者心之德愛之理孝弟
者仁之事也言學而不及仁則學無所據依言
仁而不及孝弟則仁無所從入愛固不足以盡
仁而愛者仁之用也愛莫大於愛親故善事父
母爲孝善事兄長爲弟此即是習爲仁之始事
也自一家言之則父兄爲在上之人由父兄之
外而觀之凡尊於我長於我者皆我在上之人
也善事父兄無所干犯孝弟之行於內者也凡
在上之人皆無干犯即孝弟之推於外者也不
能愛其親敬其長者固無望其能愛敬於它人
安有內能愛親敬長而外好犯上者乎安有小
事不犯上而大事好作亂者乎不好犯上比事
父事兄地步又闊多少不好作亂比不好犯上

地步又闊多少以其善事父兄之心可以信其不犯上以其不好犯上之心可以信其不好作亂矣孟子首章所謂未有仁而遺其親未有義而後其君與此一段辭不同而意相似學仁而不先孝弟便是不能習孝弟於內而不能孝弟於外便是能習而不能推若事事習於孝弟則事事無犯上作亂之失人人習於孝弟則人人無犯上作亂之失通天下都是孝弟之人都無犯上作亂者則天下所由平也故曰堯舜之道孝弟而已矣論性則仁爲孝弟之本論其事則孝弟乃行仁之本人知得以仁爲學又知得習孝弟之事以爲仁則事君事長愛民愛物之道都從這上面生出來仁猶穀種也孝弟卽初發之禾苗也仁民愛物卽是苗上生出許多穀來也有子於此說一爲字說一本字又說一生字字字精切學者能味其言當知入道之序矣此章記有子之言方及爲仁之本後章記夫子之言便及鮮仁之戒何也此正是孔門弟子記言

不苟教人有序兩章所以相比正慮人有豪氂之差程子謂孝弟順德也順之一字最善名狀孝弟者也然順得其正爲孝爲弟順失其正爲諂爲佞巧言令色蓋諂佞之爲爲也以孝弟爲順則不失其本心以諂佞爲順則皆出於私心本心仁也私心非仁也仁與不仁只就眞僞上便見如孝弟之人愉色婉容怡聲下氣此是孝弟之眞自然形見處若巧好其言辭令善其顏色致飾於外務以悅人出於有心而爲之皆聲音笑貌之僞耳若不如此別辨則巧令之僞順與孝弟之眞順若無以異仁與不仁何從而見之哉故巧令鮮仁之戒所以比記於孝弟爲仁之後蓋有深意不可草草看過夫仁者心之德愛之理所謂心之德卽專言之仁仁之體也所謂愛之理卽偏言之仁仁之用也孝弟爲仁之仁此是言仁之用主愛之理而言也巧令鮮仁之仁此是言仁之體主心之德而言也此兩章皆言仁必參而觀之槩可以識仁之體用矣其言

外之意引而不發學者須是反覆玩味子細體認自然有得如此爲學决然不差或者謂孝弟就事上言固信其爲仁之用矣倘其爲愛之理矣言色皆發於外者何關於仁之體乎何與於心之德乎殊不思言色固非心之德而足以驗其心之德非指言色便爲心之德也言色固非仁之體而巧令足以害仁之體非指言色便爲仁之體也朱子曰致飾於外務以說人人慾肆而本心之德亡矣愚故謂此仁字主心之德而言程子曰知巧言令色之非仁則知仁矣愚故謂此仁字主仁之體而言心之德常存則愛之理常充仁之體能全則仁之用必大行仁之事固不止於孝弟而孝弟乃其易爲者能爲其所易則能行其所難自此充矣害仁之事固不止於巧令而巧令乃其易戒者能戒其所易則能禁其所難自此始矣是說也豈惟有得於程朱之發明蓋亦有得於孔顏之授受者顏子問仁子曰克己復禮爲仁顏子請問其目子曰非禮

勿視非禮勿聽非禮勿言非禮勿動夫視聽言
動皆外也四者禁於非禮仁便在此矣論語言
仁莫妙於孔顏之授受無非禮之言動卽所以
爲仁肆巧令於言色則知其鮮仁自巧言令色
而戒之則可進於四勿進於四勿卽可學顏
之學學顏子之學卽是得孔門之仁得孔門之子
仁則不枉讀論語矣學者入道之初若只知有
孝弟爲仁之訓不知有巧令鮮仁之戒則識仁
之用而不識仁之體所學易得差了愚故以首
章之言而學此兩章相繼而言仁乃孔門弟子善
於記言撮其要以教人隱然有序不可草草看
過若謂論語之言只是雜然記述非有次序殆
未深玩耳程子曰學者先讀論語如尺度權衡
相似以此去量度事物自然見得長短輕重直
須句句討分曉字字討分曉切已省察要細
密工夫裕齋先生重開江閫偕部使者帥諸下僚
佐惠臨書堂命講論語敬取篇首章句
敷繹其旨就正於宗工求益於諸友云

張顯開慶元年閏十一月以添差江州教授權充景定二年正月薦除史館檢閱

開講講義之博學之審問之謹思之明辨之篤行之中庸之書其首章乃一篇之體要也始言命性道教之原中言存養省察之要終言聖神功化之極其下三十有二章更互演繹莫非此意可謂至矣妙矣不可以有加矣然泰華之高必由陛步而登滄海之深必由舟艎而泛中庸之德豈無所自而入哉愚嘗虛心涵泳切已省察而得之其第二十章內曰博學之審問之謹思之明辨之篤行之茲五者所以爲聖賢教人之定本學者入德之先務歟必由是而入焉則真積力久心與理融知命性道教之原而盡存養省察之要以致聖神功化之極此學問之極功聖人之能事畢矣世之人往往於首章則高而畏之於五者則卑而忽之畏之謂非可以躐至忽之又不能以勉至道之所以不明而不行者蓋爲此也且五者之旨字字精切五

者之序第第貫通學而曰博問而曰審思而曰謹辨而曰明行而曰篤乃精切之旨也博學而后審問審問而后謹思謹思而后明辨明辨而后篤行乃貫通之序也夫人不可以不學人而學學有博焉有約焉自其博而反諸約可也否則寡陋固滯不足以周事物之理何以學爲學則必有所疑疑而問問有審焉有畧焉于其審不于其畧可也否則苟簡粗率不足以得是非之實何以問爲既能反覆問難由師友以發其端又當研窮探討謹心思以究其極不思固不可或泛思而無益或苦思而有傷皆非思之謹也如之何而弗思之謹既能研窮探討謹心思以究其極又當別白精確明辨論以審其是不辨固不可或辨而差之毫釐或辨而失之近似皆非辨之明也如之何而弗辨之明大抵曉得所以會說得說得可以驗曉得有明白無晦昧有洞達無窒礙而後篤以行之表裏之如一始終之不二則夫博學審問謹思明辨具見於眞

履實踐之中而非徇乎空言虛文之末蓋此五者前之四者正如行程目錄後之一者乃著此脚行去道遠果何難至之有是宜五者備矣自然可以造中庸之閫奥贊化育參天地舉不越乎是爲聖賢之言深切著明如此亦可已矣而復申之以學之弗能弗措問之弗知弗措思之弗得弗措辨之弗明弗措行之弗篤弗措之言極而至於人一已百人十已千雖愚必明雖柔必强之語凡學知利行之仁困知勉行之勇坦然在方策問聖人可學而至意愈詳而辭愈切辭有盡而意無窮所謂聖賢没千數百年其心至今猶在視耳提面命之訓有以異乎無以異也學者其可不書紳之乎其可不服膺之乎雖然學問思辨卽致知也行卽力行也知行可以相有不可相無也學問得人之得也思辨行自得之得也人已所以相資而能相成也横看豎看各有條理愈有精神皆不可以不之考也仰惟河南二程子命世大賢實始尊信此書而表章

之得有所考以續千載不傳之緒嘗有日博學之審問之謹思之明辨之篤行之五者廢其一非學也旨哉言乎朱子白鹿洞規亦必揭此五者以爲爲學之序至哉規乎夫子子思程子朱子之言先後一揆千萬世學者入道之津梁也抑又聞之中庸章句中謂第二十章內語誠始詳所謂誠者此篇之樞紐也蓋誠者實而已矣此五者亦不越乎實而已矣　大制使資相裕齋先生平日踐履惟靠一實身居　奎畫忠實不欺之堂心傳西山中庸實學之印比奉　詔旨肅清上流榮還陪京士民胥慶下車之始政教一新俾顯濫長明道書堂自揆迺拙何以當之辭遊再三不得所請拜祠開講輒以中庸爲學之序五條爲諸友演說而歸於實之一字焉因思丙辰之夏纘嘗以實之一說爲開講之第一義今復於講尾中言之者何哉竊窺諸友之進修而不能無所見所以極言之而不容已實也者不可須臾離也可離非實也以實謂信固此

實也朋友有信亦此實也其體之所該者雖甚大其用之所繫者則甚切學之博而實即存於博學之中問之審而實即寓於審問之內以至思之謹辨之明行之篤而實莫不行於謹思明辨篤行之際即此是實不必外求若夫學而不博非實也問而不審非實也思而不謹非實也辨而不明非實也行而不篤非實也初不在於談高說妙而只在於日用常行必也師友切磋以此實心講此實學務此實德然後無負
聖天子表勵儒學之實意賢師帥作成人材之實功儻不相勉以實而或相與爲欺非惟不敢亦不暇

胡立本 景定元年準吏部差正任迪功郎充建康府明道書院山長四月初十日到任

開堂講義 大學之道在明明德在親民在止於至善 學以大名大人之學也蓋對小子之學而言三代之隆人生八歲皆入小學及其十有五年則入大學所謂大學者教之以修

已治人之道不但洒掃應對進退禮樂射御書數而已也然則大學之書首之曰明明德者非爲修已發歟繼之曰新民者非爲治人發歟天道流行付予萬物其所以爲造化者陰陽五行而已其所謂陰陽五行者又必有是理而後有是氣及其生物則因是氣之聚而後有是形故人物之生得是理然後有以爲健順仁義禮智之性得是氣然後有以爲魂魄五臟百骸之身氣即人心也理即道心也道心本無時而不明然有依乘之氣在焉則明者不常明而有時而乎晦學乎學乎豈有他哉在明其本明之德而已抑已之德固明而人之德未明豈天生聖賢之本心哉以其昭昭使人昭昭以我先覺覺彼後覺則新民之效著矣是知在此則爲學不在此則溺志卑汚流情物欲非吾之所謂學在此則爲學之道不在此則馳心高虛用意放蕩非吾之所謂道在之一字斷斷乎在此而不在彼歟人而知在則明德也則反而觀之吾心之德

本自靈明本自瑩徹然或未免爲依乘之氣所
昏於是修巳面上不可不篤加此學力焉庶幾
學力一到則德之本明者至是而益明渙然而
釋豁然而悟冏然而覺如纖塵既去而古鑑自
瑩微沙既澄而淵水自潔明之之功其偉矣乎
是明也非外求其明也不過明其本明者而巳
此康誥之明德太甲之明命帝典之克明先儒
直以爲傳之首章釋明明德歟此先儒所以謂
明明德者非有所作爲於性分之外歟人而知
在新民也則泛而觀之人均此德不相假借不
相陵奪初無終不可變之氣質於是治人面上
不可不推行此學力爲庶幾學力一到則彼之
未明者自是而可新同此一振刷同此一滌濯
同此一軒豁如黃鍾鼓動而萬彙皆春霽月行
空而千林俱潔新之之功其溥矣乎是新也非
外求其新也不過新其未明者而巳此盤銘之
日新康誥之作新詩之惟新先儒又以爲傳之
二章釋新新民歟此先儒所以謂新民者非有所

付畀增益之歟然明明德可矣明明德而不止於善善而不止於至非明明德之極功也新民而不止於善善而不止於至非新民之極功也此無他至善者極至而無有不善者也先儒謂其爲事理當然之極止於至善者底止而無有不足者也先儒謂其至於是而不遷之意是乃至精至當盡善盡美之域昭昭然爲千萬世之準的者夫不徒曰善而必曰至善不徒曰至善而必曰止於至善斯其所以爲大學歟學之爲大尙孰有加於此然自後世大學之道不明乃有不務明其明德而徒以政教法度爲足以新民者此則不知有修已之工夫者也又有愛身獨善自謂足以明其明德而不屑於新民者此則不知有治人之功用者也又有畧知二者之當務顧乃安於小成狃於近利而不求止於至善之所在者此又修已之工夫不竟而治人之功用終於無成也先儒謂君子不得聞大道之要小人不得蒙至治之澤其於後之學大學者

不無遺憾歟雖然此講明之學也喫緊工夫全在體認所以體認者當於何而用力哉曰只在第一句明明德上蓋我之明德具在方寸善惡是非纖粟不昧由一言而不善矣忽焉自覺其非作一事而悖理矣忽焉自悟其過是心何從而生哉皆明德之具於心者發露爾人能因其所發而充廣之涵養之致知格物以開其明誠意正心修身以遂其明以至無一日而不明無一息而不明則我之本明者常明由是而推行之則民可新由是而究極之則至善可止而大學之能事畢矣書堂之設將以爲學也學豈有他哉學爲修巳治人之學耳昔先儒有言曰讀書之序且著力去看大學妄意贊之曰讀大學之序且著力去看篇首之三言讀篇首之三言且著力去看明明德之一語

翁泳以上元縣尉暫權

開堂講義

大學之道在明明德在新民在止於至善

大學大學經一章傳十章傳之十章千五百四十六字固以經一章爲一書之體要經之一章二百五字則以此四句十六字爲綱領也此言大學之道何所在曰在明明德也在新民也在止於至善也明德者人之所得於天至明之德朱子以虛靈不昧言之虛靈不昧指心而言虛靈言其氣不昧言其理也泳在昔從先師受學嘗以明珠譬之此珠光輝赫奕若寘之宇宙之間自是昭昭靈靈雖寘之泥塗之中一旦滌去其汙染仍舊光輝赫奕然人心之明德一極其至也如帝堯之明德能光被四表格于上下又豈明珠之所能擬焉獨惜夫人汩於氣質溺於物欲自不能明之耳明德即是天之明命但明命以天所賦爲命言明德以人所受爲性言耳明德新民雖曰明德者其體新民者其用然亦只是以巳昭昭使人昭昭蓋聖賢既有以明其明德又不忍天下之人自昧本原故教

天下之人皆明其明德以天生烝民同有此明德故我能明之不欲獨善其身必欲兼言天下也此兩句只是一箇道理在止於至善者明德須要明到十分新民亦要新到十分不但八分九分未爲至善便九分九毫九釐亦未爲止於至善也如堯之仁舜之孝方是至善其他四端萬行皆做此推之須要到十分方爲至善也大學一書只在此四句四句只是明德新民止於至善而三者又只是明德新民造其極處若論新民又只是使天下之人皆明其明德而已實只一事而已自昔天佑下民作之君作之師只爲此明德新民止於至善而已蓋天能以此明德賦之於人而不能使之自明其明德必生一神聖聰明睿智者出爲億兆人之主所謂作之君又以我之明明德教斯民皆明其明德所謂作之師我之自明與民作新都要到十分處方是極至此堯之克明峻德必至於黎民於變時雍是天下後世君師之模範否則雖曰能明其明

德又能新民只有一毫未止於至善亦非大學之極功也學者當思天之所與我明德赫然罔有內外與義農堯舜禹湯文武初無少異自生知安行之次必當視聽言動常見此理瞭然於心目之間如夫子所謂立則見其參於前在輿則見其倚於衡如舜之見堯於墻見堯於羹則自終日不違三月不違以至於純亦不已而後可謂明德止於至善及其新民亦到十分極處而後謂之新民止於至善此問學之極功聖神之能事亦非出於吾性分之外也上焉者合下完具謂之仁且智在中庸則謂之日性其次當自敬以致其知又力行以終之謂之由智而仁在中庸則謂之教及其成功一也若其節目條理則先師之訓又有發子朱子所未言者他日又當與諸君子共講焉程子所謂天下之公理不有益於彼必有益於此者也諸君子玩味此四句要見天人之付受又要見體用之一原又要見神聖之極功眞知力行無一息之間斷純

乎天理流行至於用舍行藏莫不中理
斯爲大學之極至無些少之欠缺焉爾

景定建康志卷之二十九

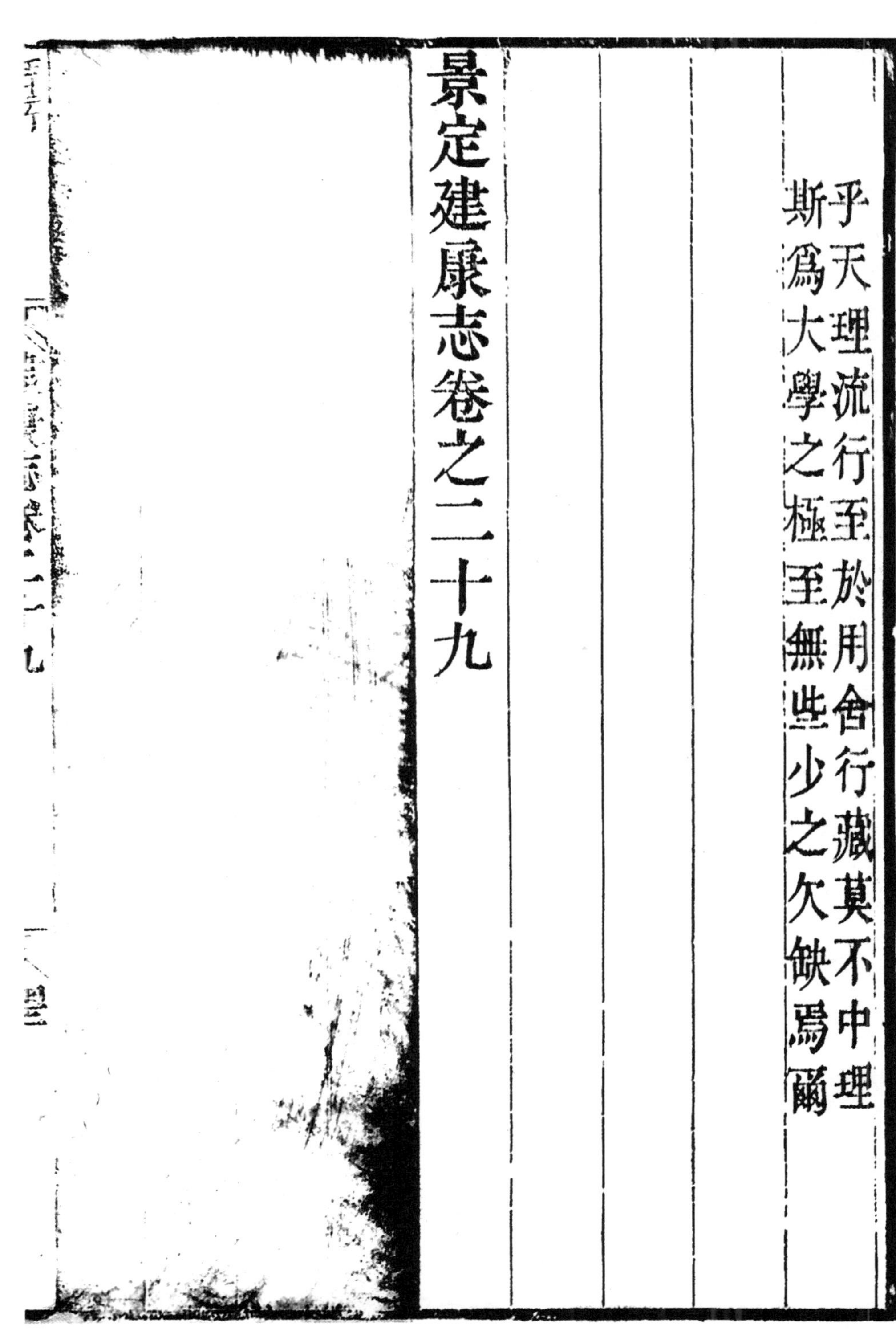

景定建康志卷二十九

景定建康志卷之三十

承直郎宜差充江南東路安撫使司幹辦公事周應合修纂

儒學志三

置縣學

上元縣學在縣治西景定二年鍾知縣𦍑英建

建學前記上元自程夫子主縣簿士迪于訓至今恂恂如也邑故未有學裁置弟子員四附於郡學官而廩於縣春秋釋奠先聖令服其服薦獻七十子兩廡下外是一無所與之東陽陳侯

寅至則慨然曰吾爲邑長於斯使士者無以藏
修息游必郡之之焉不大恧歟顧邑賦輸皆上
于郡微銖寸入葢偃蹇睥睨者三年會貟郭有
民田入于官爲畝凡若干迺請于大尹觀文趙
公其諾如響計使戶部倪公又欣然以廢圃衡
從各三百尺有畸俾規以爲宮於是上元縣學
一日權輿矣侯方薙蕪斬翳夷凹苴缺百工咸
作亡何當代去恨役未及竟懼來者之弗緝也
屬椅志所始椅竊惟三代之學莫備於周周公

所以經世變立人極六典具矣而建學養士之費獨未之聞及攷其制則巷有塾里有師朝夕出入有教自二十五家之閭等而升之黨庠術序以達于國莫不有條約焉然後知井田與學校並行眞千萬世良法也阡陌開士什九無常產學亦往往無定處長民者將聚而教則必飲食之宮室之而官無公田又必委曲於經常之外故其事視古人爲難獨慨今之學者月有試旬有課大抵不過務記覽工詞章釣取聲利而

學規云者又特出於一時有位之人類非聖賢旨意夫自灑掃應對進退以至窮理正心修己治人所謂學也今使長民者孳孳焉以就所難而其學乃繆於古豈不甚可惜哉且侯之經玆役也必曰食焉而教基焉而廬蓋有爲之本者夫學亦若此而已邑之士其尚思侯經始之難覩侯所以先立其本之意而程夫子之遺規緒言益致力焉則爲無負於侯之所望若夫棟宇器服未潰于成則新令且至必能以陳侯之心

爲心椅敬執簡以俟續書寶祐戊午日南至宣
教郎添差通判建康軍府兼管內勸農營田事
梁椅撰

後記 覲文相裕齋馬公再尹建鄴之三年江濤
不驚閫畫整暇命客周應合筆受條教補職方
乘之闕文謂
皇居 留鑰不可羣於麗譙以尊
君也乃爲 留都錄以冠之又謂 教宮禮殿
不宜旅於邑屋以隆 師也復爲儒學志以別

之自郡而縣有學皆志上元首諸縣學未建而石有記應合乃即鍾令蜚英而質焉令曰前令陳君有志於斯會去不果刻石以望于後許君繼陳又不果蜚英承乏之始至承命府公立學第一事也我儀圖之數月將潰于成時聞其語未見其事一日登上元之勤清堂從容覩奐則晝宮於堵爲殿爲學爲堂爲序爲門爲庖井如也鳩工於廡鋸者左斧者右梁棟榱桷森如也詠令曰咄嗟集事何其才役具民不知何其仁甫

閱月令來言曰學成矣堂一齋四未名敢請應令曰明德新民大學之道堂扁明新可乎予以四教文行忠信以學文修行存忠主信名齋可乎令曰諾又作而曰昔未建學而有記今既建矣可無記敢并請應令固辭請益力則問之曰上元名縣肇於唐五百年矣建學昉此何也令曰昇爲州江寧建康爲府皆治上元郡有學矣縣復立學則懼其贅而不敢爲縣以賦獄爲急縣附郭又先急所急在彼視學爲迂而不暇爲

其自厲者知立學不可以已材與費又或制於府而不克爲今府公以立學命我以寬條裕我於是免於不敢不暇不克爲之誚蜚英之幸府公之德也應合喟然嘆曰縣有學寔三代黨庠術序之規武城弦歌豈以魯有頖宮而弗之務浮圖老子之居遍郡縣　素王之宮顧疑其贅乎賈生慨簿書期會爲大故俗流失世敗壞恬不之怪移風易俗使天下回心鄉道類非俗吏之所能學固先務也奚其迂所患者學立而教

不立謂迂且贅亦宜哉因攷之六朝縣未名上元時龍阜鷄山北郊西邸數學並立皆今縣境也立學雖多而世道日卑登學之無益於世蓋未知所以教耳大經大法之不究談理以元爲高掞辭以靡爲工自以爲學非吾聖人所謂學也蓋自孟子沒聖人之學不明至於我
宋克生眞儒若程純公發天理之秘張宣公精義利之辨眞足以揭希聖希賢之正鵠而遺後學之指南車也此邦寔二先生過化之地立學

於此其可不皇皇汲汲偲偲切切著明二先生之敎以還三代之俗而洗六朝之陋哉令居袁盍思季泰伯之言乎武夫賁降由詩書道廢人惟見利而不聞義爲臣死忠爲子死孝則推本於敎道結人心之故夫敎道之要在於明天理辨義利而已義心根於天理之正利欲生於形氣之私不能以兩立也此長則彼消彼輕則此重其爲孝爲忠爲賢爲聖至於位天地植人極亘萬古而不泯者義心之積也其便巳媒身遺

親賓友以至於欺君誤國舍義取生淪胥於禽獸者利欲之積也其初毫釐之差其極天壤之判姑即是邦言之自古皆有死何獨忠貞卞公忠襄楊公廟食百世雖死猶生何杜充李梲之徒萬世切齒犬彘不若無它義與利之分耳易曰天險不可升也地險山川丘陵也王公設險以守其國上元之濱長江滔滔地險可設人皆知之天理固於人心而利害不能移患難不能怵夷狄盜賊不能奪此天險也敎道結人心眞

設險守國之最大者歟夫如是然後知明天理辨義利之教不可以不明立學以明此教不可以不廣忱知所先務矣不是之務學雖多亦奚以爲令曰是吾志也府公之所以命也請事斯語壽諸石以詔吾士土木之費末也故不書景定辛酉秋八月承直郎宜差充江南東路安撫使司幹辦公事周應合記承議郎改添差充江南東路安撫使司參議官兼沿江制置大使司參議官程其垕書觀文殿學士光祿大夫沿江

制置大使知建康軍府事兼管内勸農營田使
江南東路安撫使馬步軍都總管　行宫留守
節制和州無爲軍安慶府三郡屯田使暫兼淮
西總領金華郡開國公食邑三千戶食實封陸
伯戶馬光祖篆蓋奉議郎　特差知建康府上
元縣主管勸農營田公事兼弓手寨兵軍正兼
沿江制置大使司幹辦公事鍾蜚英立石

江寧縣學在縣治北景定四年王知縣鎧創建

建學記君子如欲化民成俗其必由學乎三代

之學莫備於周周之制自比閭族黨以達州鄉國都莫不有學學莫不有師凡屬民讀法鄉飲鄉射以至于六德六行五禮六樂無非敎以人倫使有親有義有序有別有信各得以盡其分焉民化俗成人人有士君子之行者此也世降而秦壞田制燔詩書周家法度歷漢唐不能復

天開我

宋儀式刑三代之典建國君民以敎學爲先

建隆三年　詔修學　乾興元年兗州立學

皇祐四年藩鎭立學　慶歷四年州縣皆立學縣有學實成周黨庠術序之遺意江寧金陵附邑也爲江左望黌宇尙缺典正朔款謁春秋奠祀令佐率邑子附拜于郡庠自　慶歷抵于今二百年矣假宮就師熟視焉而莫之問番易王君鏜來長是邑簿書期會之外慨然以興學自任涖官以來凡可以撙節者銖積寸累是經是營又値主學置官有師無學非所以稱
上旨遂度地于縣廨之北鳩工庀材夙夜展力

士以此感奮不勸而相留守文昌姚公聞而壯之出金穀以濟于成門阜如也殿邃如也明倫堂曠如也廊翼爲二齋列爲四宿直有廬前廡有位像設禮器靡不備嚴士于是可以藏修游息矣然則羣居而教不可無養也官無公田不可經久也又得田若干畝歸于學以繼廩粟王君崇化善俗貇貇焉爲學校計者不以代去而少衰繼自今游于斯者豈直弄筆以爲名位計哉子職當共也臣道當盡也友當取端也夫婦

之道當知儀刑也禹湯文武成王周公由此其
選也明之斯盡之行之斯至之果能此道倘庶
幾國家建學立師之意若夫務記覽工詞章而
曰吾之學止于是非王君所望於二三子景定
四年[redacted]月[redacted]日奉議郎宜差充沿江制置使
司主管機宜文字楊巽記承議郎特添差沿江
制置使司主管機宜文字楊同祖書朝散郎差
充沿江制置使司參議官趙時橐篆葢宣教郎
知建康府江寧縣主管勸農營田公事王鎧立

七

建康志卷三十

九

句容縣學 始建於唐開元十一年在縣衙之東
本朝開寶中修皇祐二年七月太常博士方君峻再
建元豐二年葉君表以縣南館驛改造紹興壬申淳
熙己亥重修寶慶丙戌王君通易民地添築墻垣左
右疏池嘉定戊寅祠明道伊川于正禮堂左寶慶丁
亥始建濂溪明道伊川三先生祠宇與石刻亭對

重建學記 奉議郎古栝吳君淇來宰句容當軍
事方殷軍須旁午之時內事拊摩以不失　聖
天子愛養元元之心外謹供億以不違　賢方

伯綏靖邊方之略既內外兩盡上下交孚田里晏然絃歌有裕深惟觀民設教王政所先化民成俗令長之事而是邑也厥田惟下厥賦中以下田供中賦故其民勤其用儉惟勤惟儉不見異物而遷焉故其俗最近古易以入德而望是邑者三茅之山峯巒回環竹樹深𥨊有泉石之勝而無巖崖谿谷之險隱君子之所宜居相傳以爲秦之亂茅氏兄弟實居之若武陵源然其居之安遂徃而不反而誕者乘之以爲於此昇

僊焉使聞者遐想至者企慕庶乎遼東之去有時而歸緱山之會有時而復幸旦莫遇之則九醖之觴可得而飲五百歲之桃可得而食駕鶴驂鸞可騰躍而上也而理卒無是則始愧其誕憂其窮竊取屈平九歌司命名篇之意以名其山之隱君子以爲僊駕雖不可望而死生禍福之在人容有可得而轉移者蓋後吾山之隱君子在天之靈實司之使世之貪生而畏死懼禍而徼福者爭趨之以庶乎久生而無禍而理復

無是則又窘於說之窮愧其誕之覺並緣傳記所載吾夫子問禮老聃之事肖土木像二名其倨傲鮮腆者爲老聃而以其謙以自牧者爲夫子曰老聃吾師孔子吾師之弟子也庶幾夫知敬吾夫子者必知敬其師知敬其師者必知信其徒之說不知老聃以淸淨沖默爲道豈誕者所能師夫子旣聖不居不恥下問儻以所嘗問爲師則問官名於郯子問每事於太廟彼夷狄之長駿奔走執豆籩之人皆師乎故爲前之二

說則自誣其山之隱君子爲後之說則不惟厚
誣吾夫子併與其所自以爲師之老聃誣之其
誕可勝誅乎雖然爲是說者東西南北之人非
吾邑之人也彼其以誕承誕以愚詐愚而吾邑
之俗近古而易以入德者自若也然則興學以
道之以正人心息邪說閑先聖之道非賢令長
事乎君於是撙縣費之浮計學廩之羨益之以
邑人之願助市材之美諏工之良涓日之吉撤
舊宇一新之殿陛邃嚴儼王者之制堂廡廣修

放侯泮之規　宸章有殿先哲有祠而士知所
尊校文有廳肄業有齋而士知所勉下至庖湢
積貯之所僕隸之舍各稱其宜總之爲屋六十
而牆之袤丈者百經始於紹定庚寅季秋之朔
閱十有六月乃成計米以石厥費凡四百有五
十錢以緡凡三千八百有四十工以日凡萬有
一千二百而公不告匱蓋以均節有道私不告
勞蓋以勞來有方既成屬宰記其事宰惟君之
此舉所關者大不但爲子衿城闕而已方緒次

顛末君復以書來言古之學者必至大學而後
成大學之道在明明德余故以明德名堂而手
書以揭之子盍爲我申言其義寀惟明德天所
均賦惟先明己之有是德而後能明人之德故
明德必自致知始夫苟致其知矣則是非明辨
而異端可得䂐乎知至而后意誠心正則無妄
念無邪思而憑虛御風等說可得入乎由是而
身修則視聽言動罔不由禮安有自放於禮法
之外由是而家齊則家人婦子各盡其道安有

自絶於倫類之間又由是而推之以治國平天
下則堯舜禹湯文武所以爲克明其德反是則
周穆秦皇漢武所以爲耄荒而不可救藥也君
曰然此固吾黨之士不待告而知者雖然是道
也豈吾黨所得私哉當刻之石以正誕者之罪
爲愚者砭云歲壬辰陽復日丹陽劉宰記并書
敷原王遂題額

溧水縣學唐武德元年建　至聖文宣王廟在縣東三十步　本朝熙寧二年知縣關杞遷於通濟橋之東南建爲學紹興八年知縣李朝正重修大成殿并建講堂齋舍鄭公剛中爲之記三十年知縣唐錫重修隆興二年知縣李衡增員養士淳熙十三年冬知縣房仲忽重建講堂十四年夏知縣李泳重修兩廡紹定二年知縣史彌鞏增建尊道堂於命教堂之後嘉熙四年知縣王儔建小學于戟門之右王公遂爲之記淳祐五年知縣趙崇乘重修大成殿六年又創

釣鼇亭於尊道堂之後臨淮水吳丞相潛書其榜七年三月重建戟門及櫺星門東西兩廡十二年知縣趙希岊建齋舍一十二間寶祐元年重修命教尊道二堂創學廩於西廡縣尉胡傒改命教堂榜曰明倫四年知縣喬進孫重建櫺星門加飾垣墻景定元年制幹趙介如權知縣事重修大成殿及東西兩廡作亭于櫺星門外取易臨卦象傳辭榜曰教思前後縣大夫皆以興學爲務故溧水文風最盛貢舉爲多固山川奇秀之所鍾亦守令作成之所致云

重建學記九州之俗非大陋鄙未有不樂教化崇學校者溧水縣學建於熙寧己酉邑宰關杞爲政之年至紹興丁巳邑宰李侯謁廟之日顧所存者僅惟門殿梗莽頹翳蕭然煨燼之餘侯延長老問之曰邑萬戶俊秀可儒雅者宜衆其不相與出力飭新玆廢者豈薄子弟乎長老愀然進曰披猖而來邑政之廢甚於學田桑不植賦取不均餅間糠豆不能飽文書至門征所無則憂苦無聊勞吏爲無計今獨幾得良令求生

全他未皇也侯聞之夜不能寢旦起治政事謂隱租匿役邑之大弊置立程度若將廉治者欺吏悍民咸歸誠自出邑賦大平於是富者安貧者樂婆娑從容皆於暇日問孝弟忠信爭先爲之長老又進而言曰公鄉謂廢而不飭者今兹敢請侯卽日爲率僚佐詣荒宮經營四顧默有區處則退而市材鳩匠以繩墨授梓人俾次第旁屋皆以舊殿爲制爲堂爲廡爲棲士之舍寓賓之次器用之庫庖湢之所外至小學爲屋一

百八十楹自經始距紹興庚申二月丙午凡五
十有八日而落成皆廉用積餘楦朴補壞而爲
之者士既鼓篋上丁釋奠升降拜起皆知在儒
雅教化中而輪奐鼎新之自初弗知也嗚呼家
有塾黨有庠遂有序古之制也而夫子荅問之
言則曰既富矣又何加焉曰教之故知學校之
興必在富庶安樂之後苟斯民終歲勤動不得
養其父母雖有庠序其得遊之此邑長老之意
也雖然韋布之士羣居於詩書禮樂之府漸染

以仁義忠和之澤他日得時行道與夫　朝廷取以備公卿百執事之選者靡不由此以出侯既稱長老之意則所以待邑士者今無不至矣邑之士所以自待所以報侯者猶未能知也侯名朝正字治袁登建炎二年進士第紹興十年冬十月丙戌左奉議郎權尚書禮部侍郎兼詳定一司　勑令滎陽縣開國男食邑三百戶賜紫金魚袋鄭剛中記

建小學記 古者家有塾黨有庠術有序國有學

蓋自五家以上必立之塾迎仕之巳者爲之師匪直郡邑有養也士能言莫不有敎十歲就外傅學書計幼儀誦詩舞象勺十五入大學而敎以窮理盡心修己治人之道秩然而不亂燦然而有文匪直成人有德也自秦罷學賤士漢唐之君豈無有志者更我

仁祖而郡有學官中興以後縣令亦稍增置然四民雜處非復家習人誦安能比屋而有士君子之行哉幸而學設敎修入不知奉親敬長之

道出不聞從師取友之訓洒埽必無加帚拘袂之儀應對必無負劍辟咡之容進退必無徐行後長之序居無禮行無樂動無五射五御之文靜無六書九數之法父詔其子兄語其弟不過聲病得失之習利祿進取之計不但失其學而廢其敎不但學者無人而師資亦闕氣習日陋志慮轉薄猶之築室而無其基濬井而無其功宜乎子夏區別之言子游以爲末管氏弟子之職內政而外莫之能行卓然自立特其生質之

艮而已溧水居昇宣間當王敎衰男子不背死於朋友女子不爽信於君臣則天倫之美宜無不盡千載之間風流篤厚人物表表夫豈無之而時王立制以科舉取士千室無能應令者豈生材薄於古歟寶玉不琢拱把無養故也史公提刑彌鞏爲令注意教養久漸廢壞今令王公下車興崇惟謹首闢西廡建爲小學旋卽學西闢地爲宮合於虞庠在西郊之制成童而下聚而教者二十人爲率詩賦屬對隨力所進課試

有程敎導有師表勸有式弦誦相屬先是公廪五百斛不足以贍生徒至是歲輟諸倉月取諸稅猶懼不蔇會永寧鄉新築之圩租入七十石可以畢小學之供天造地設若有爲而然士風興行人材輩出前之成者後繼之今之進者來未已小則烝烝而出大則亹亹而升還成周而陋漢唐自兹始矣大書課冊俾記其成遂曰小學之於大學爲序不同其道則一而巳大學者因理以明天下之事小學者卽事以觀天下之

理誠使幼學者用力乎孝悌忠信之行以及
乎射御書數之藝及其長也由格物致知以至
於誠意而理無不明由正心修身推而至於治
國平天下而事無不格自塾庠至於序學而教
無不成人無不化今顧求工於言語對偶之間
其去聖賢塗轍益遠然賦有物混成而知志不
在溫飽歌願秉清忠節而廟堂稱賀對鸚鵡能
言爭似鳳而稱精神滿腹驥際地而動千里之
想木脫穎而有聳壑之標王朝以此得人名賢

所不廢也苟惟士無學師無教挑達而有在城之譏色笑而無匪怒之教互鄉之不保其往闕里之欲得速成童子而有成人之風嬉戲而有襟裾之詠豈惟小子之學根於孩提抑庬期稱道其為大人也能知進退存亡而不失其正者鮮矣安保其不欺君賣國以為鄉里之羞哉小學成始成終之教一言蔽之曰敬此心既立無往而非明德新民之功豈惟士子所當盡力抑長吏所當盡心也公諱儔[illegible]海人寺丞田子為國

正申後國正以正學粹行承學趙丞相汝愚寺
丞以清節懿行受知黄尚書度則其政也豈簿
書期會而已哉遂少與寺丞同師事黄公今老
矣躬耕句曲山下猶及見德化之成故不辭而
爲之記嘉熙庚子清明日金壇王遂記并書丹
陽洪東哲題額

敎思亭記

溧水壯哉縣治難其人開慶己未冬
番易趙君幾道繇閫幕被選攝邑事羽書正殷
民恃無恐明年春武偃文修釋奠先聖先師迺

作亭宫墻之外以萃冠帶以觀示衆庶蓋地之最勝處也澤上有地在易爲臨故取象傳之辭名以敎思方求扁于府公裕齋先生而檄召還幕未遂也又明年邑人思之公命復往大書敎思二字授幾道刻而揭諸楣正賓興時也府統縣五登名大府者合十有三是歲溧水居其八六經皆推首選士登斯亭動色而胥慶曰趙君之政足以寧我趙君之敎足以淑我馬公任之足以福我去而復來足以懌我吾邑貢士素多

未有盛於此時是敎思之作足以輿我坡老嘗
言君子爲無窮之敎以保無疆之民願記其事
以爲無窮幾道乃以其士之意移書屬筆於余
余於幾道有幕府交承之好辞弗獲命乃爲之
言曰臨之爲象坤上兌下厚德載物坤之順也
朋友講習兌之説也容保無疆蓋取諸坤敎思
無窮蓋取諸兌不有所保奚其臨不有所敎奚
其保故龜山楊氏曰君子之臨人非以力制之
也亦敎之而已幾道其有得於斯乎何哉所謂

教者周官鄉大夫之職受教灋于司徒以三物教其所治知仁聖義忠和謂之六德孝友睦姻任恤謂之六行禮樂射御書數謂之六藝而道在其中本末相須闕一不可教於平日攷於三年之大比而興賢者能者帥其衆寡以禮禮賓之賈公彥釋之曰帥其衆寡集於庠序之前皆來觀禮之人也知所觀則知所教矣斯亭也殆爲觀禮者設歟教不在亭而有教之思焉此幾道名亭之意乎臨不以力而以教教不以迹而

以心涵濡游泳意思深長賢能之興於斯爲盛可以驗幾道之教而府公亘扁爲不辱矣或曰六五臨之主知臨大君之宜吉大君臨天下者也今以臨之教思施於子男之國宜乎否乎曰臨天下者之所以教正有望於臨一國者之推其教也國無大小皆務其教則天下之教成矣今府公臨大江之東思以廣大君之教幾道臨子男之國思以廣府公之教賢能之興出長入治即異日之臨民者又當思所以廣邑侯之教

所以爲無窮也所以爲無疆也程子傳曰教導之思至忱無斁容保之心廣大無限幾道盡與其士勉之哉景定辛酉歲十月既望承直郎江南東路安撫使司幹瓣公事周應合記

溧陽縣學後漢光和中溧陽長潘乾嘗立校官其碑銘尚班班可讀紹興中喻仲遠尉溧水得此碑於固城湖之傍湖在今溧水縣界詳見于後其地在當時必縣治也唐有縣令柳均興學校養生徒其事見于斷碑碑在今之舊縣國初縣學未設淳化五年縣令夏侯戩建宣聖廟於縣西門外其地即今西門內廣惠行祠皇祐四年知縣查宗閔移學於縣城東南隅崇寧中知縣李亘增廣齋舍於學前即高爲堂曰挹秀大觀三年邑士又於學前建閣曰折桂建炎末潰兵撤屋爲營唯餘大成殿紹興十

八年知縣施祐因舊基興刱時有寓公尚書郎閻彥昭率里豪醵金助經費粗成而未備二十年知縣周淙重加葺治殿後建堂曰德化歲久頹毀慶元三年知縣李卞修整嘉泰中知縣趙贊夫重修仍建待聘軒於德化堂之後嘉定初知縣李大原王棠皆嘗整葺王又建濂溪明道伊川龜山四先生祠堂及靈星門有興能觀光尚志麗澤四齋學長學諭直學教諭等位及直舍會食所十三年知縣陸子遹重修齋廡甃砌堦庭製三獻官禮服立楊忠襄公祠堂增置祭

器所書籍所及學教改造庖湢學前臨溪栅闢射圃養士之計時有增益贍學秋料米一千三百五十五石二斗三升六合八勺夏秋租錢四百五十六貫三百一十七文

新修文宣王廟記善乎董仲舒之稱人受命於天生五穀以食之桑麻以衣之服牛乘馬圈豹檻虎是其得天之靈貴於物也知自貴於物然後知仁義知仁義然後重禮節重禮節然後安處善安處善然後樂循理樂循理然後謂之君子夫能使人爲君子者惟吾夫子之道焉今天

下郡邑皆得立夫子廟而不能尊修之其何以示教化哉溧陽縣夫子廟舊處其縣西偏旣隘且弊今縣宰太子中舍査侯嘗議欲遷之邑東南隅重役民而未果居一日邑民相與爲請願獻其地合材而遷之査侯曰汝曹無乃勞乎邑民皆曰鄉者明府嘗荐饑勸分粟以餉貧者曰俾築隄捍水墾陂之田衆賴以活且有欲富斯民之意此何以報之今又議遷夫子廟將敎以善道如是厚賜敢不子來於此乎於是翕然興

功倏焉畢事殿廡之制聖哲之像咸得其宜足以使邑之人圜冠方領遊乎其內奉縣大夫之祭豆侍鄉先生之經席知父子兄弟之道君臣上下之節而安處孝悌樂循中和以與賢能以受爵祿入其境則將見男女之行路者由乎左右少壯之負荷者併其重輕至其鄉則將見訟田者閒漁泉者遜然後溧陽之民知查侯之德不可忘也夫查侯所以當饑歲役民而民忘其勞者由誠心之所及爾使長人者皆能如是則

何事之不立何政之不行乎申翁所云爲治者不在多言顧力行何如者斯之謂矣廟既立查侯以文見託士龍謂兹事可舉以勸遂欣然書之皇祐四年九月七日沈士龍記

紹興重修學記 溧陽縣學其權輿不可得而知考諸夫子廟記蓋皇祐四年自西城遷今處閱時既久廢葺不常最後建炎末有潰兵至撤庠屋爲營壘唯餘大成殿厥基自是爲墟矣紹興癸亥秋 天子大興學校建陽施祐爲邑之明

年始合大家富室建今學又明年且成實紹興十八年也吳興周侯淙晾施侯爲陽政既謁先聖先師徧觀黌舍惜其成而未備二十年春遂因其室廬之頹仆者垣壁之頹垝者戶牖之疎腐者瓦甓之缺折者黝堊丹瓦之未設者悉易葺而彰施之輪奐新矣文采爛然屹當邑之東南如涌鼇背上物會是歲詔舉多士令先期赴鄉飲酒乃得應侯奉行惟力禮意有加於是邑居自達官而下畢來韋布雲集比異時爲特盛

邑之人獲觀進退揖遜登降之節莫不稱歎以
爲侯既能具嚴殿庭以展釋菜禮又能飾堂廡
齋序以容士夫周旋乎其間眞盛舉也既事休
工侯適命其僚三衢陳聞遠爲之記聞遠竊惟
國家中興既修鄰好寘威武於虛空不用之地
首闢賢士關開敎化原又詔郡邑恢庠序養士
類所以尊名敎作人才者德至渥矣故雖偏方
僻壤弦誦之聲如沸緊守令宣化之力也矧是
金陵疆井廣袤民物夥繁雲峯秀水平遠可愛

其淑靈之氣嘗不在川珍陸異必萃之於人是宜才士輩出收科第如摘髭而登法從者接武並進它日三事之任尚庶幾見其人決非偶然矣抑知庠序之不可以不修也固邑人之願也亦侯之職也譬之居室始焉而合不若少焉而全全必臻於美然後爲至計侯之功信美矣推是心以往知其能粉飾治具黼藻王猷必矣是用紀其實云紹興二十年十一月初十日陳聞

遠記

慶元重修學記古者諸侯之禮天子命之教然後爲學夫以國君之尊欲以化民成俗非有王命則不得專焉魯爲周公後承命有素至僖公能修泮宮則詩人頌之抑亦以是爲務者或寡歟　國朝恢宏聖道崇尚儒雅凡郡縣皆立庠序置生員以闡人文可謂盛矣其於教也宜若易然建康爲今大府溧陽爲府名邑而校官興廢不常豈不繫諸人乎　中興歲踰二紀吳興周侯淙宰邑始克有成自是復四紀矣歷日彌

長理葺滋怠漸致頹毀瓦礫草莽幾爲荒墟今姑蘇李侯來莅邑事乃復整備人士胥悅庀職其間者儼然相率來造曰吾鄉是役成之惟艱幸而得人以能及此不可以不記自曩圮以來前後非不經營而莫得其要財耗於並緣事殆於因循而已今令君乃擇士之公勤者劉康國樂黄中董其事材美工良吏胥唯謹不旋踵而増屋三十餘楹輪奐畢備有加於昔向也諸生絃誦無所每禮謁釋菜值雨雪淖濘則凜然顛

仆是懼其曷能恭肅今廊廡顯敞齋舍有序執禮肄業足伸嚴敬進道之誠將有擢巍科登顯仕踵前烈者顧不𡡉歟天下之事唯心之公者足以成務若曰寬猛從所設施令君之心主於惠愛視民如子唯恐傷之而無私意焉不知者病其柔也校官之不修登累政皆無是心哉困於財計之督責安有餘力興滯補弊今令君爲政三年無催科之虐而期會不虧又推常額之餘顯設黌舍焉匪特是也社稷之壇郡邑重事

也正義之廟風化所繫也皆廢不葺挹秀清暉二水門所以固一邑之襟抱亦置不問今皆煥立一新矣孰謂柔寬不足爲政哉皐陶敘九德首曰寬而栗柔而立成王告君陳曰寬而有制周官曰以公滅私民其允懷令君之心其公也其栗其立其有制者也其爲我記之焴衰遲屏居且文筆非所閑習老病益蕪塞奚足任此然身爲邑民目其荒廢閔焉願其復起者有年矣今既樂李侯之能底於成又喜諸人之言爲有

理也故直爲具道其意以諗來者俾時葺之勿使復壞焉俟名卞字茂鄉己丑鄭榜進士也慶元丁巳夏四月辛亥記

景定建康志卷之三十

景定建康志卷之三十一

承直郎宜差充江南東路安撫使司幹辦公事周應合修纂

儒學志四

祀先賢

祠堂四所在府學與祀者二十六人

濂溪先生周元公　明道先生程純公

伊川先生程正公　晦庵先生朱文公

右四先生在　大成殿東

丞相范忠宣公　丞相呂文穆公

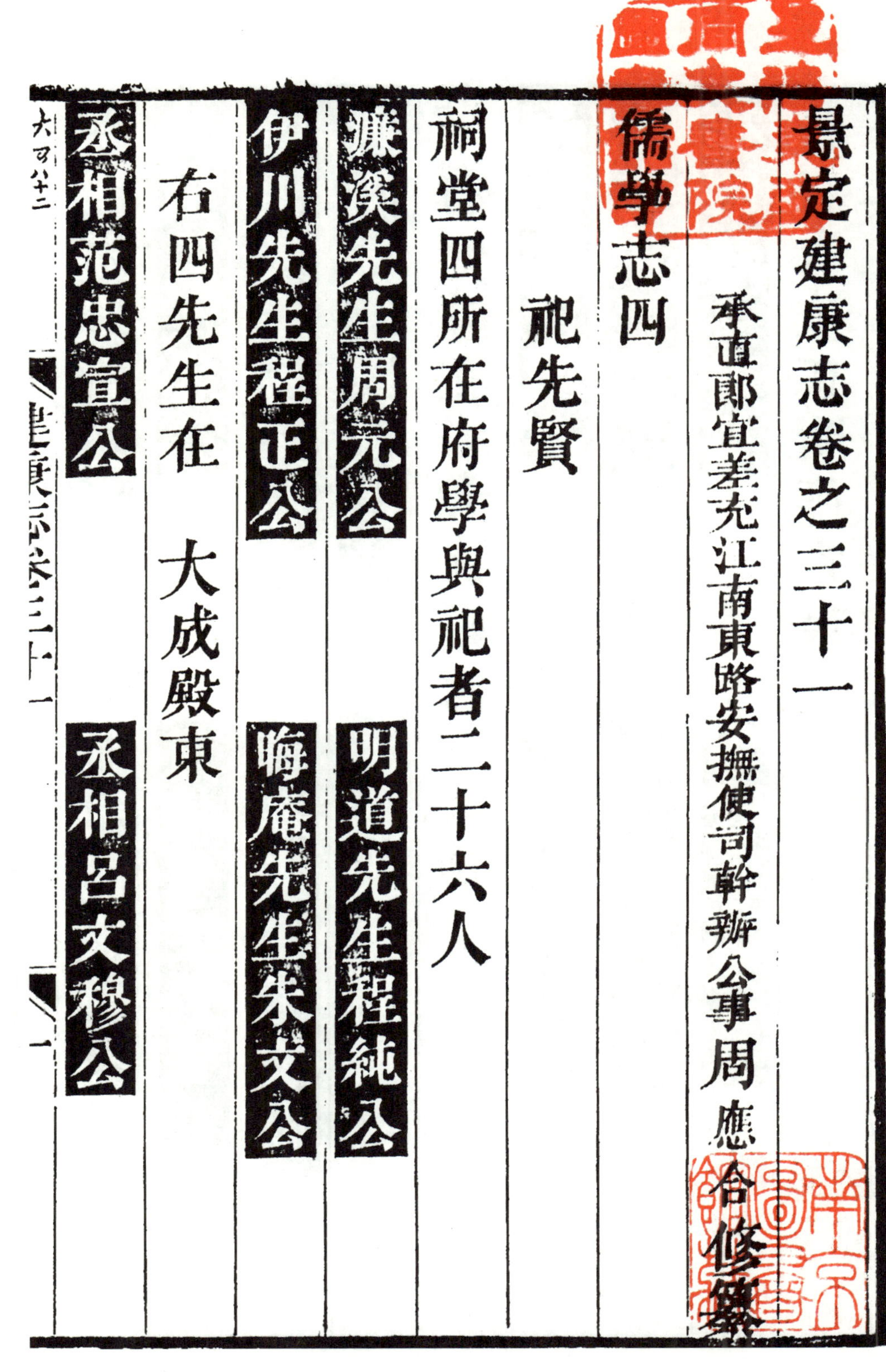

一拂先生鄭介公　通判楊忠襄公

丞相周文忠公　南軒先生張宣公

勉齋先生黃文肅公　壹是先生吳正肅公

西山先生眞文忠公

右九位在　大成殿西

太師魯國顏公　丞相李文定公

中書傅獻簡公　少保馬忠肅公

樞密包孝肅公　尚書張忠定公

右六位在明德堂東

丞相趙忠簡公　丞相張忠獻公
丞相呂忠穆公　丞相陳正獻公
尚書黄公　樞密忠肅劉公
樞密王公

右七位在明德堂西

府學祠堂初惟二所東祠明道先生蓋爲道學之宗而嘗主上元簿也西祠忠襄楊公蓋嘗爲建康倅而死節建炎者也淳祐中增立諸祠若濂溪則明道之師伊川則明道之弟晦庵南軒

勉齋壹是西山皆學宗程子而澤在斯民者也若丞相忠宣公以下皆嘗官于此而政教德澤有不可忘者也今學校月朔參禮春秋中丁釋菜皆爲彝典惟明道忠襄二祠有記

明道先生祠記 資政殿大學士建安劉公珙居守建康之明年夏四月始立明道先生之祠于學而以書走新安之婺源抵熹曰吾少讀程氏書則已知先生之道學德行實繼孔孟不傳之統願學之雖不能至而心鄉往之及來此邦屬

邑有上元者先生少日宦遊處也考之書記均田塞隄及民之政爲多脯龍折竿教民之意亦備然問諸故老以稽其實則兵革變故之餘風聲氣俗蓋已無復有傳者矣始至慨然卽欲奉祠以致吾敬使此邦之爲士者有以興於其學爲吏者有以法於其治爲民者有以不忘於其德不幸歲適大侵救饑之事方急於今𨒂克遂其志以吾子之嘗誦其詩而讀其書也故願請文以記之旣而府學教授孫君𪊨沈君宗說亦以

書來申致公意且具道公始之所以焦勞而未及與今之所以暇豫而得爲者其語詳焉熹發書喟然仰而歎曰尊賢尚德公之志則美矣旣富而教公之政則得矣屬筆於我公之意則勤矣雖然先生之學自其大者而言之則其所謂考諸前聖而不謬百世以俟後聖而不惑者蓋不待言而踰自其小者而言之則上元之政於先生之遠者大者又懼其未足以稱揚也吾何言哉於是伏而思之先生之學固高且遠矣然

其教人之法循循有序而嘗病世之學者舍近求遠處下窺高所以輕自大而卒無得焉則世之徒悅其大者有所不察也上元之政誠若狹而近矣然其言有曰一命之士苟存心於愛物於人必有所濟則其中之所存者又烏得以大小而議之哉區區不敏竊願以是承公之命庶幾於公之志先生之學兩有補焉又惟公之忠言大慮既已效於朝廷今雖在外而其所以救災而弭患者又如此其汲汲也則於先生之所

存必有深感而默契于中者矣其祠之也豈獨以致其尊賢尚德之意使民不忘而已哉若夫推公之志而以先生之所以教者教其人使之從事於爲己愛人之實而無空言躐等之敝是則孫沈二君之任也與二君勉旃熹於是其有望焉耳矣淳熙三年夏四月丙申新安朱熹記

嵩山黃銖書

忠襄楊公祠記 予自督師召還凡六上乞骸之請寓建康待命府學教授陶君過余言曰昔者

明道先生程純公以正學爲諸儒倡郡國祠事之惟謹是邦先生之常簿正於上元也學故有祠熾也不佞嘗聞忠襄楊公通守是州日會虜酋大入杜充以宰相總諸道兵望風迎降自餘或辱或遯惟公自矢一死紥與虜抗唾罵不絕口卒遭剖心之酷公朝義之易名忠襄賜廟褒忠今百餘年記于麗牲之碑書于下塴之石赫赫乎其與日星儷明也熾也生長大江之東習聞其事今又稽諸志乘則公又嘗典校官宰溧

陽有德於民士而學未有祠也不謂闕典歟於是卽純公之祠之右繪楊公以致敬焉子爲我識其事或以諗予曰二子匪其倫乎予曰儗人者以其道相似也禹稷顏回曾子子思窮達不相侔也去就不相似也而孟子同之此豈世俗所儗倫者乎夫學何爲者也所以志乎仁者也乾道變化各正性命根於理者爲仁義禮智之性稟於氣者爲血肉口體之軀而心焉者理之會而氣之帥貫通古今錯綜人物莫不由之學

焉則求以不失其本心使進退在我而富貴不可淫也使死生在我而威武不可屈也自夫學之不講非囿乎氣質之偏則奪於利害之私口欲味目欲色耳欲聲鼻欲臭此性也而不知命之有制居則求安矣食則求飽矣是心之體肫肫其仁充實流貫可以參天地可以爲堯舜而安與飽之是求則小人之事未之爲丈夫也以之爲學則志於苟得安於小成矣以之居官則見得忘義見危幸免矣彼庸夫賤隸不足責也

往往猶以一至之勇蹈仁義如康莊學士大夫學爲何事顧以口耳之讀給取利祿爲足所謂成己成物則無與吾事焉斯不甚可耻乎跡二公之所遇雖異而其志於學歸於仁能不失其本心則後先一揆此尙可優劣乎俗流世壞狄禍方殷余嘉陶君之爲是舉也足以興衰立懦不失聖賢爲己之意爲識歲月公諱邦乂字希稷吉州吉水人以政和上舍生賜第云公之曾孫天麟今爲提領建康戶部酒庫所主管文字

執奉嘗事惟謹公之澤深長矣端平三年十二
月癸巳資政殿學士通議大夫提舉臨安府洞
霄宮臨邛郡開國侯食邑一千五百戶食實封
叁百戶魏了翁記

先賢堂一所在府學之東明道書院之西青溪之上
馬公光祖建立自周漢而下與祀者四十一人各有讚

至德逊王吳太伯 初逃句曲山中

讚曰太伯之遠啓吳宇也其周之盛德耶顯哉
丕謨承哉丕烈維天有成命匪躬之責委而去

之川逝河決孔子不云乎可謂至德也已矣虞仲隱居季札守節斯其流芳遺烈歟郡以吳隸禮遜維則

越相國范蠡 築越城在長干里

讚曰王降而霸霸降而彊於越入吳蠡謀用章有屹斯城身退地荒治國往矣治家斯肥三積三散之陶之齊唯殖貨是聞猗後人迷晉穀衛賜疇不並馳于嗟乎通材而生不遇時

漢嚴先生子陵 光結廬溧水縣

讚曰子陵光武帝所共學也可與致四海之永康懷仁輔義驗謂其狂客星去之庶斯言之入于帝心也不忘使朝夕之與居將奴隸之以為常取秦苛而洗之亦略施行仁義不以勇力高皇帝曰非吾沛里中三老則言而莫予起也至忠血誠共學同里亦有仁義而已矣仁義不施秦所以亡仁義既效唐所以昌後之學為仁義者尚東廬之可望

漢丞相忠武侯諸葛孔明 亮往來說吳同伐曹操又勸孫權定都建鄴

讚曰戴天履地三綱五常孰闕漢鼎海內披猖草廬遠猶天下大義踞虎磻龍匪吳都是議同力絕操皦皦信誓毫𢦤昭皎蜀不少延而已無魏矣蓋炎興咸熙曾不閱歲大星可霣漢賊迄不兩立烈哉武侯之志

吳輔吳將軍婁文侯張子布 昭宅在長干道北近宅有張侯橋

讚曰於昭婁侯颺其英風左右孫氏恩激義從身總武文聲振北南策曰仲父匪齊斯今侃侃訴遺老臣之心忤不物遷動不已爲塞門焚盧

固知其不坐而斃也堅臥固拒固知其不可得而縶也人欲殺而超然浩乎莫闚其際也長子之北淮水之東遺音琅琅張侯之宫

吳將軍南郡太守周公瑾瑜

周郎橋在句容縣

讚曰天壤之間何得生此瞞横猒羣雄狂挾至尊謀者如雨闘者如雲破荆州下江陵驕心盛氣盻一世而莫之京烈燄燒江蛟鼉鯨驚乃不得志而去裂寓縣而三分曾不識天之絶姦兇而扶命義猶朶頤而迄自焚於戲易於漢鼎難

於赤壁公瑾之勳從手而立人極度秣陵下湖
孰湯湯斯流千載芳躅

吳侍中尚書僕射是子羽儀 宅在西明門

讚曰賢者能變俗俗烏得而變之人之生也直
於子羽乎見之姦雄用世便儇盈庭淸恪貞素
矢心而行能使其君信之望大宅而知其不爲
衆捃發其交徧獨長喙之無可施衆畏槪以誣
人獨刀鋸在頸而不移羌一正以自守紛百邪
而無疑彊爲善而已矣未嘗諉之於時

晉太保雎陵公王休徵祥墓在江寧化城寺北

讚曰甚哉孝之大也巍巍元公望于魏朝晉廷所宗得天年之高極人爵之崇而百世至行乃獨家傳而人誦之莫濟匪魚莫飛匪雀胡爲乎來哉于冰于幕因堅西芒示我有覺維齊朱年維梁阮孝緒維唐張常洧蘩芝之異兎關地致蕧鹿癖其所洵美此都冊無絕史孰移愛敬孰悖德禮樹之風聲大變秦贅

晉平西將軍孝侯周子隱處子隱臺在鹿苑寺

大ヨ九十の

讚曰遷善改過在易之益如雷其迅如風其疾當其未改瑰礫瓦石及其旣遷金錫圭璧烈烈孝侯折節詩書昔燕趙之靡今鄒魯之儒方寸旣改羣動皆新虎可搏是故竭力於其親蛟可僇是故死國而忘其身未見剛者睢特之人

晉太傅丞相始興文獻公王茂宏導宅在烏衣巷

讚曰江左權輿始興經營無晉而有晉挈三世於嗣輿百爾倥偬鎮以一靜雖日不暇給而汔可庶定人亦有言今之夷吾九合一匡能志北

方之圖力足以爲器足以施豈不翌宜轄哉惟時委一世而清談嗚呼悕矣

晉太尉大司馬長沙桓公陶士行侃事見石頭城

讚曰堂堂陶公一代重臣作鎮于遠赫赫厥聲咸和階厲宸居震驚蠲氛盪兇四海一人孰急而求盟哉太真義戈所指磔梟尸鯨凡此戎公于躬取必孰揮匪塵而百斯甓孰偈匪時而分斯惜逌乎清高國爾何益凡百君子惟忠惟實

晉侍中驃騎將軍忠貞公卞望之壼

忠烈廟在冶城南

讚曰望之巖巖立朝正色獨謝閑泰寧鄙吝之執以我斷裁納世軌則見危授命之死靡忒然後可以得此心之正而盡爲臣之職矣惟忠惟孝其本則一從者二子遺廟翼翼

晉太傅廬陵文靖公謝安石 安宅在烏衣巷口

讚曰建元而後事異敉謐海内之望孰先安石繫望所在舉國倚之其處也不翅伯夷其出也人以茂宏比之是以從容宴衎悉就條理內杜窺窬之奸外挫吞噬之志雖晉室而旣卑矣抑

亦差彊人意雅道崇崇淸言娓娓其人甚遠其室則邇

晉車騎將軍獻武公謝幼度元別墅在土山下

讚曰北方之彊謹謂莫當南方之彊輒曰非所長莫衆百萬莫劇一秦震蕩蜚揚氣無江瀆奕奕芝之玉矢旝是承婉婉衣冠豺狼是嬰乃一蹴而走之風鶴作氣草木爲兵維南有人北無勍

晉右將軍會稽內史王逸少羲之事見冶城樓

讚曰逸少精蘊浮于盛名人曰出處時之重輕

雖廊廟非心營綜攸叙悉置分表根立㲃舉云付治城退想高世世競高大日積小以致世尚輕薄日重厚遜退決誓二尊敻絕羣碎可謂出其類拔其萃矣雲游龍驚聿冠古今併爲一談知予心哉

晉領軍光祿大夫吳處默隱之（茅屋故基在城東）

讚曰處默其清矣乎其在晉陵小君行薪其還番禺投𦵔海濱勺貪泉而不疑或謂余之矯情紡績以爲食而有不給布以爲衣而猶不完觀

細故於平日亦足以驗其所安此非自致其心
於親不有其躬於兄者耶至行之重外物之輕
茅屋可朽名不可泯

宋徵君雷仲倫 次宗 開館雞籠山號北學

讚曰自古有國建學立師雖時之搶攘胡能已
之元嘉岌岌雞山業業儒館揭揭學徒業業西
巖之下廸我貴游易術華林禮特數優聘幣何
爲國有矜式興于文風可以觀德

齊貞簡先生劉子珪 巘 居檀橋

讚曰人而無學訖額蒙學而無師安適從舉舉下席衿佩同師誰敢名青溪翁青溪至行神明通靡指蹝足萃廠躬屋壁偶墜闔房空去來眠此鴝鵒踪諠以方直徹主聽嘉爾惟孝移惟忠範橅不在言義中如其天道得所宗百世可起鄒魯風

齊諸王侍讀陶通明 宏景 居茅山

讚曰人生天地間乃爲天地心超然出人羣人紀身所任況陞朱邸僚鄉用方駸駸胡然薄神

虎勇往投冠簪朝駕逢市朝暮影栖山林柰何天所令生意彌中襟磊落事觚翰洪纖注魚禽要令舉世人不有微痾侵白雲自怡悅秉志非幽尋道術胥分裂僊佛紛浸淫徵陶摭句曲佞誌傾鐘岑皇皇周孔教萬古開黎黔

梁昭明太子蕭德施統書臺在定林寺後

讚曰粵若古初丕昭人文降魏及晉辭華紛綸習尚流傳名譽著聞衆作漫漶獨擅選掄此其膏馥之餘市紱翰墨之勛矣儲闈烝哉文士萃

止仁孝至性寬惠濟美必也師式聖賢根本義理則其能事何止辭林文圃而已哉陟彼北峯高臺既平草根木杪誦弦之聲

唐太師刑部尚書魯公顏清臣 眞卿 昇州刺史

讚曰嗚呼魯公大節孤忠公不知小人小人實知公其直諫也決知其不朋我姦其出使也逆知其不生還公則曰人心無路見時事只天知唯義所在自處不疑沂時相傳不死而僊豈曰茫昧理實昭然以秋霜烈日之氣不爲列星固

當游行乎人間彼小人者宇宙雖廣何所容其身未先朝露已爲游塵嗚呼公雖不知天則知小人矣

唐翰林供奉李太白

白往來金陵具載本集

讚曰天地英靈之氣曠千載而幾人恍天僊之下墮驂雲霧而絶風塵以匹夫而動九重乃供奉乎翰林將國論其與聞之奚兒女子之云云㢠其抱負霸王之略或庶幾乎少伸手携郭令公足蹋賀季眞至於奉珪印以贖之有以信志

業之等倫豈爲其道骨之可蛻詩思之不羣耶
鬱鬱北山悠悠大川公不來游今五百年

唐山南西道節度參謀孟東野 郊 溧陽尉

讚曰擾擾今人中貞曜心獨古披搜三百篇頓
挫五七語其中春草心浩蕩報慈母原道接聖
傳當時一韓愈駏蛩互前後雲龍相上下永懷
絜其長疇若視所與一尉何荒涼千年仰淸苦

南唐司徒致仕李致堯 建勲 賜號鍾山公

讚曰嗚呼知時之不可爲而不之爲者其致堯

乎身都顯榮年盛望高簪時命之固然指鍾山而消搖營臺度榭負杖曳履旣信桃花亦訂流水登如乞人去而復來汔以自全其君子哉

南唐內史舍人潘佑 見江南錄

讚曰嗚呼知時之不可爲而猶爲之者其滎陽乎斯時何時于理于疊衆假息於沸鼎獨憂深而謀長遇主于闇通國若狂同舟覆矣叫號倉皇風雨如晦雞鳴不已蹈死疾邪允矣君子

樞密使濟陽武惠王曹國華彬 開寶昇州行營統帥

讚曰天地之大德曰生聖人之守位曰仁定天
下而一之曰不耆殺人龔惟　藝祖肇造區夏
整我六師予誓告女鼓我元氣入我齊斧爰處
其宇以莫不按堵馴若江南奚獨後予同德惟
臣不疾其驅衆志允諧我病我蘇主窮旣俘民
誅用逋弢我兵械完其體膚功著不殺慶衍且
餘設桓列戟騂旄鴻樞珽板櫑具金佗玉魚子
孫孫子盛哉猗歟貪殘之家覜斯何如

尚書忠定公張復之詠

祥符知昇州再任

讚曰承平之盛好是正直剛大之氣鍾爲英特
惟乖與崖自讚其德薦揚下逮於乘驛彈擊不
避於貴弼不汲汲以規進寧皇皇乎外服拔茶
植桑崇本務而抑末術化賊爲民廣道德而息
兵革惟姦是鉏愛也威之克如嬰之慕去也留
之力江東父老至今誦公之績也賦人聲之唱
應問公事之陰陽其得於希夷者深矣彼李畋
何能窺其豪芒

中丞恭惠公李幼幾及
淳化昇州觀察推官

讚曰謹繩度飭簠簋昔人以爲常今人以爲異忘軒冕禮丘園昔人以爲易今人以爲難惟公立朝發軔此府惟公姱節不問細故其清修貫表裏其謹厚亘終始作之斯與誰無是心導其所趨何古非今悔官下之買書可以愧貪夫屏輿從於林麓可以厚薄俗

樞密孝肅公包希仁 拯 天聖知江寧府

讚曰孔門四科尤重政事豈其冉季而曰俗吏惟孝肅所至民物吐氣直榦必棟精鋼詎鉤磊

落平生斯言卒雠蜚英鄉書銳先推賢致養親闈寧不調官行通乎神明氣塞乎天淵朝端憚其嚴毅邦計仗其斡旋京師偉其彈壓牧伯赫其旬宣迅一時之剖決紛萬口之流傳民到于今姓而爵之今之從政者尚矩矱之

丞相忠宣公范堯夫 純仁 治平江東運判

讚曰偉哉忠宣炳炳論奏既獨異於熙寧不苟同於元祐務審處而緩圖庶志成而業就迹其踐行乎六經融液乎忠恕謂避好名之嫌則無

爲善之路雖再相之弗及曾不改于厥度彼慈
閶之不已又奚掩其終譽憧憧世道悠悠我思
肅肅瞻儀匪計臣是私

宗正寺丞純公程伯淳 顥 嘉祐上元主簿

讚曰天運有開宋德聿隆河洛之傳洙泗攸同
天理之妙和氣之融不言而化盎如春風惟此
仕國旣與書堂式開我人欽于烝嘗

監安上門鄭介夫 俠 清凉寺有祠

讚曰昔神祖之在宥也思躋世乎五三繄時宰

之責成陋漢唐而不談動色于一堂之上曰天下已治安矣猗一个臣不卑抱關流離之子携飢扶寒乃作繪以上之徹隱伏于天顔方附和而壅塞光獨犯其至難皇心爲之始悟抑亦少障乎狂瀾葉飄風其一身日昱晝之一言游從之地故在官職之誘何居彼美人兮嗚呼噫嘻

少師龍圖學士文靖公楊中立 時嘗家溧陽

讃曰龜山先生德盛道尊一世之望靈光獨存立乎本朝士曰展季倡明斯學統則有繼衣冠

之南公亦溧陽毋薄溧陽君子之鄉

叅政莊簡公李泰發光

紹興宣撫使

讚曰帝王所宅東南都會外連江淮內控湖海於焉作京忠憤義愾皇帝若曰疇順予采光拜稽首見士不怠千乘萬騎是能處之百司庶府是能宇之岧嶤帝闕秦淮縈之騈闐天邑鍾阜承之鑾輿來止嘉汝成之相此其都萬世之義不此其都權奸之計直前激烈疾視附和亟其投竄無所逃既能畀之遐荒不能使之心不王

室能毒之何械不能使之口不讀易嗚呼忠矣

百辟是式

太師丞相魏國忠獻公張德遠浚紹興留守都督

讚曰思陵幸鄞魏公總戎大勲未集大義已明

表著天心扶持人紀人類得別於禽獸中國不

淪於夷狄者惟公是恃臣之事君無所逃於天

地成敗利鈍是不足計由今觀之地割矣而搏

噬不能有兵解矣而跳梁不能久則讒慝之夫

徒能畏觵賣國以蠱壞人心使公不得遂其志

志則未已凜凜生氣

秘閣忠襄公楊希稷 邦乂 建炎知溧陽縣遷通判

讚曰公長于縣賊至則戰進貳于郡我心不轉小土寡民力猶能兵兗氛壓城執則弗勝此趙氏之鬼也虜安得而生之褒忠表祠忠襄易名惟國之恩匪公之榮

太師丞相雍國忠肅公虞彬父 允文 紹興督府參謀

讚曰金石不可入而誠可使之開鬼神不可詰而人可使之泣偉哉雍公顯于采石一呼而作

三軍一瞬而摧大敵方時談兵者滿朝廷握兵者徧疆場固嘗禪廟算獻戎捷而江上之師莫適爲主晝一策發一矢猝無及也莫府非專征書生非健卒來謂斯何戰登其職而乃片言禍福交手爵帛人百其勇齊心併力覆前至之舟掃先登之迹刑馬之歃徒腥投鞭之望頓失十萬之擅胡如披渠酋之金甲如撻微此之役安得不踰年而亮就殛也既登象繪既大廟食功載不刊我祀事亡斁

太師徽國文公朱元晦 熹 淳熙除江東轉運

贊曰洙泗百年而孟子作濂伊百年而朱子生元氣之會應期而興筆削千古闡明六經精其知聞力其踐行玉振金聲集于大成在一郡必達在一道必達亦足以發在天下必達在後世必達必來取法

安撫殿撰宣公張敬夫 栻 督府機宜文字

贊曰宗于顯道派于仁仲聞道甚早求仁甚勇知行互進義利剖分蛻人欲之蟬融天理之春

得尙乎明君不少貸乎小人夙教忠於家庭竟賁志于中原聖謨洋洋于郊如存

太師正肅公吳勝之 柔勝 生於金陵

讚曰正肅得師逵于有政畿輔荊軺廩發饑振朝曰汝擅毗曰生我尸而祝之有永無墮可禁者學不可禁者心天監厥德及物也深何以報之在其後人

太師參政文忠公眞希元 德秀 嘉定江東運使

讚曰孔孟之國家書尸詩先進風行後進景隨

遠逮于漢班班諸儒豈無它邦猶多魯邾惟西山公鄰夫子墻有聞斯道悔其辭章著書滿家黜霸宗王非不逢辰既登四輔利用存身卷懷衆甫轡絲所經衢壅塗塞愛人之政後人之則

右讚各刻于祠位之下馬公之建是祠也議位序者定爲四十二人公之大父野亭先生與焉公曰野亭自有祠于濳司矣此不必列蓋不欲私其祖也今祠位尚虛其一後之君子當有列野亭於此祠以備其缺者矣

青溪先賢堂記公鄉大夫士可祠三道一德一功一金陵帝王州上下數千年間有道有德有

功者相望何吳晉之臣此皆有祠而他代闕焉開慶元年秋資政殿學士大制帥馬公昉祠先賢青溪最勝處凡生於斯仕於斯居且游於斯而道德功可祠於斯者自我　朝上泝漢周列位四十有一取於吳晉僅十有二選亦遴矣先是寶祐丁巳公以大常伯任　留鑰建江閫政通俗阜教民靡不勸章往勸來是祠所繇作屬前宗學論馮君去非定其可祠者而爲之讚會上謀荆帥趣公易鎮祠事迄未備越一年進視

四輔拊甘棠而臨之凡前志未畢者是究是圖
祠乃成八月壬辰舍菜成禮會弁如星相古先
民洋洋如在景行行止克廣德心客有賦者曰
吳鑿青溪千二百年九曲縈紆七橋蜿蜒鳴雞
射雉荒亡流連觀昭明之宮衒樂游之苑宣尼
廟改青衣祠藏此溪之所以堙而流之尼於遠
也今揭虞妥靈聖賢其居令聞廣譽黼黻其書
俎豆革管弦之靡聲教滌宴游之娛此溪之所
以濬而澤萬年之　留都也公謂客曰子徒識

青溪之改視易聽而不知我　朝之度越前代也盡觀之是祠乎清莫如子陵而隱之致堯其流也忠莫如清臣而子布子羽其儔也休徵之孝望之之節子隱之勇內史之介逸少之雅仲倫子珪德施太白東野之文皆可以言德而未若太伯之爲至明哲則陶朱公蠡暇則茂宏安石英邁則士行公瑾幼度皆可以言功未若孔明之爲盛我　宋諸賢功德兼之武惠士行也忠獻茂宏也忠襄望之也忠定孝肅清臣也介

公滎陽之鄰也忠宣其謝安乎正肅其子羽乎恭惠致堯之優乎莊簡忠肅公瑾之亞乎至若河南純公龜山文靖公南軒宣公紫陽文公西山文忠公皆以道鳴者則漢而下所未有也而皆萃於吾

宋孔孟而後道不在茲乎有道者必有德必有功而功之不究或繫乎時苟不至德無以爲道本也重道德而輕功業人將知體而不知用崇功業而遺道德人將知流而不知源矣祠所重

在功而道德之意薄晉祠或功或德道則未聞
也古今並祠三者始備大學之道在明德新民
止於至善曾子發至善之傳曰君子賢其賢親
其親小人樂其樂利其利所以沒世不忘也是
祠之作因其不可忘而思其所可學某也道某
也德某也功勉而進之三者全則至二則次一
亦不失於令名社稷生民終將賴之二三子其
有志於斯乎客曰大哉新民之賜抑以得公尚
友之志公命記之并刻迎享送神之辭使民歌

之其辭曰長江兮淙淙踞虎兮蟠龍秀羣英兮禮樂覽千古兮焉窮蹇誰留兮青溪穆將愉兮壽宮思至德兮肇蒼姬遲聖嗣兮典句吳竟長干兮游五湖燁客星兮隱東廬坐根石兮定吳都懷仲父兮秦淮隅燎赤壁兮偉北圖憶尙書兮西明居孝感兮冰魚鹿苑兮儒書起烏衣兮見夷吾運百甓兮恢宏橅忠孝兮父子將相兮叔姪登冶城兮想高世酌貪泉兮徒四壁輿文兮雷劉著書兮陶蕭大節兮霜凛凛謫仙兮風

飄飄雲龍上下兮東野桃花流水兮致堯肆榮
陽兮忠憤相先民兮迢迢天昌
宋兮將有曹平江南兮斧不膏德乖崖兮桑本
衮美中丞兮咨慕高神明兮待制忠恕兮膚使
春風兮壽元氣圖繪兮回天意出師門兮道與
南建　留都兮垂萬世仗征鉞兮江無波死封
疆兮人知義采石兮功之奇紫陽兮道之繼佐
乃翁兮南軒開厥後兮壹是澤斯民兮西山儼
元凱兮是似庀管鑰兮北門思倘友兮古人建

芳馨兮堂廡合荃芷兮盈庭翛秋風兮桂枝繚荷屋兮杜衡薦菊兮寒泉采藻兮落成浴蘭湯兮沐華望美人兮並迎芳菲菲兮滿堂靈之來兮如雲聊逍遥兮容與集琳琅兮鏘鳴吉日兮辰良蕙蒸兮椒漿元勲兮鉅德日月兮齊光介氏兮景福昭昭兮未央高山兮景行千秋兮難忘諸氏名行事各具本讚不復書公名光祖字實夫金華人受道西山後學稱裕齋先生云承直郎宜差充江南東路安撫使司幹辦公事兼

明道書院山長周應合記文林郎宜差充江南東路安撫使司幹辦公事趙與輈書從事郎特差充沿江制置大使司主管機宜文字徐道降篆額

轉運司祠堂三所建立歲月各有記

丞相忠宣范公祠

忠宣祠堂記 治平之元忠宣范公爲江東轉運判官賦籌思亭詩有曰致誠通造化審慮敵權衡境寂居忘倦心虛照自明石刻至今猶在嘉

定八年春起居舍人建安眞侯希元恪共使事慕忠宣之賢且愛其詩之旨趣深長也迺於玆堂之西刱一室繪公像而敬祠之又采詩中語更所謂激揚亭者曰虛明而堂之名雙槐者易之曰忠宣顧瞻之間先賢在目高山仰止之意須臾不忘其深有契於心者邪夫君子之所爲當以三代而上人物爲的不當以兩漢而下人物自安蓋三代而上士大夫朝夕所從事者不越於此心毫髮有差焉自懲艾學日進德日充

中立而不倚全體渾然不可以一善名故繇漢而後雖英才間出未有能入其域者我朝人物之盛幾於古矣迨元祐間正人森列而忠宣之德之懿良可與焉忠宣之論事也慷慨奮發知無不言若　濮邸之不當稱親法度之不可變邊隙之不可開皆切於時病屢進而屢黜故天下稱之曰正人然蔡確之遠謫則以爲太過章厚鄧綰之獲辠亦爲之救解忠宣固非朋姦者而委曲如是其志念深矣語所謂君子

不器中庸所謂焉有所倚迺平昔之規模也當是時人才非不衆多忠鯁敢言者非不可喜然中正無偏求如忠宣者實鮮此無他忠宣從事於此心心本不偏制行而原於心斯不偏矣嘗稱孔子之言舉直錯諸枉能使枉者直以爲舉用正直邪枉可化而爲善何必分辨黨人有傷仁化深乎深乎議論持平不爲矯亢使其志常伸其言盡用豈有異時讎復之慨哉三復籌思之詩發揮此心至精至切君子以是知忠宣之

所存蓋以三代而上人物爲的也起居正色立
朝有德有言名重當世而獨於忠宣起敬如此
亦足以占其所存矣忠宣之帥環慶也畢力救
荒不俟奏報而起居之䘏民也亦然屢請于
朝施惠甚博亦有不待報者此又愛民皆原於
心所以不謀而同也嗚呼賢哉嘉定九年五月
旣望朝散郎試祕書監兼國子祭酒兼　國史
院編修官兼　實錄院檢討官兼崇政殿說書
袁燮記

參政文忠眞公祠

徐公鹿卿始立附于范忠宣公祠馬公光祖特建今祠

文忠祠堂記

聖上改元淳祐之歲眞公之薨七年矣先是江東大飢死徙相望民之被賜未有加於嘉定乙亥者其德而思之也莫不然鶴山魏公記公行事而江東荒政乃不及錄南昌徐公鹿卿推求其故以爲闕典方治平間范忠宣公實典漕事眞公闢堂名曰忠宣繪像其中以示景行至是徐公奉之同室共祀以慰其民無窮之思則移書宗學博士黃君自然求公所行

以補遺史之闕黄君曰自然於眞公爲友而知
公最詳無若王遂且於救荒本末嘗與聞之以
詔後人宜無不可時徐公移浙東憲以書戒遂
曰吾行有日矣子必無辭遂遜謝不敢當然其
時爲淮西總所幹官職事之間得以竊闚眞公
與李公道傳濟人之政眞公治金陵而行乎太
平廣德李公治池而及乎宣徽皆以身當其勞
而分之幕府遂之心有以知眞公之心用敢不
辭而爲之記初公涉三館侍螭蚴入玉堂詞章

炳蔚聞于　宫禁論事
上前皆本仁義皆關　君德治體皆切於君
子小人之辨使虜不逹則益嚴中國夷狄之分
中外想聞其風采守泉南帥豫章長沙三山惠
民平盜皆有善政外夷讋服天下唯恐其不入
相更化立　朝發明大學得失與盛衰治亂存
亡之義　上爲詔讀校文入奏　上意慊
然接納將舉國而聽之而公薨矣宜乎狹歛一
道論述一政毋乃憂其末而忘其本舉其小而

遺其大哉是時然江東始旱公有憂色合本道義倉及轉般米數十萬斛而厚其積因戸部罷夏稅之請以蠲其征取郡縣官及寓公之賢以覈其實大家勿勸分貧者糴乏者濟已甚者賛粟賜之病者載藥與之本之以河北救災之議行之以青州之政櫛風沐雨遍走二郡不足則開寄納倉出官錢糴之吳中又不足則以翰苑橐中金益之不忍留都之不及則發私財以賑贍之訖事民益急則轉糴爲濟廣德守臣附會

時好劾教官以聞公引咎以白其寃值旱乾禱
雨白鷺洲人見其對越者迄以稔告袁公甫筆
其事爲錄非特此也推本
主上之仁一似
仁祖而羣臣般樂怠傲不異政宣者十事語意
剴切人之所以心服者豈有它哉仁與誠一故
也則民之思之也豈偶然乎哉徐公之祀之也
亦豈徒然乎哉文正忠宣有王佐氣象識者猶
恨其不同周程之學公居遷陽後於文公之沒

放居七年盡讀考亭諸書發揮天理人心之妙
蓋有及門而不盡得者誠意實德豈一日之力
哉宜乎公之自托於忠宣也方眞公立祠時求
記於潔齋袁公又求之漫塘劉公二公之所稱
若不類元祐氣象者由今觀之先生大人之所
立大矣豈區區拘剪繩墨之所能及哉徐公在
朝列數進危言杖節並江綱紀大振嘗請于
朝乞緡錢百萬以助糴穀援眞公以言朝廷爲
撥祠牒下倉司以備救贍若與眞公之政相後

先者夫眞范相去百有餘年徐公之於眞公亦越二十有七載非前有所附麗後有所歆羡也道未必同而心則一也一者何盡其心卽盡其天也子思曰思知人不可以不知天孟子曰存其心養其性所以事天也詩書格言孔孟遺論遷陽之學南昌之敎爲有本矣後之學者其可不務於斯是歲八月寒露日朝散大夫顯謨閣待制知寧國軍府事兼管內勸農營田使王遂記并書奉議郎守祕書丞兼權屯田郎官黃自

然篆額

寶祐二年馬公光祖兼持漕節始至謁范忠宣眞文忠二公祠俾隘弗稱文忠公寔公所師而忠宣公又文忠公所嘗祠也思以揭虔妥靈瞻前景行乃重建祠于籌思堂之西偏以二公並祠焉視舊宏邃祠庭嚴肅烝嘗惟時公自爲文以告二公告忠宣公文曰維寶祐二年歲次甲寅十一月庚子朔初三日壬寅中奉大夫守司農卿總領淮西江東軍馬錢糧專一報發御前軍馬文字兼提領措置屯田時暫兼權江東轉運使司事借紫馬光祖敢昭告于大丞相范忠宣公光祖惟世所

難得者才才所難得者時治平一代盛時也江左遠在南服觀風之任必惟其人公以名世領漕事吏化其廉民懷其德凡所以培植相業以開元祐之盛者實發源于此故節義凛凛至今與龍盤虎踞相爲凌厲尸而祝之以風後人宜也而偏隅陋宇適所以彰司存之不敬竭來其職躋公堂目公像所謂堂堂巍巍爲砥柱爲虛舟如曾文昭公所銘者儼然猶存是不可不起敬起慕於數百載之下也用徹而新之以表前人之心以厲後人之業以昭太平人物之盛敢因告成以寫其志惟公其鑒之尚饗

告文忠公文曰

維寶祐二年歲次甲寅十一月庚子朔初三日壬寅門人中奉大夫守司農卿總領淮西江東軍馬錢糧專一報發御前軍馬文字兼提領措置屯田時暫兼權江東轉運使司事借紫馬光祖敢昭告于大參眞文忠公先生光祖幼志于道年十四五時誦先生救楮疏已願執經造弟子列既冠爲新喩簿先生

生實帥洪都嘗以文字求質正會先生以憂去未暇也及宰餘干始獲登先生之門心經政經文章正宗夜氣箴裕齋詩皆爲光祖作先生之望光祖深矣期光祖厚矣今以總攝漕先生棠蔭在焉流風善政其隱然於人心者垂五十年如一日尸而祝之以與忠宣范公並祠宜也而頽垣敗宇卑陋弗稱光祖祗款之餘旣求先生之遺跡而遵行之而保守之乃相攸爽塏闢舊而新繼自今事君臨民行已接物不以先生之心爲心者有如大江雖然豈特光祖也哉後之爲使者目遺像之儼然其尚知所毖以矜式夫祗奉之初不敢不告尚饗

上梁文

此地百五十年有兩福星之臨照後天數千萬載同一北斗之瞻依可無松桷之新以寓菊泉之薦翔踞虎蟠龍之形勝有偉故都而服牛乘馬之轉輸實爲重寄於皇昭代間生大儒在治平則忠宣范公持簜節而來於嘉定則文忠眞公奉板輿而至咨諏一道先後同心倚柳吟詩念念

羣黎之休戚發棠賑歎熙熙九郡之歌謡雖異時天下蒼生均棠利澤至今日江東遺老尤慕高風趾其堂則如見其人懷其道不獨祠其像奉使總領提領運使大卿禮樂膚使文章正宗一則遐想於範模一則親傳於衣鉢每於退食自公之暇賡哦景行行止之詩摩抄壁記之未漫彷彿梧桑之如在蒼苔滌水數偪仄於舊祠青戸紅窗爰恢張於新址式昭所敬用妥厥靈未須迎送有歌如羅池之祀柳子厚庶幾飲食必祝若潮人之事韓昌黎肇舉修梁敬陳韻語東日擁金盤上碧空咫尺甘棠蹤跡在如親霽月與春風西貫索星沉太白低廩廩胸中兵甲在喚囬前哲掃鯨鯢南薰風晝永度晴嵐二老九京如可作杯茶演易到函三北沙漠茫茫雲侶墨風雲天險界長江千古丹忠思報國上台斗森森羅一望對越蒼穹無媿心仰止前賢皆好樣下燕雀爭先來賀廈東南學子皆鄒魯如水朝宗長不舍伏願上梁以后道脉之壽無窮

人心之趨益正須知參政宰相元自此
而推之箇般好樣監司深有望於來者

太子少師野亭馬公祠

野亭祠堂記

理在天下惟公平可以服人心惟忠孝可以揚先志歷世千百猶一日也蓋作善降祥時迺天衢而芾棠之思必有感於中者爲之夫豈偶然也哉惟我
聖朝以仁立國以忠厚待士大夫滲漉涵養愈積愈遠一時有位之士知有體國奉灋愛民澤物而已一念精白培壽國家之脈源流所逮非

止其身宜乎垂芳襲慶代有顯人呂王韓范重珪疊舄赫奕焜燿衣冠之盛其來尚矣東陽馬公之純慶元間以承議郎主管江東轉運司文字廉平公正克相其長持畫婉婉邁悳維多後六十年當寶祐戊午公之孫光祖清才敏德昭名于時

天子鑒其忠使華玉麟晉以書殿恩例眎執政皆殊遇也然其臨民莅事壹是以祖爲法越明年春　上以陪京之鑰非重臣不可授鉞臬

下鍾山草木悳威衣被卓乎忠定之重來都之人士歌舞嚌昔桐鄉之愛易墜皆然爰請運管廨之偏纘公而祠焉碧瓦鱗鱗璚題刳楹埤基拓岸事不戒而備中元後二日率屬落之起瞻德容豐骨遠矑蒼頟古頦袞衣朱而貂蟬峨也丰儀肅肅可拱而卽滓其心君川渟玉韞生發迤邐有衍未艾懿哉囦乎喬木之家盛悳之祀而驗於感應之理不可誣也公弱冠登隆興進士第與南軒東萊講貫精詣天文地理制度之

學廱不洞究爲三山灋曹與上官爭是非民之全活者衆有欲薦公中都官輙遜謝之其介陗恬退類此喬文惠公行簡葛端獻公洪皆横經執弟子禮其在鄞時吳居父塡守有幾日不來春便晚開盡桃花蓋與公倡醻之句石刻尚存公篇章訡詠初不苦思而意已獨至金陵百詠殆遺藁耳平生著述如書解中庸大學說周禮隨釋講義春秋編年圖豫章沅芷雜著於家史具載旣老世號野亭先生今祠旁扁揭刻歲月

於性志不忘也先生因資政恩累贈太子少師
祠之興工逮訖事凡日周一甲子其熏華供設
屏龕俎豆悉倣忠宣西山二公之禮或曰先生
昔列屬也往擽之乎曰明道嘗簿正上元矣衛
之所在下飄北面可也世無孔子而老聃郯子
惛惛於新招此世之所以不古雖然象賢崇德
示民知所敬抑觀風者之先務云沓開慶元年
八月旦日朝議大夫行尙書戸部郎中總領淮
西江東軍馬錢糧專一報發　御前軍馬文字

兼江南東路轉運判官倪垕記○馬公光祖因是祠之建慮香火灑掃之久而怠也乃捐俸餘買田百畝有奇以歲收之租給其需隸其事於運司主管文字廳歲會其羨以俟繕修且刻石祠下

府境諸祠

顏魯公祠 在句容縣

魯公祠堂記 淳祐二年遂守宛陵愛顏魯公之爲人而無能得其像者朋友劉汝進過虎耳山

謁其墓而得之取南豐祠記而讀焉意其若臨川爲堂以祠者亦足以表示一方矣後五年知句容縣張君槼以縣圖經見寄載縣東來蘇鄉後顔村有顔尚書塚石龜具在然後知公雖死於蔡州而踰年淮蔡削平贈公司徒謚文忠而盧杞旣貶李希烈敗喪斬首獻于朝有　詔子頵碩護喪歸葬後顔卽虎耳山句容爲邑終唐之世惟至德戊戌與上元辛丑以屬昇州眞人將作析而二之故其砧基猶號潤州句容縣顔

尚書塚九墳十八墓歲代流易昭穆雜處惟有石人石柱石版墓地雖存而墓誌無在莫克表識是可謂闕典矣自陋巷斷絕顏含師古咸以文名杲卿兄弟皆著風節公字畫遒勁其放生記及府學茅山碑皆爲世所貴重晉有卞壼臺城之難父子一門並著忠孝雖非土人其去之三百年著稱一郡豈偶然者故莫易於慷慨殺身莫難於從容就義觀公之志於死而不輕於死亦足以見其處之有道矣夫死生大節也出

處大事也唐之禍始於天寶甚於正元宋璟張九齡已死李絳裴度未生當是時惟郭子儀陸贄段秀實李泌陽城號爲得人而無救於唐之患微李勉鄭叔則等救之於前李皐慟於其後則人心之公理絕矣平原失守恨二十四郡無一忠臣至有不識公之歎十七郡見推歸事肅代遭李輔國元載盧杞不悅南豐所謂忤於世失所而不自悔者天下一人而已此足以見其爲烈而所以處之者未見也初杞聞舌舐先中

丞面矍然下拜而怨已深殆李元平奉使無狀而代之行是一死也而但救子弟奉家廟撫諸孤四將强自推葺公曰吾兄杲卿守節而死希烈設坎不及用拘送蔡州自度必死自爲之誌曰此吾殯所是二死也希烈問朝廷羣臣儀式不對積薪于廷欲焚之公怡然唉曰豈受汝誘脅此三死也僞使稱赦從大梁來公罵曰逆賊耳此四死也自言吾且八十至七十六而縊天下望而稱爲魯公朝不必廢帛不必賜其所以

立未易言也南豐猶恨其雜出神仙浮圖之說
韓愈之外未必可以責人近世名公咎其年高
不能勇退此言當爲後世發而非所以論公也
張君曰此非開人心覺天理爲令之職乎所宜
表其墓求近居進士高元龜指示其處且忻然
簪力而立祠於中刻石以補墓上别圖其像作
文以侑歲時祭祀云
唐有天下兮内政不綱夷狄嫵嫚兮藩方陸梁
平原不動兮卒滅范陽淮蔡勃奚兮諸鎮喪亾

陋巷有孫兮其賢且良志存王室兮一飯敢忘
使行宣慰兮其謀不臧餧之賊手兮肆毒虎狼
余生在廷兮余死在床忠肝義膽兮其未可量
惟昇有縣兮山高水長虎耳名山兮來蘇其鄉
卞壼忠孝兮臣子有光兩縣一州兮百世齊芳
從容赴義兮厲以自強畏怯觀望兮敢有伏藏
鑱石爲龜兮祠之於旁蘋蘩以薦兮春秋烝嘗
遂初讀句容志見其載顔尚書塚在來蘇鄉後
顔村及顔運使康府歸回苗稅重建祠堂深爲

魯國公痛之及讀本傳新舊史皆不載獨門客因亮行狀言歸葬萬年縣鳳棲原而令狐峘撰公誌在萬年縣舊原忠臣義士志無不在而地陷中原益可痛悼云明年六月中伏日華文閣直學士中大夫提舉江州太平興國宮德安縣開國伯食邑九百戶賜紫金魚袋王遂記并書

一拂先生鄭介公祠 讀書清凉寺遂擢甲科因詆新法被竄還鄉日所存唯一拂耳

鄭介公謚議 宣教郎太常博士劉靖之議曰謚以官品得法之常也謚以節行得法之非常也

國家以常者伸義則夫非常者固弗以輕予也三山鄭公死於宣和官止九品紹興追贈秩視七品肆我　主上褒崇名節風厲來世於是特旨賜謚奉常其可以常書乎熙寧新法王安石忮忍專欲刼制於上呂惠卿之徒姦險小人締交於下蔽主誤國忽天誣民元老名儒疏擯殆盡鄭公昔師安石恩報知己緘書屢進牢不可反憂憤忠懇罔所目覩述爲奏篇使斯民顛連流離憔悴艱阨之狀畢陳于前而當時椎膚

剝髓斂掠不仁之政悉聞于上神考惕然動悟夜寢不寐旦卽　勑罷某事某事之不便於民者凡十有八責躬求言久旱以雨蓋公是時監門一小吏耳越職冒言至於擅發馬遞甘蹈鈇鑊而不之顧安石由是以去位要君而用事小人環泣上前目公狂夫欲正其罪公復累上書明斥惠卿指爲賊本與呂嘉問力辯市易且極論邊兵不已爲大不祥羣黨攻之遂罷門局公尋復取魏證姚崇宋璟及李林甫楊國忠盧

杞等傳迹在位者所行之事其合於林甫輩而反於姚宋者類而比之畫一以進感奮激切言無用隱奏入執政大怒興獄文致公於是有眞陽之行逮元祐初命爲泉州教授元符元年再送英州崇寧之初旣起復停竟不果敘用以沒公自少刻厲於學書無所不讀而貫以一理其序自以爲上不諛公卿下不原鄉黨水火可蹈而議論不可回以四方萬里之飽煖爲已之飽煖四方萬里之欣戚爲已之欣戚其志何如哉

不幸逢新法鼎沸之時欲以杯水救輿薪之火
精誠貫徹能使九重之邃洞見幽僻披圖長嘘
辨法立變人情驩呼天意感回吁亦偉矣在英
十年陶冶風化俗以知學文忠蘇公論薦之詞
有曰俠以小官觸犯權要冒死不顧以成直言
又曰考其終始出處之大節合於君子殺身成
仁難進易退之誼元祐欲用而未達紹興追恤
而未盡歷七十有餘年乃克議易名之典豈非
勸奬忠直實我

祖宗之家法而天則留之以助今日更化之善
意乎然則謚孰爲稱曰謚之美者多矣公居之
何慊然與其得夫人之所同者孰若得公所自
許者之爲貴公名俠介夫其字則介云者公生
平之所自許者也冠字死謚其義一也先儒有
言古之爲謚者取於名取於號取於字況在謚
法知死必往曰介執一不遷曰介方公書初上
固曰
陛下觀圖行臣之言十日不雨卽乞斬臣宣德

門外以正欺君慢天之罪如稍有所濟亦乞正臣越分言事之刑洎書再上又曰臣言非耶乞斬臣於衆人之前以塞流言洶洶之路此可謂不以利害禍福遷其所守死而必往者矣後之人聞公介然獨立不懼之風其忠氣義烈千載猶可興起也請謚曰介承議郎行祕書省著作佐郎兼沂王府小學教授兼權考功郎官李道傳覆謚議曰故贈朝奉郎鄭公旣沒九十有六年　詔有司特議其謚公名俠字介夫太常博

士謂古者有取謚於字之義又謂公平生行事
合於知死必往執一不遷之法請謚以介按公
本從王丞相安石學熙寧中王丞相以政事毒
天下公規之不受丞相誘公以利公不爲動顧
方以區區抱關小吏上疏極言丞相之失且圖
所見小民流離困苦之狀自城門附馬遞達銀
臺通進司爲啓急事以奏忠誠懇惻上感
天聽　上爲行其所言十有八事中外竦動
王丞相既罷公連上書論呂惠卿姦狀尤切公

雖坐此得罪竟坎坷終其身然百歲之後讀其
書想其人凜然生氣如公之在目也嗚呼可謂
介矣抑嘗考公平生所歷蓋自龍監安上門謫
英州十有二年遇
哲宗卽位赦得還元祐中兩蘇公先後言于
朝始除泉州州學教授秩滿再任以憂去免喪
授泉州錄事參軍元符初年再貶英州後雖復
以赦還而終老不復用矣夫介然特立於衆小
人之中其介猶可及也介然特立於衆君子之

中其介不可及也元豐以前元符以後公之不合固宜當元祐時元臣秉鈞衆正滿朝起於謫籍起於州縣起於巖穴者蓋不可勝數公之犯顏忘身宜在諫官御史之選而再命分教復爲斜曹十數年間不出溫陵之境當時任引彙之責者於此不爲無憾而公之不肯少屈以求合者至此益可見矣易曰介如石孟子曰柳下惠不以三公易其介公其有焉初臺獄既就吕惠卿議當公大辟

神宗曰俠所言非爲身也忠誠亦可念豈宜深罪　神宗聖明萬無殺直臣理公銜上書輒曰臣言不當乞斬臣首則進言之時公固先以死自處矣非知死必往歟自熙豐至于元祐至于元符至于崇寧宣和時事屢變而公介然如一非執一不遷歟博士議是定謚曰介詳見介公書堂公未第時嘗隨父之官江寧得清涼寺法堂西偏一室閉戶讀書卽從學王金陵時也後人名其所爲介公讀書堂嘉定十四年總領商公碩

肖公像建祠於此

上梁文抗疏安上門天下共高於直節讀書清涼寺主人首訪於遺蹤凜生氣之猶存慨故家之無幾乃即寒齋之舊聿嚴繪像之祠恭惟西塘先生介公學道欲如孔顏事君必惟堯舜官爵非所望豈法科書局之能招清儉終其身視美食華衣而若浼幾歎窮觀之好著要因所見以爲圖留英十年在泉三仕雖困厄流離之相繼獨剛方勁正之不回黑予龍期會止朱塘之水寧憂蚍伏自安寶梵之居貫通神明始終眞實再貶於元符而復官於崇寧之後追贈於紹興而賜謚於嘉定之初時自爲之屈伸我何有於榮辱鄭公坊裏已表門閭端像之閣前尚餘屐齒尋書卷酒瓶之地薦寒泉秋菊之盤堂上德容聳萬竹清風之勁橐中奏藁奪列星秋夜之光何妨半山老子之卜鄰更許鐵冠道人之入夢奉使總領郎中挺然風誼同此襟期當飛芻輓粟之時豈專足食思立懦廉貪之士示不忘君壯一拂

之清高起百年之文獻不特發此邦之祕亦可占斯道之興爰舉修梁載形善頌抛梁東石頭城揷翠微中先生萬卷高吟處倘憶寒齋雪衮風抛梁西書堂新餙五雲低想像當年忠義氣碧霄秋日貫晴蜺抛梁南天外三山翠入簷法眼禪師休說法漏殘書卷酒微酣抛梁北坐挹空江煙水綠高風千古照人寒清凉何用蕭蕭竹抛梁上舊閣無人思瑞像使星家近鄭公坊獨立西風懷卓行抛梁下日照朱欄凝碧瓦只將一拂振頹波定有同心來賀厦伏願上梁之後士知所學家有其書抱關勿卑於小官考槃當明於大義秋風凉殿徒懷江山草樹之悲晝日禪關共作亭檻松篁之想

南軒先生祠在天禧寺方丈後先生舊讀書處也

重修祠堂記人之生有此心則有此知堯舜之

聖此心此知也夫婦之愚無以異於堯舜以天而不以人則明以人而不以天則昏夫尊賢而賤不肖好善而惡惡此人之本心與生俱生天理之自然也比小人嫚君子趨惡而違善此習之而不知人欲之使然也何以言之匹夫信義行於里閈蓋有盜賊斂干戈而過其閭者烈婦毅然而不可奪世俗固有立祠宇以奉之者是孰使之天實爲之人心之良知也降周訖孔至孟氏而道統不傳天理幾泯人心日晦由漢而

下上下之間莫有任此責者至于我
宋尊道重德已見於創平肇造之初人心之善
牙孽此時其後濂溪二程先生出而發聖賢之
祕孟氏始得其傳道統於是乎有宗
中興以來文公朱先生以身任道開明人心南
軒先生張氏文公所敬二先生相與發明以續
周程之學於是道學之升如日之升如江海之
派婦人孺子聞先生之名者皆知其爲賢譬之
景星麟鳳不以爲瑞者妄人也凡講習之地皆

大三ヲナス

有祠宇崇尙嚴潔足以啓人之敬仰百年之間儒風彬彬豈無自而然獨金陵天禧寺之側有屋六七楹曰南軒實先生講習之地想其朝思夕惟參前倚衡天地之運化聖賢之傳授父子講求乎尊君救時之策友朋發揮乎垂世立教之序闡百聖而不遑通萬世而無媿是軒也豈容使之荒蕪而不治惜乎歲久希垂道之士日就傾圮甚而春時爲游宴之所杲昨贇江淮幕猶僑閉空閒未至若今之狼藉心竊念之告之

長而莫我聽近冐閫事欲因舊而增新之此至殆不可舉目於是命工治葺內外整齊繪先生之像於中使承學之士載瞻祠宇尙想道誼人亡道在如將見之興起旦知有躍然不自已者嗚呼閫有當式者墓有當拜者此軒之當新庸非守邦者之責尙冀來者之不忘也繫之辭曰

孟氏日遠吾道日昏道之明昏儒之疵醇學焉而疵韓董揚荀自時厥後疵亦靡聞我宋立極曰義與仁教風德雨大和蒸薰篤生鉅

儒濂溪二程文公宣公道鳴
中興伊昔宣公講學斯軒南軒之名與道俱尊
胡未百年棟宇摧傾今我來斯載瞻載顰亟命
匠氏斬然一新有隆斯堂鏘鏘其門像圖惟肖
奠位妥神遂使先師不窘暑寒牢醴時薦觴豆
序陳豈軒之新軒存敬存礲石琢詞以告後人
淳祐三年七月丙子後學杜杲記

忠肅劉公祠 在蔣山東庵

淳熙二年府境大旱留守劉公珙賑濟有方民

被其惠公去五縣令共繪像祠之於蔣山東麓

侍御李公處全作記 資政殿大學士劉公尹建康之明年政治德洽恩施化行民有父母奠厥攸居江東之人咨嗟感涕謂自我

宋混一區夏緜開寶迄今更牧守幾人矣若張忠定之明張文懿之靜包孝肅之肅傅獻簡之愛公實兼之睎兩漢循吏有加焉先是旱潦洊至歲弗順成民將阻飢公夙宵勤勞罔敢自逸且懲近世習俗欺誕之弊乃悉其實以告於

上蠲租勸分振廩輟漕凡可以惠荒政者咸推
行之又慮商賈之或壅也復請　詔上流郡縣
毋蘊年毋重征苟奉行弗虔得以禁利聞繇是
大江而西巨艦連檣輻湊于東穀賈以平民乃
粒食無有轉徙所活蓋以百萬計惠澤旁浹三
鄰賴之以免道殣歎息愁恨之聲易爲歡謠休
績升聞　天子歎嘉亟賜　褒詔以倡九牧
藏在盟府公拜手稽首颺言曰凡修政謹備以
禦水旱加惠於元元俾得事父母育妻子皆

陛下之仁之明幸俯聽臣言故臣得竭其區區
效萬分一以出斯民於溝壑繫天地父母不貲
之施臣何力之有焉貪天之功以爲已力臣實
恐懼敢勒琬琰庸侈 上賜庶幾激憤吏之
不在民者又以周宣王之事見於雲漢車攻吉
日江漢常武之詩者反復申戒欲使中興復古
之盛見於今日士大夫然後益信服公憂
國愛民其心本於至誠非夸世邀名者昔汲黯
使河內河內貧人傷水旱萬餘家或父子相食

黯以便宜發倉粟以振貧民請歸節伏矯制罪武帝雖賢之然終以爲戇且妄發不果用先正韓國富公弼自政地以讒出藩其在青社河朔大水民流京東韓公勸民出粟得十五萬斛益以官廩營公私廬舍十餘萬區散處其人以便薪水立法簡便而周至活五十萬人募而爲兵又萬餘人或以不善處嫌疑地尤之韓公曰寧以一身易數十萬人之命不悔也其後韓公卒相 仁宗輔弼三世爲 宋宗臣較之漢

武帝所以處汲黯者遠矣公以宥密之舊望臨一時文能附衆武能威敵天下所待以致太平於朞月之間擁樞機坐廟堂爲

天子經營四方復兩河歸輿地圖不動聲氣措

萬世於泰山之安公之任也迺今年三月制

詔進公觀文殿學士　上用公之意方隆江東之人懼公之歸而不得見也屬邑五大夫知上元縣趙君公崇知江寧縣趙君伯漢知溧水縣司馬君僖知溧陽縣周君世修知句容縣朱

君光弼因民之願欲繪公像于蔣山精舍公禁之不可又相率以書抵處全而告以大略如此且曰公朝夕相

天子則無一物不被其澤豈惟江東然吾江東之人德公也深不止其身又及其子孫思欲家至而日見之飲食必祝將不獲如都人旦旦望卷衣於衢路也則非留公像不可公雖欲遜善而辭名柰違衆何吾子於公埸屋諸生也盍書之處全復於五大夫曰此固公之所甚不欲公

誠朝夕且入相布德和令治盛功隆竹帛紀之鼎彝銘之則公之像冠煙閣雲臺之上矣於此乎何有雖然邦人卷卷愛慕之意則可嘉已其敢辭不名所以褒美政崇大臣褒美政則臣工勸崇大臣則帝室尊有唐故事也抑千百世之下歲月猶有考焉請以書于石五大夫皆曰唯乃系之以詩曰大江之東鍾山石頭虎踞龍蟠帝王之州行闕峩峩翠鳳鴹鴹其民夥繁事亦浩穰顯允劉公文武咸宜帝曰欽哉往撫

朕師公自湖湘植纛建牙揚舲東來兵衛無譁
公既開藩童耋歡呼剔蠹鋤姦卹煢撫孤饑饉
適臻公弗遑寧剡章以聞荒政是營謂昔堯湯
水旱莫恕民之毋餒維備先具既蠲賦租既發
貯儲舳艫萬艘銜尾而俱市有餘粟民無菜色
洋洋頌聲載彼阡陌民昔未飽公弗安寢今含
哺嘻公始高枕帝用嘉奬錫公璽書乾文晉如
玉音鏗如明明在上公遜不有於赫豐碑光氣
衝斗　帝御正衙一日萬機衮職有闕誰其補

之金節煌煌行趣公朝公朝京師四夷寢謀
帝曰於戲汝爲眞儒汝社稷臣其遂相予公居
廟廊明堂孔陽曰都曰俞　帝垂衣裳淸廟崇
崇羣后雍雍皷鍾竽笙告時成功一人萬年公
執魁枋肖貌在堂邦人之慶記成於丁酉之冬
而碑石褊小未及刻明年公薨邦人思之益切
謂登峴首而墮淚者有碑故也住山祖慶旣易
茲石俾處全倂書之淳熙八年歲在辛丑四月
丙午朔朝奉大夫李處全

景定建康志卷之三十一

景定建康志卷之三十二

承直郎宜差充江南東路安撫使司幹辦公事周應合修纂

儒學志五

貢士

解額

晉元帝初制揚州歲舉二人先是以兵亂務存慰悅遠方孝秀到不策試普皆除署至是帝申明舊制皆令試經有不中舉者制刺史太守免官太興三年孝秀多不敢行到者託疾

宋制丹陽郡歲舉二人凡州秀才郡孝廉至皆策試天子或親臨之及公卿所舉皆屬于吏部序才銓用凡舉得失各有賞罰失者其人宜加禁錮年月多少隨事議制武帝爲晉相國時

嘗申明舊制

依舊策試

隋制蔣州歲貢三人

唐制昇州歲貢三人有才能者無常數

本朝中興初建康府解額一十名紹興二十六年增爲一十一名紹興通用貢舉格建康府解額一十八人及準紹興二十六年二月七日指揮節文西北流寓東南可將二十三年各州土着進士終場人數計若干取一人謂如某州解一州千人就試終場一百人解一人之類當年解就試流寓終場人數每及土着人分數即添解一人或零分流寓人少去處依土着八十分爲率三分亦解一人謂如土着人每百人解一人其流寓人就試零三十八以上亦解一人之類若以後解秋試人多不得過二十六年所取人數續據鄉貢進士李伊等四十二名狀乞將流

寓士着士人紹興二十六年三月七日指揮混試本府取放一十一名本府遂申　尚書省并禮部乞賜施行回準　省劄指揮節文尋行下國子監勘當得本府所申既流寓人與士着人混試逐舉取放一十一人劄付　本府照應端平元年守臣奏以建康行闕之重請比臨安府　恩例特與增添解額八月十日奉

聖旨建康府解額特增兩名共以一十三名爲額

貢院

建康府貢院在青溪之南秦淮之北卽蔡侍郎寬夫宅舊址也乾道四年留守史公正志建紹熙三年留

守余公端禮修而廣之嘉定十六年端禮之子嶸爲守撤而新之陳公天麟楊公萬里嘗爲記

重修貢院記古者自京師至于鄉邑皆有學自秀士至于進士然後官使之攷王制之所載士未始不出於學也後世學校科舉之法並行以學校養士而以科舉取士養之取之各異其所羣試州里拔其尤者與計偕又羣試於春官故自京師至于郡國莫不有取士之所焉士方集有司設案主司而下下堂再拜焚香肅士就位

則禮闈之設雖近沿唐制亦所以貴進士之科而不敢苟也於古何戾哉建業多士異材輩出曩有魁羣儒首異科而爲名公卿者項背相望也故其後子弟益自勉應三歲之詔者常數千百人兵興百事鹵莽有司不暇治屋廬以待進士姑奪浮圖黃冠之居而寓焉郡凡幾守率置不問或告之則曰此非吾之所急也史侯自天官貳卿出鎮之明年諸生以是爲請而其故基爲閭閻營舍者四十年矣侯慨然念之指地而

易其居捐金而償其遷築之費取羨餘之木爲屋百有十楹適它郡潦傷民流移江山侯因募之使食其力不足則助以廂卒經始於季夏中休竟事於中元是歲乾道四年也面秦淮接青谿挹方山氣象雄秀侯集賓客而落其成揖諸生而告之以進德修業之方薦紳韋布之士作爲謌詩以贊其喜且曰侯於吾建業之士至矣願求文以識其功侯因以屬予予爲之言曰世之爲吏非通材不濟也欲興利起廢無經畫於

事之先則縮朒而不敢爲不然則不卹財之匱民之勤而惟吾有司之事是集是亦安取於吏也俟通儒也於書無所不讀於天下之事無所不悉故是舉也國人不及知而辦於咄嗟之頃其它撥煩濟劇率稱是其與竊實而浮名飾外而遺中本末首尾衡決倒植而興學校益庖廪謂之崇儒證辭於民則曰獨奈何厲我勤是不急爲者其當戾何如也於虖俟亦賢矣哉自兹取巍科登顯仕追迹耆舊皆俟賜也建業之士

勉之侯名正志字志道丹陽人十一月旦左朝散郎充敷文閣待制知鎮江軍府事宣城陳天麟記左承議郎通判建康府事姑蘇嚴煥書左朝請郎直顯謨閣權發遣江南東路計度轉運副使公事滚儀趙彥端書額○又記金陵六朝之故國也有孫仲謀宋武文之遺烈故其俗毅且英有王茂洪謝安石之餘風故其士清以邁有鍾山石城之形勝故其地爲古今之雄盛有長江秦淮之天險故其勢扼南北之要衝地大

才傑而官府事物獨庳且隘顧可謂稱矧是澤宮古以擇士公卿大夫是之自出而爲屋才百其楹歲陁月隤至者千人項背駢粲至緯葭爲廬架以蒼筤雨風驟至傴僂蔽遮堇全文卷紹熙二年春三衢余公自刑部尚書除煥章閣直學士寔來居守奠府肇啓一新百爲飭躬爽懷于夙于夜仁聲義實允洽甿庶文令武競兵戎戢肅靡政不葺弊儆不革乎于九郡水順雪釋一日庠序諸生秦晉等充庭果以爲請公卽命

駕率屬往而相攸則見藩披級夷棟折榱傾廩
廩將壓顧謂治中廖君俣曰斯邦斯士而延以
斯廬不湫隘否不簡陋否其宜稱否迺徹厥舊
迺圖斯新意匠是斵畫堵是度棟宗崇崇柱桷
奕奕率眂舊貫蓋四之一考官有舍揖士有堂
爰廊四廡爰拱二掖可案可几可研可席堂之
北堧中闃以南前後仞墻內外有閑自闑之表
緘封之司寫書之官是止之員左次右局不殺
不併會爲門關啓閉維時職譏何者於此攸宅

凡二百一十有二楹自堂徂庭自庭徂門自門徂裔皆甓其地士之集者壽則不埃霖則不淖經始于是歲冬十一月八日明年春二月廿三日落之其費凡爲緡錢一萬一千爲米斛六百木二萬一千章竹一萬四千箇甓瓦六十萬三千枚云公屬予記其役予諗于諸生曰公之於諸君不薄矣今兹歲當大比諸君徠試於斯盍亦斞長江以爲泓操三山以爲觚以寫胷中王謝康濟之長策以荅鍾山草堂之英靈毋橈毋

諛毋諼毋憮以毋負余公延竚之至意公名端禮字處恭中奉大夫直龍圖閣權江南東路計度轉運副使廬陵楊萬里記并書

轉運司貢院舊皆寓試僧寺嘉定九年眞文忠公德秀始建貢院于青溪之西是歲習庵陳塤首薦漕闈明年爲禮部進士第一常平提舉李道傳爲記

初建貢院記國朝之制諸路置使按察各有職掌轉運使最先置所掌寖多提舉學事既省又兼掌學校貢舉事間三歲　詔諸州各試其士

升之禮部士與爲吏者親嫌則偕巳仕而鎖其
廳者試于轉運司江東地大人衆材雋間出數
十年間由轉運司之試擢高科登貴仕者數數
有之顧試院未克立每寓于浮屠者之宮庳隘
弗肅有司患焉前使者汲郡孟侯猷始度地於
建康府城之東南隅廬陵胡侯槻以總領財賦
兼攝使事稍儲錢以俟費它未皇也嘉定八年
秘閣修撰建安眞侯德秀爲副使至則曰是不
可以不成於是相其陰陽正位南鄉築而增之

其崇五尺背負鍾山前直長干清溪環流秦淮旁注寬閒爽塏不僻不囂於校文論士爲宜九年三月戊寅命工興事二十日而堂成又十日而聽事成修廊繩直表裏相望外而羣執事之吏各有攸局七月丁卯工告訖事侯謂道傳盍記之道傳竊惟近世取士之制每不如古專尚詞章而德行道藝之實喪多爲文法而廉恥禮遜之節壞世久病之學廢而詞益下俗澆而綱益啓雖上之人亦竊病焉提其徑以誘之於前

艱其門以塞之於後使爲士者棄鄉井走道路無復懷寶待價之意又識者所深病也學古行道之君子思救其弊考古之意酌今之宜使教學興風俗厚賢才出治功著其規模條目本末先後必有可言者然豈有司所得爲哉若夫合圓冠方屨之士以校其藝曾無定處而反託於異教之廬事益苟名益不正此則有司所得爲者是役也侯蓋爲所得爲而已學古行道侯之素志所謂考古之意酌今之宜以救歷世之弊

者其必慨然於此矣夫豈特以高科貴仕望江
東之士哉侯正色立朝風采聞于四方奉
命出使專以激濁揚淸洗冤澤物爲己任歲適
大饑民賴以全活者不可數計斥燕饋削浮冗
獨以餘力克輿是役材無强買庸必厚給田里
不知州縣不與是皆足書道傳既承侯命因推
古者取士之意平日所望於侯者備論焉院爲
屋餘百五十楹錢以緡計者萬四千有奇董其
役者主管文字趙與慭嘉定九年七月日朝散

郎提舉江南東路常平茶鹽公事李道傳記寶
謨閣直學士中大夫知池州軍州兼管內勸農
營田使鄒應龍書端明殿學士正議大夫簽書
樞密院事兼　太子賓客曾從龍篆額

府學贍送規約契勘本郡士子率多清貧每當賓興
上南宮皆以裝齎爲苦今學校創置房緡專充贍送
條具如右贍送數目並用銅錢

一置到房廊各有赤契及總簿該載

一收到賃錢專委直學一員拘榷別項樁管如遇官

放須契勘所放日分等第錢數月終轉結簿歷取

兩教授花押

一贐送鄉舉發解各五十千免解者半監漕國子發解各二十千免解者半武舉發解各二十千免解者半宗子應舉發解宗學發解各二十千鎖應十五千取應減半過省各二百千自太學過省及舍法免省者半武舉過省各一百千自武學過省及舍法免省者半宗子應舉過省宗學過省舍法免省各四十千鎖應三十千取應減半補入太學各

一百千入武學者半入宗學者又半

一本學贐送貢士係於使府勸駕後一日就公堂設醴面致贐金庶無減尅之弊

一此項錢專爲贐送本府士人唯　特恩人不送試入前名賜出身照過省例續送如有時官流寓宗室過往衆人並不支送

一已受贐禮人因事不能成行或至中途而旋者並將元錢回納如是執留申府拘理或身到　行在實有事故不能入試仰同赴試人保明免行回納

一置到房廊或有損壞卽支本色錢修造明置文歷
不許虛破
右具如前永宜遵守事力未裕姑立大綱增廣前規
尤有望於來者

記云金陵大都會六朝風流未遠我
宋淑人心以道德翕然盡歸醇厚　中興南渡
天蹕駐臨　行闕岧嶤龍盤增秀光涵玉井瑞
產金蓮距今百年人物鼎盛魁杓聯耀益大彰
明端平初元

皇上嘉惠　陪京增貢士額登名天府者十三人嘉熙改元諸生請援　京師例到省郡復上其事于　朝剡　奏朝騰　俞音夕播士鳶飛魚躍莫不舒翹揚英奮迅功名之會郡教姑孰陶公熾誘掖後進以明道書堂撥入歲租易金市屋日僦月儲爲貢士資既而盱江孔公聖義同掌教席相與翼其成與計偕者遣送雖各有差踏梅江岸觀　國之光皆得以壯行色春風槖籥吹噓成就者爲多是舉也眞鄉邦無窮盛

事嘉熙改元十一月朔郡人從政郎宜差充蘄
州州學教授吳葳記

本府勸駕於貢院揭名一月後就設廳開鹿鳴宴凡
本府新舊文武舉及漕司新舉人皆預焉津送有差
本府正請士人每員送十七界會子三十貫文折緑
襴過省見錢一十貫文七十八陌酒四瓶兎毫筆
一十枝試卷劄紙四十幅點心折十七界會子一
十貫酒一瓶特送十七界會子一千貫文
江東漕司正請官員士人除漕司津送外本府每員

送十七界會子三十貫折緑襴過省見錢一十貫七十八陌酒四瓶兎毫筆一十枝試卷劄紙四十幅點心折十七界會子一十貫酒一瓶

淮郡附試正請士人每員送十七界會子三十貫折緑襴過省見錢一十貫七十八陌酒四瓶兎毫筆一十枝試卷劄紙四十幅點心折十七界會子一十貫酒一瓶特送十七界會子二百五十貫文

本府免解士人每員送十七界會子二十貫府學前廊增十貫酒二瓶點心折十七界會子一十貫酒一瓶特送

十七界會子五百貫文

淮郡免解士人每員送十七界會子二十貫酒二瓶

點心折十七界會子一十貫酒一瓶特送十七界

會子二百五十貫文

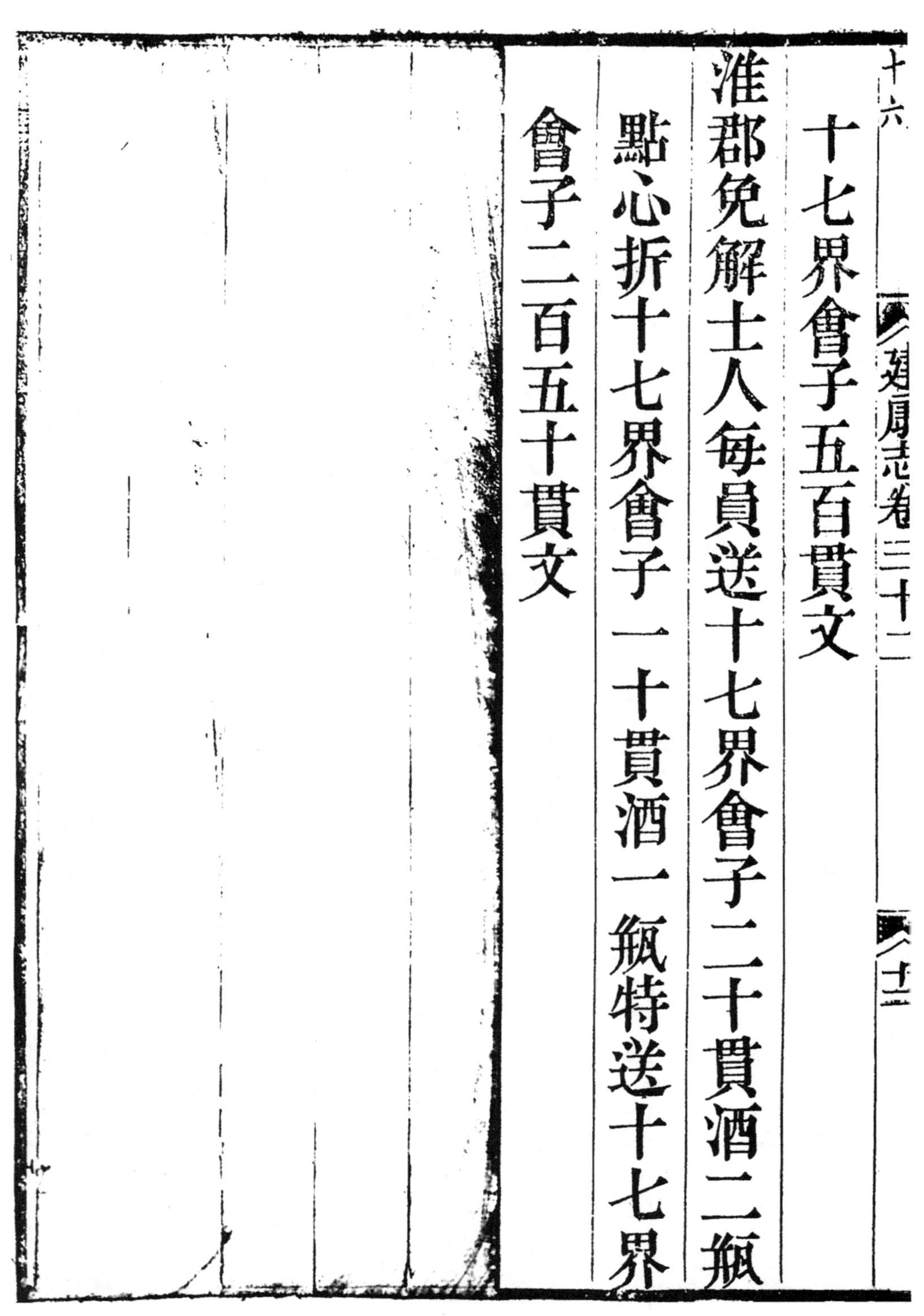

重建建康府貢院大使馬公光祖任内建康府貢院

在淸溪之南創於紹興初年修於嘉定癸未自後率三歲一葺因陋就簡牽補目前試已則借占蹦踐靡所不有殆弗止撤藩籬毁薪木而已屋既傾欹地又卑濕懍乎有覆壓之虞咸淳丁卯歲詔大使親卽其所爰究爰度悉命撤而新之鳩工聚材築基崇址宏壯爽塏視昔逾庭廳事之後爲堂三間扁曰衡鑑翼以考官位次薇堦蓮沼前後相輝供帳什物百爾具備試場舊

比四廡衆以爲隘乃即西偏闢地數百弓添翔兩廡爲屋共二百九十四間庖湢守視之所罔不整潔又倣金華諸郡例置長卓釘柱間闌三門以來多士中門之外設封彌交卷謄錄對讀所各有司存井然不紊棟宇翬飛與正廳埒始置鎖鑰屬府學董之規模於是乎詳密矣自是年四月[redacted]日興工訖五月竣事不月而成民不知役其糜錢十八界一十三萬三千八百九十五貫有奇米一千五百五十石他物從官給

者不與焉右史馮公夢得爲之銘曰

皇帝嗣位越三年二月初吉　詔天下郡國以士來貢若曰宋德當天奎聚五緯文明景運實此乎開維茲歳行適合維予一人祇見先聖闡道立教聿興斯文維躬用勸維爾多士懋旃於是建康府新作貢院成留守大制使觀文馬公以書諗夢得曰維此文闈乾道立之紹熙闢之嘉定葺之今又四十有五年每莅校比有司取具目前猿狙之杙株儒之柱苫蓋檝揭謂是則

苟而可老屋岌岌不任風雨墊隘湫底爽氣弗集岌負而至者外揵內韄儳焉懼霣躓之及殆非所以使之鎩羽翮而吐鏗轟也以吾爲守長於斯而是之弗慮弗圖毋已闕乎乃鳩工慮材培卑而崇拓隘而廣規畫襃舉再閱月亟潰于成而人未始知有役　國家之賢才自出多士之氣數攸關可無文字以覺久遠子盍爲我記諸夢得嘗考賓貢之制自周迄唐其意寖以荒失未嘗不慨古之士貴以肆而後世之上不然

也夫賓士以禮而鄉射行賜所謂揖遜而升下而飲其雍容和衎之氣象何如哉逮至束縛檢約圍棘重重寒廡單席如唐人所云者則偪介已甚於古意無復彷彿矣我 朝以儒立國三歲大比攷其德行道藝之法雖未能純用周制而興賢興能使長使治其意亦何以異於周六飛渡江王氣聚於東南而金陵首當其會蹕駐焉地載神氣風霆流形采芑新田潤澤豐美是開中興以來無窮之用 聖天子垂意文治

烝我髦畯制詔一下選不作人業業陪都視周豐鎬所謂庶物露生文武之德有衍未艾也居留重臣用克知于德意共明命而厚同氣有開必先夫豈偶然前五十年文忠眞公將指轉輸始作漕貢院于是邦越明年即有冠南宮者維馬公之學源流眞氏故知所崇尙類如此昇本多奇士加之以新美之會扶搖天飛志氣固應倍百嘉定類闈得士之盛吾知其殆有過之公三至玉麟十年之間撥敎奮衛興補潤賴之績

不可遏紀而於是役尤汲汲焉公之盛心蓋可識矣夢得於授簡之辱用次第其說以筆受而不復以不文辭若夫山川之美方隅之吉面勢之宜舊記具焉不書役用材植金穀幾何非見屬之大指亦不書公在先朝嘗貳樞庭名字系出天下戶知之學士大夫尊之皆曰裕齋先生云是歲爲咸淳三年四月甲子朝散大夫太府少卿兼權直舍人院權直學士院兼侍立修注官馮夢得記朝散大夫新除軍器少監兼權國

子司業兼權直舍人院兼景獻府教授林應炎

書幷篆蓋

進士題名

慶歷二年　張諴　張諮

熙寧九年　楊之道　巫鉞

江適道　潘温之

紹聖元年畢漸榜　許之美

崇寧五年上舍及第　余桌　蔡敦禮

崇寧五年蔡薿榜　朱昇　秦濟

大觀元年上舍及第　段拂

大觀二年上舍及第　霍迪

政和二年莫儔榜　俞迎　朱天任

錢時敏

政和四年上舍及第　陳鷃

政和五年何㮚榜　秦檜　范同

政和八年嘉王榜　朱端彦　朱虙

徐時升

宣和三年何涣榜　魏良臣　朱元佐

陳秉成　鍾大方

宣和六年沈晦榜　何若　秦梓

建炎二年李易榜　錢周材　吴㮚

王絳　戴巽

李朝正　趙震

張士襄

紹興二年張九成榜　潘祺

紹興五年汪應成榜　王綸　朱端禀

紹興八年黄公度榜　巫孝立　鮑同

巫伋

紹興十二年陳誠之榜　秦熺本第一甲第一人爲宰臣辭免降充第二人爲係省試上十人合升甲與還第一人恩例

秦昌時　秦昌齡

苗昌言　江漢

魏元若

紹興十五年劉章榜　李珵

紹興十八年王佐榜　魏師遜　鍾離松

周彥　江賓王

鮑慎履

紹興二十一年趙逵榜　湯彥升　巫孝恭

莊震

紹興二十四年張孝祥榜　秦塤第一甲第三人爲係兩府親屬依第一人恩例

秦焞　秦焴

葛掞　趙公彬

紹興二十七年王十朋榜　陳自修

乾道二年蕭國梁榜　李機

乾道五年鄭僑榜　劉煒　沈鑑

乾道八年黃定榜　錢閎　夏融

淳熙五年姚穎榜　梁文恭　張衡

淳熙八年黃由榜　張逢辰　吳柔勝

何掞

紹熙元年余復榜　劉樞　戴錡

耿戩

紹熙四年陳亮榜　孔蓋　李巖

李大同　李琦

李秀實

慶元五年曾從龍榜　汪瀛

嘉泰二年傅行簡榜　卞伯光　成瀘

胡景愈　鄭震

嘉泰三年上舍及第　衛熺

嘉定四年趙建大榜　王晉　鄭南

王遴

嘉定七年袁甫榜　吳淵　朱應龍

潘彙征　李芥

嘉定十年　狀元吳潛

嘉定十三年劉渭榜　楊成大　沈先庚

嘉定十五年上舍及第　許思齊

嘉定十六年蔣重珍榜

紹定五年 元宋興

嘉熙二年 陳熙

淳祐元年 胡景龍 吳起潛

淳祐四年 卞文顯

淳祐七年 吳琪 包秀實

陳晟 陳昻

淳祐十年 洪心會 吳慶龍

傅文振 李盈

寶祐元年 潘孜

寶祐四年文天祥榜 吴景伯 李仲龍
朱文德 吴璞
開慶元年 張震龍 朱紹遠
平天祐

景定建康志卷之三十二

建康志卷三十二

景定建康志卷之三十三

承直郎宜差充江南東路安撫使司幹辦公事周應合修纂

文籍志一

文籍生於伏羲世久益繁凡治亂安危成敗得失其理著於經事具於史議論感慨發於文章居今知古賴此耳孔子觀夏殷之道徵之杞宋文獻而不足韓宣子適魯見易象與魯春秋曰周禮盡在魯文籍蓋觀國之所重歟究其所以始驗其所以終法其所以得鑒其所以失必善用文籍者而後能用其國耳

皇朝初平江南得書六萬卷蓋南唐以前有其書而
不能用天錫我
宋而善用之書非徒書矣武惠王曹彬策勛而還珍
寶無所取滿載皆圖書武帥讀書固
藝祖皇帝之所深勉況文人乎公卿大夫士讀其書
而用其書見之行事則忠孝大節追配前古著之言
辭則詔令傳後皆有補於世道今以建康所存之書
序列於前其鋟梓者次之刻石者又次之若歷代文
章之有關於建康而散見於諸帙者又遝而萃之非

曰夸富於文籍庶有可徵之文獻云作文籍志

書籍

皇朝開寶八年平江南命太子洗馬呂龜祥就金陵籍其圖書得六萬餘卷分送三館及學士院其書讎校精審編秩全具與諸國書不類雍熙中太宗皇帝以板本九經尙多訛謬重加刋校史館先有宋臧榮緒梁岑敬之所校左傳諸儒引以爲證祭酒孔維上言其書來自南朝不可按據章下有司檢討杜鎬引正觀四年勑以經籍訛舛蓋由五胡之亂

天下學士率多南遷中國經術寖微之致也今後並
以六朝舊本爲正持以詰維維不能對
天聖七年丞相張士遜出守江寧建府學奏請于
朝全賜國子監書紹興初葉夢得爲守嘗求周易無
從得蓋當大兵之後舊書無復存者夢得乃捐軍賦
餘緡六百萬以授學官使刋六經後七年夢得復至
詢漢唐史尚未有又捐公厨羨錢二百萬徧售經史
諸書爲重屋以藏名之曰紬書閣而著其籍於有司
後閣燬于火籍與書皆不可見至紹興十六年

高宗皇帝親書九經及　先聖文宣王贊刻石于國子監首以石本賜建康今藏于府學之　御書閣而經子史集之僅存者皆附焉景定二年留守馬光祖念文籍之闕復求國子監書之全以惠多士

御書石經之目

周易三卷　尚書三卷　毛詩四卷

周官一卷　禮記一册　春秋經傳十五卷

孝經一卷　論語二卷　孟子五卷

文宣王贊一卷　樂毅傳一卷　羊祜傳一卷

經書之目

以下兩學見管

周易二十六本

監本正文○建本正文○監本注○
監本注疏○建本注疏○正義○大
傳○繫義○約說○易索○或問○太元集注○監
本程氏傳○發本程氏傳○伊川繫辭○橫渠解○
朱氏解○麻衣解○十先生解○胡先生解○沈丞
相子傳○監本義海○發本義海○龔氏解○了齋
解○劉教授解

尚書二十四本

監本正文○建本正文○發本正文
監本正義○建本正義○建本注疏
監本注○胡安定解○東坡解○荊公解○張博士
解○史教授斷○羅氏解○陳氏解○呂伯修解○
孫曾解○劉博士解○蕭先生解○疑難集解○羣
儒解○石林解○吳才老解○新注○治要

毛詩十三本

監本正文○建本正文○監本正義○
建本正義○監本注○建本注疏○發

本注○呂氏讀詩記○歐陽義○潁濱解○總義○意義○新經

周禮七本監本正文○建本正文○婺本正文○監本注○建本注○婺本注○監本正義

禮記二十二本監本正文○建本正文○婺本正文○監本注○監本正義○音義○監本儀禮○建本儀禮○儀禮正義○儀禮疏○中庸大學○中庸大學解○中庸說○中庸約說○中庸大學廣義○無垢先生中庸大學說○大學衍義○中庸講義○禮象○三禮圖○中庸大學集義○集略○少儀外傳

春秋二十七本監本正經○監本注○上下經○春秋正義○監本左傳○建本左傳○左傳正義○注疏○監本公羊正文○監本谷梁正文○監本公穀二傳○公羊正義○谷梁正義○春秋釋文○伊川傳○胡氏傳○春秋辨疑○左傳法語○春秋釋例○春秋纂例○經典釋文○左傳事類○名臣傳○左氏摘奇○西疇解○師先生解○監本國語

孝經十二本監本正文○古文○監本正義○鄭康成注○唐明皇解○古文指解○二程師說○范侍講解○二老指解○釋文○刊誤○法語

論語三十一本監本正文○川本正文○監本注○監本正義○建本疏○程子解○伊川說○龜山解○朱子集注○朱子詳說○朱子語類○東坡解○潁濱拾遺○謝上蔡解○張無垢鄉黨說○游氏解○范學士解○南軒說○葵軒解○汪省元直解○范景明解○洪氏解○曾文清義解○文瑩解○釋言○義原○集義○十說○大意○諸儒集義○集略

孟子十四本監本注○建本注○川本注○朱子集注○朱子要略○張無垢拾遺○三山解○文瑩解○王博士解○五臣注○直講○晉之解○諸儒集義○集略

史書之目

史記　古史　國語　戰國策

前漢書八本　紀志表傳○法語○字類○博聞○發揮○史評○荀悅漢紀○史編○

後漢書六本　紀志表傳○法語○精語○博聞○袁宏漢紀○白虎通

三國志　晉書　宋書　南齊書　梁書　陳書

隋書　魏書　北齊書　周書

唐書十三本　舊唐書○新唐書○六典○會要○發揮○糾謬○摘實○論斷○唐鑑○音訓○鄭節○呂節○政要

五代史　歷代制度　編年通載　七制三宗

史傳論　十七史贊　十七史蒙求　通典

資治通鑑監本蜀本建本外紀舉要朱子綱目綱目發明釋文通歷撮要袁氏本末綱目

皇朝聖政　三朝寶訓　垂拱龜鑑

續資治通鑑長編全本節本　稽古編年　隆平集

子書之目

孔子家語監本建本　曾子　周子通書太極圖解　程子

老子　莊子　荀子　揚子　文中子

列子　抱朴子　孔叢子　管子　鶡冠子

淮南子　劉子　尹文子　商子　公孫龍子

韓子　鄧析子　杜牧之注孫子　楊子法語

道德經注（王弼　司馬公）　十一家注孫子　太元經
施子美七書解　墨子　南華經釋文

理學書之目

濂溪集　程氏遺書　伊川集
橫渠集　正蒙書　司馬温公家範
温公居家雜儀　温公書儀　武夷先生集
胡子知言　晦庵大全集　朱文公語類
朱文公語錄　朱文公感興詩　朱文公小學之書
朱文公年譜　晦庵東萊學規　南軒先生集

張宣公語類　東萊集　呂氏鄉儀　諸儒鳴道集

十三朝言行錄　近思錄　修學門庭　書堂講義

文集之目

先秦五書　楚辭集注　文苑英華　楊子雲二十四箴

淵明集　梁昭明集　文選　唐文粹

張曲江文　韓昌黎文　柳柳州文　陸宣公集

陸宣公奏議　顔魯公集　李衛公集　李太白集

杜工部詩　樊川集　獨孤集　李翺文

蔡邕獨斷　東白堂集　長慶集　李文公集

皇朝文鑑　富鄭公奏議　乖崖文　六一公文
秦少游文　陳了翁文　范太師文　胡澹庵集
范文正公集　臨川文集　南豐集　陳無己集
范蜀公集　范蜀公奏議　嘉祐集　徂徠集
宛陵集　老蘇文　三蘇文　東坡大全集
曲阜文　華陽文　蘇魏公文　李泰伯文
忠惠集　節孝先生文　龍溪文　巖谷文
馬子才文　玉溪集　豫章集　欒城集
胡文恭集　骨鯁集　戛玉集　唐先生集

大名集　金氏文集　吳史君集　南陽集
鄱陽集　斜川集　好還集　歐陽四六集
滈水集　徐公集　青山集　潛山集
橫塘集　毛澤民集　毗陵公集　强祠部集
道院集　巴東集　廣陵集　忠定公集
番江集　楊誠齋集　鶴山集　京口集
南州集　廬山前後集　張文昌集　見一堂集
東湖居士集　東牟集　東窻集
盤洲集　慶歷集　陳止齋集　文海

姑溪居士集　青山集　陳侍郎奏議　鄒忠公奏議
范忠宣公彈事　諫垣集　經緯集　韓魏公諫槀
范忠宣公國論　張公奏議　定庵類槀　竹軒雜著
范蜀公正書　諭俗編　百家詩　東坡詩
李嘉祐詩　李商隱詩　喜雪詩　曾史君詩
神秀樓詩　瑞麥詩　梅山詩　極目亭詩詞
集韻　杜詩押韻　張孟押韻　救荒活民書
瓚宮雜著

三禮圖　釋奠圖　指掌圖　九域志

江行圖　水經　麟鳳圖　元和郡縣圖

建康實錄　乾道建康志　慶元建康志　景定建康志

諸郡志鎮江嘉禾　姑孰東陽　四明廬山拾遺　四明鄉飲圖

類書之目

藝文類聚　白氏六帖　皇朝類苑　翰苑群書

記室新書　四時纂要　事物紀元　世說新語

世說敘錄　太平廣記　初學記　職林

說苑　職官分紀　四庫闕書　書林

千姓編　文章緣起　紺珠集

字書之目

禮部韻略監本建本　廣韻　玉篇　經典法帖

文公法帖　九經字樣　班馬字類　許氏說文

說文解篆類語　字寶　韻譜　埤雅　佩觿集

法書之目

刑統　三省總括　紹興令　紹興勑令格

紹興勑令貢舉　御試省試勑令　紹興刑統　太學勑令

醫書之目

神農本草　黃帝素問　大觀本草　圖經本草
本草單方　太平聖惠方　膏肓灸經　銅人灸經
衛生方　治風藥方　備急藥方　養老奉親書
小兒藥方

書版

橫渠易說一百六十八版　易象圖說八十五版

易索一百四十五版　周易終說一百二十版

李公易解二百八十版　學易蹊徑一千五百版

禮記集說四千六百版　春秋講義三百二十版

春秋紀詠四百九十三版　語孟拾遺一十九版

東坡論語一百二十版　論語約說三百二十版

孝經集遺一十九版　程子一百七十九版

近思錄二百六十版　小學之書二百一十版

朱文公年譜一百二十版　師說一百五十四版

四家禮範一百五十版　釋奠通祀圖三十五版

諸史精語七百二十版　通鑑筆義一百五十五版

建康實錄七百四十版　六朝事跡二百三十版

乾道建康志二百八十版　慶元建康志二百二十版

景定建康志一千七百二十八版　皇朝特命錄四十五版

翰苑羣書二百五版　集賢注記六十一版

文昌雜錄九十六版　東觀餘論二百一十版

富文公賑濟錄六十二版　捄荒錄一百八十六版

活民書一百七十六版　唐花間集一百七十七版
重編楚辭五百七十版　杜工部詩五百二十版
少陵先生年譜六十八版　金陵覽古詩三十五版
金陵懷古詩八十五版　莊敏遺事三十二版
棠陰比事五十六版　松漠記聞四十五版
江行圖錄六十五版　張公奏議二百六十版
李公家傳一百四十五版　保慶集一十九版
清暉閣詩四十六版　輶軒唱和三十一版
和晏叔原小山樂府二百四十六版　寒山子詩六十八版

蘇氏道德經八十八版　太一離式三十二版

産寶類要一百七十五版　小兒保生方五十一版

錢氏小兒方一百四十五版　張氏小兒方二百一十版

海上名方六十五版　余山南昇杲二十二版

西山先生心政經九十六版　半山老人絶句三十八版

西山先生文章正宗一千九百九十六版　選詩演義七十三版

余山南南軒講義三十五版　余山南讀易記六十五版

傷寒須知一十六版　小兒瘡疹論方二百二十版

石刻

皇朝 御書御製詔令碑刻已錄第四卷

前代 近代諸墓碑已載各墓下

秦始皇東遊頌德碑　胡亥東行詔書碑

西漢東平趙王廟記　溧陽長潘元卓校官碑

吳大帝封禪碑　後主紀功三段石碑

太極左僊翁葛公碑　晉元帝廟碑

禮樂羣英三十六像　太傅謝文靖公白碑

都督謝公廟碑　卞將軍石柱

忠臣孝子碑　　卞公忠烈廟碑
忠貞公祠堂碑　　顏氏大宗碑
顏府君碑　　維摩居士像碑
王羲之書蘭亭記　　王羲之書樂毅論
冠軍將軍史爽石柱　　盤白負人李偃公碑
子隱堂記　　興嚴寺塔記
宋昭靈沈襄王廟記　　齊尚書令巴東獻武公碑
海陽王碑謝朓撰　　梁蕭武帝寺記在鹿苑寺
始興忠武王碑徐勉造在黃城村　　司空安成康王碑劉孝綽撰

永陽昭王碑徐勉撰　臨川靖惠王碑

吳平侯蕭公碑　建安敏侯碑在淳化鎮

梁都承旨題名碑　許長史舊館壇碑

梁宣帝明帝二陵碑　九錫碑

太元真人司命茅君碑　陶隱居帖玉晨觀

義和寺額梁昭明太子書　草堂法師碑

司徒鄱陽忠烈王碑　華陽宮記

陳景陽宮井欄題刻　陳宮石井欄記蘇易簡撰

趙知府題栖霞寺吳天開巖詩　王給事棲霞寺詩

攝山栖霞寺詩碑

隋平陳碑

隋朝律大師碑

唐明徵君碑 高宗御製在棲霞寺

唐重建蔣山開善寺記

神霄宮銅鐘文

華陽頌碑

紫陽觀王先生碑

陶隱居碑 邵陵王蕭綸撰

崇禧觀碑 唐左拾遺孫處立文

靈寶院碑

華陽洞唐元宗授上清籙碑

禁山碑 在玉晨觀

句容縣令岑公德政碑 張景毓撰

方山洞元觀勑還鐘碑

玉清觀四等碑

下泊宮記 黄洞元撰

貞白先生碑 邵陵王蕭綸撰

祠宇宮白鶴廟記　元靜先生廣陵李君碑

茅山紫陽觀元靜先生碑柳識撰　元靜先生勑書碑

三洞景昭大法師韋君碑陸長源撰　崇元聖祖廟碑李德裕建

孔子尹真人贊皇公三碑　孝子張君紀孝行銘

孝子旌表碑贊　茅山孫尊師詩碑李德裕文

題陶隱居銘葛僊公碑　青元觀九天使者功德殿記賈穆撰

宣州溧陽縣永僊觀元宗先生碑　盧大王廟記

重換司空廟殿記　祭酒史公仲謨碑賈曾文

瀨水貞義女碑李白文　潘城寺碑

禮部侍郎劉府君神道碑裴度撰　白府君銘從姪居易撰

貞素先生碑徐鉉撰　紫陽觀碑徐鉉撰

許長史丹井銘徐鉉撰　元博大師王君碑徐鉉撰

五雲觀碑晏殊撰　昇真王先生諡贈碑

百福寺銅鍾碑　佛窟寺碑孫忌撰

多心經碑　蔣莊武帝廟碑徐鉉撰

張長史千字文碑　溧水顔魯公敘

永僊觀宗先生碑　李白鳳凰臺詩碑

句容修夫子廟記開元十一年　吳郡孝子張常洧廬墓記

李太白讚寶公畫像　顏魯公祠記

來賢亭詩　融師塔記

重興隱靜院記　福興寺碑

祈澤寺記　本業寺記

僞吳興化院鑄銅鍾文在春林寺　矴石鑄文在靖安鎮

南唐五龍堂元元像記徐鍇撰　李順公碑高越書在西門外

張懿公碑在石頭城後　李後主祭悟空禪師文在清涼寺

開善寺井記在蔣山寺　南唐追封慶王碑在城南婁湖橋韓熙載作

宋齊丘鳳凰臺詩　太守題名碑

溧陽縣重修學記三
明道先生祠記三朱熹游九言眞德秀作記馬光祖跋
程純公畫像記
劉給事祠堂記李處全作
范忠宣祠堂記袁燮作
黃尚書生祠記李慥作
忠襄楊公祠堂記魏了翁作
留守大資政錢公生祠記鄭若容作
眞西山祠堂記王遂作
吳狀元生祠記孫沂作
陳大使生祠記王夢乂作
南軒先生祠堂記杜杲作
吳大資祠堂記曹庭褒作
吳相公生祠記程公許作
野亭先生祠堂記倪垕作
野亭先生祠贍祠規式碑
馬觀文生祠記趙與种孫益大作
父老建馬觀文祠記劉夢周作

靑溪先賢堂記周應合作　溧陽縣學四先生祠記
聖母惠澤龍王三祠記在戒壇寺　忠節王公廟記劉岑作
府治三聖廟記　秣陵東嶽廟記
在城武烈帝廟記　江瀆廟記黃度作
昭靈沈襄王廟記陳堯咨作　鐵塔寺二判官廟記
越臺三聖廟記　惠澤王廟記
顯忠廟記洪邁作　廣惠廟事跡記沈瀛作
馬司眞聖廟記馬去非作　聖烈王行狀碑
武氏石室碑　正顯廟記

褒忠廟記葉夢得作
蔣武帝廟記
棲霞寺佛殿記
攝山白雲庵記
能仁寺記
天慶觀記章公權作
吉祥寺記
永寧院記劉岑作
戒壇寺記韓元吉作
殊勝寺記揚天麟作
明慶寺記
保寧寺碑
定林寺記朱舜庸作
聖湯延祥院記
蔣山妝繪大佛殿記
寶公行狀碑
天禧寺重修寶塔碑
三藏道公塔記

北山移文碑　高座寺銅鍾碑
三茅眞君像記　道光泉記
八功德水記　雙女墳記
左伯桃墓詩　蕭閑堂碑
二李亭碑　插竹亭記
俞氏十朋傳家記　通濟橋記
中山館驛記　廣惠侯廟碑
鎮淮飲虹二橋記梁椅作　白下橋記劉叔向作
嘉泰重修二橋記劉叔向作　乾道重修二橋記上官嵩作

明道先生格言碑　趙忠肅公秋風詩碑馬觀文書

杜尚書學齋記　王潛齋六州歌頭

馬裕齋書格言碑六寬平篤厚儆覺詳緩○喜聞過强爲善○願我壽命長廣行一
切善願我福德盛普濟一切人○一日之事在
寅一年之事在春一生之事在勤一家之事在
身○無益之言勿聽無益之事勿爲無益之書
勿觀無益之友勿親○和平福之基忿躁禍之
隨謙恭德之吉
驕傲身之賊

高齋記胡宿作　子隱堂記梅摯作

涼館記元時敏作　籌思堂記邊惇德作

四老堂記韓元吉作　思政堂記章謙作

忠宣堂記

飛泳堂記楊邁作

戲綵堂記王埜識

達尊堂記范光作

忠實不欺之堂陸景思作

清如堂記梁椅作

東治亭記梅摯作

籌思亭詩碑王安石范純仁王[redacted]作

此君亭歌毛漸作

賞心亭東坡長短句丘崈記

昭陽亭餞別留題李木書

昭陽亭詩張狀元作

二水亭記史正志作

八功德水亭記趙師晉識

新亭記史正志作

蘭亭記李洪識

雙玉亭記劉宰作

翠微亭記吳淵作

鳳凰臺記馬觀文作　賞心亭記蕭山則作

川泳軒記周必大作　存愛軒周師成作

敬齋銘傅行簡作　使華園記戴栩作

政足園記戴栩作　繡春園記高定子識

府學御書閣記游九言作　青溪閣記張椿作

總所新建門樓記馬光祖作　東南佳麗樓記李衢作

葛僊公鍊丹井銘景通作　濡惠泉記王元忠作

舍利泉記李處厚作　忠孝泉記周虎作

道光泉記　義井記李迪作

廣濟新倉記趙彥端　　平止倉須知碑

平止倉省劄指揮碑　　平糴倉省劄碑岳珂立石

復置平糴倉省劄碑舒滋若　　平糴倉記吳淵作

泛恩指揮碑趙善湘立　　親兵營記游九言作

沿江新建游擊軍記胡居仁作　　宋興寺奉省劄養濟兩院碑黃度作

真運使申遺弃小兒省劄碑　　余運使申置實濟院省劄碑

奉　旨建實濟院記馮去非作　　建康府新安樂廬記馬元演作

二王帖　　裴將軍帖

宗忠簡公帖　　章尚書墨帖

劉給事墨帖　張狀元墨帖

安撫司書帖古約　蘇東坡近移文

臨川王游碑　蔣山西庵墨帖

張丞相墨帖　蔣山丹霞訪龐居士

眞運使版榜移文　張狀元請疏

張都督祭病親刻　符讀書城南

黄尚書保民親刻　柳子厚送薛存義序

洛神賦　責沈碑

張賜記碑　韓元吉餞別留題

崇因寺范石湖碑　章尚書題范石湖碑
横渠先生大字碑　濂溪先生大字碑
王尚書石頭城大字　清涼寺詠竹賦
登山銘無爲贊　韓南澗荼蘼亭詩
馬野亭吳琚遊靑溪浪淘沙詞總得翁題斷碑詩
魏督相題王文公祠詩

景定建康志卷之三十三

景定建康志卷之三十四

承直郎宜差充江南東路安撫使司幹辦公事周應合修纂

文籍志二

諸國論

陸機二論 機本吳人居秦淮晉滅吳乃作辯亡二論并述其祖遜父抗之功業 **上篇** 曰

昔漢氏失御姦臣竊命禍基京畿毒徧宇內皇綱弛頓王室遂卑於是羣雄鋒駭義兵四合吳武烈皇帝慷慨下國電發荆南權略紛紜忠勇霸世威稜則夷羿震盪兵交則醜虜授馘遂掃清宗祊蒸禋皇祖于

時雲興之將帶州猋起之師跨邑嘷闞之羣風驅熊羆之族霧合雖兵以義動同盟戮力然皆苞藏禍心阻兵怙亂或師無謀律喪威稔寇忠規武節未有如此其著者也武烈既沒長沙桓王逸才命世弱冠秀發招攬遺老與之述業神兵東驅奮寡犯衆攻無堅城之將戰無交鋒之虜誅叛柔服而江外底定飭法修師則威德翕赫賓禮名賢而張公爲之雄交御豪俊而周瑜爲之傑彼二君子皆宏敏而多奇雅達而聰哲故同方者以類附等契者以氣集江東蓋多士矣將

北伐諸華誅鉏干紀旋皇輿於夷庚反帝坐於紫闥
挾天子以令諸侯清天步而歸舊物戎車既次羣凶
側目大業未就中世而殞用集我大皇帝以奇蹤襲
逸軌叡心因令圖從政咨於故實播憲稽乎遺風而
加之以篤敬申之以節儉疇諮俊茂好謀善斷束帛
旅於丘園旌命交乎塗巷故豪彥尋聲而響臻志士
晞光而景騖異人輻湊猛士如林於是張公爲師傅
周瑜陸公魯肅呂蒙之儔入爲心腹出作股肱甘寧
淩統程普賀齊朱桓朱然之徒奮其威韓當潘璋黃

蓋蔣欽周泰之屬宣其力風雅則諸葛瑾張承步隲以名聲光國政事則顧雍潘濬呂範呂岱以器任幹職奇偉則虞翻陸績張惇以風義舉政奉使則趙咨沈珩以敏達延譽術數則吳範趙達以機祥協德董襲陳武殺身以衛主駱統劉基彊諫以補過謀無遺諝舉不失策故遂割據山川跨制荆吳而與天下爭衡矣魏氏嘗藉戰勝之威率百萬之師浮鄧塞之舟下漢陰之衆羽楫萬計龍躍順流銳師千旅武步原隰謨臣盈室武將連衡喟然有吞江滸之志壹宇宙

之氣而周瑜驅我偏師黜之赤壁喪旗亂轍僅而獲免收迹遠遁漢王亦憑帝王之號帥巴漢之人乘危騁變結壘千里志報關羽之敗圖收湘西之地而我陸公亦挫之西陵覆師敗績困而後濟絕命永安續以濡須之寇臨川摧銳蓬蘢之戰子輪不反由是二邦之將喪氣挫鋒勢屻財匱而吳莞然坐乘其弊故魏人請好漢氏乞盟遂躋天號鼎跱而立西界庸益之郊北裂淮漢之涘東苞百越之地南括羣蠻之表於是講八代之禮蒐三王之樂告類上帝拱揖羣后

武臣毅卒循江而守長棘勁鎩望猋而奮庶尹盡規於上黎元展業于下化協殊裔風衍遐圻乃俾一介行人撫循外域巨象逸駿擾於外閑明珠瑋寶耀於內府珍瑰重迹而至奇玩應響而赴輶軒騁於南荒衝輣息於朔野黎庶免干戈之患戎馬無晨服之虞而帝業固矣大皇既沒幼主莅朝姦回肆虐景皇聿興虔修遺憲政無大闕守文之良主也降及歸命之初典刑未滅故老猶存大司馬陸公以文武熙朝左丞相陸凱以謇諤盡規而施績范慎以威重顯丁奉

鍾離斐以武毅稱孟宗丁固之徒爲公卿樓元賀邵之屬掌機事元首雖病股肱猶良爰逮末葉羣公既喪然後黔首有瓦解之患皇家有土崩之釁歷命應化而微王師躡運而發卒散於陣衆奔于邑城池無藩籬之固山川無溝阜之勢非有工輸雲梯之械智伯灌激之害楚子築室之圍燕人濟西之隊軍未浹辰而社稷夷矣雖忠臣孤憤烈士死節將奚救哉夫曹劉之將非一世所選向時之師無曩日之衆戰守之道抑有前符險阻之利俄然未改而成敗貿理古

今詭趣何哉彼此之化殊授任之才異也○下篇曰昔三方之王也魏人據中夏漢氏有岷益吳制荆揚而掩有交廣曹氏雖功濟諸華虐亦深矣其人怨劉翁因險以飾智功已薄矣其俗陋夫吳桓王基之以武太祖成之以德聰明叡達懿度宏遠矣其求賢如弗及卹人如稚子接士盡盛德之容親仁罄丹府之愛拔呂蒙於戎行試潘濬於係虜推誠信士不恤人之我欺量能授器不患權之我偪執鞭鞠躬以重陸公之威悉委武衛以濟周瑜之師卑宮菲食豐功臣

之賞披懷虛已納謨士之算故魯肅一面而自託士
變蒙險而效命高張公之德而省游田之娛賢諸葛
之言而割情欲之歡感陸公之規而除刑法之煩奇
劉基之議而作三爵之誓屛氣跼蹐以伺子明之疾
分滋損甘以育凌統之孤登壇忼慨歸魯子之功削
投惡言信子瑜之節是以忠臣競盡其謨志士咸得
肆力洪規遠略固不厭夫區區者也故百官苟合庶
務未遑初都建鄴羣臣請備禮秩天子辭而弗許曰
天下其謂朕何宮室輿服蓋慊如也爰及中葉天人

之分既定故百度之缺粗修雖醲化懿綱未齒乎上代抑其體國經邦之具亦足以爲政矣地方幾萬里帶甲將百萬其野沃其兵練其器利其財豐東負滄海西阻險塞長江制其區宇峻山帶其封域國家之利未巨有宏於兹者也借使守之以道御之有術敦率遺典勤人謹政修定策守常險則可以長世永年未有危亡之患也或曰吳蜀脣齒之國也夫蜀滅吳亡理則然矣夫蜀蓋藩援之與國而非吳人之存亡也其郊境之接重山積險陸無長轂之徑川阨流迅

水有驚波之艱雖有銳師百萬啓行不過千夫舳艫千里前驅不過百艦故劉氏之伐陸公喻之長蛇其勢然也昔蜀之初亡朝臣異謀或欲積石以險其流或欲機械以禦其變天子總羣議而諮之大司馬陸公公以四瀆天地之所以節宣其氣固無可遏之理而機械則彼我所共彼若棄長技以就所屈即荆楚而爭舟檝之用是天贊我也將謹守峽口以待擒耳逮步闡之亂憑寶城以延彊寇資重幣以誘羣蠻于時大邦之衆雲翔電發懸旍江介築壘遵渚衿帶要

害以止吳人之西巴漢舟師泝江東下陸公偏師三萬北據東坑深溝高壘按甲養威反虜踠迹待戮而不敢北窺生路殭寃敗績宵遁喪師太半分命銳師五千西禦水軍東西同捷獻俘萬計信哉賢人之謀豈欺我哉自是烽燧罕驚封域寡虞陸公沒而潛謀兆吳釁深而六師駭夫太康之役衆未盛乎曩日之師廣州之亂禍有愈乎向時之難而邦家顛覆宗廟爲墟嗚呼人之云亡邦國殄瘁不其然歟易曰湯武革命順乎天或曰亂不極則治不形言帝王之因天

時也古人有言曰天時不如地利易曰王侯設險以
守其國言爲國之恃險也又曰地利不如人和在德
不在險言守險之在人也吳之興也參而由焉孫卿
所謂合其參者也及其亡也恃險而已又孫卿所謂
舍其參者也夫四州之萌非無衆也大江以南非乏
俊也山川之險易守也勁利之器易用也先政之策
易修也功不興而禍遘何哉所以用之者失也故先
王達經國之長規審存亡之至數謙巳以安百姓敦
惠以致人和寬冲以誘俊乂之謀慈和以結士庶之

愛是以其安也則黎元與之同慶及其危也則兆庶與之共患安與衆同慶則其危不可得也危與下同患則其難不足卹也夫然故能保其社稷而固其土宇麥秀無悲殷之思黍離無愍周之感矣

皇甫湜作東晉正閏論

曰王者受命于天作主於人必大一統明所受（一作授）所以正天下之位一天下之心舜傳之堯禹傳之舜以德禪者也桀放于湯紂（一作受）殺于武以時合者也秦滅二周兼六國以力成者也漢除（一作革）秦社稷以義取者也故自堯以降或以

德或以時或以力或以義承授如貫始終（終始一作終始）可明雖殊厥迹皆得其正以及魏取於漢晉得於魏史冊既載彰明可知百王既逝行萬代無異辭矣惠帝無道羣胡亂華晉之南遷實曰元帝與夫祖乙之圮耿盤庚之徙亳幽王之滅戲平王之遷戎有異乎哉（四字一作其事同其義一矣）而拓跋氏種實匈奴來自幽代襲有先王之桑梓自爲中國之位號謂之滅邪晉實未改謂之禪邪已無所傳而昔（一作往）之著書者有帝元今之爲錄者皆閏晉可謂失之遠矣或曰元之所據中國

也對曰所以爲中國者以禮義也所以爲夷狄者無禮義也非繫於地（四字一作豈繫於地哉）杞用夷禮杞即夷矣子居九夷夷不陋矣沐紂之化殷士爲頑人矣因戎之遷伊川爲陸渾矣非繫於地也晉之南渡人物攸歸禮樂咸在流風善政史實存焉魏氏惡其暴强虐此中夏斬伐之地雞犬無餘驅士女爲肉籬委之戕殺指衣冠爲芻狗逞其屠刈種落繁熾歷年滋多此而帝之則天下之士有蹈海而死天下之人必（一作有）登山而餓惡食其粟而立其朝哉至于（一作於）孝文始

用夏變夷而易姓更法將無及矣且授受無所謂之何哉又曰周繼元隋繼周國家之興實繼隋氏子謂是何對曰晉爲宋宋爲齊齊爲梁江陵之滅則爲周矣陳氏自樹而奪無容於言況隋兼江南一天下而授之于（一作於）我故推而上我受之隋隋得之周周取之梁推梁而上以至于堯舜得天統矣則陳姦於南元閏於北其不昭昭乎其不昭昭乎

呂祖謙十論吳論

孫權起於江東拓境荆楚北圖襄陽西圖巴蜀而不得北敵曹操西敵劉備二人皆天

下英雄所用將帥亦一時之傑權左右勝之而後能定其國及權國既定曹公已死丕叡繼世中原有可圖之釁權之名將死喪且盡權亦老矣世人謂權之所以爲固者東南之地所以爲强者東南之兵此大不然夫東南之地天下至弱而孫氏之地又爲六朝最弱獨權守之而固東南之兵天下至弱而孫氏之兵又爲六朝最弱獨權用之而强長江而上達於江陵轉江陵之南阨於巫峽上下千里可航而渡者凡幾可扼而守者凡幾道路坦然非有潼關劍門之阻

也自廣陵而渡京口自歷陽而渡采石自邾城而渡武昌易若反手江陵破則上流無結草之固濡須破則江上不知所以爲計地之形勢可謂弱矣權之兵衆皆江南舟子綿力薄材之人區區捃拾盜賊驅獵山越以實行伍兵亦可謂弱矣然權用之如此之固且强何也蓋權之所以自立者有謀而已不獨用其臣之謀而又自出其謀內以謀用衆外以謀應敵所以地狹兵少處天下之至弱而抗衡中原成三分之勢者與始權之初立曹操下荆州移書吳會舉國震

駭權聞魯肅之言翻然而悟聞周瑜之議奮然而起一舉而走曹操存劉備基王伯之業此用周瑜魯肅之謀也及劉備借荆州而不反關羽顓頏於上流權謂養關羽使北吞許洛全有江漢回舟東下誰能禦之欲圖之懼曹操之乘其弊也乘羽北逼許洛曹公以朝命見招權乃上牋擊羽以自効使呂蒙陸遜一襲而得之全有荆楚西閉劉備於三峽北釋曹公之患以安江東此用呂蒙陸遜之謀也方曹丕已禪漢天下憤怒切齒之時權知劉備必報關羽恐曹氏之

掎其後也乃於是時釋其憤切之心而稱臣於魏受其爵封擊備而走之此權之謀也及魏責任子而權不遣西患未解而北患復起權之計宜乎窮也權知劉備以復漢爲名而曹操簒位之罪甚於殺關羽備亦欲結已爲與國而專意北圖於是遣使講和以中備之欲遂得息肩於西而專意於北拒魏而退之此權之謀也方曹操之反自烏林憤權而東征謂權恃水以自固故以舟師下合肥權若拒之於江南則曹公亦軍入江權軍不戰自潰矣故逆拒之於濡須使

操雖有水軍無所施步騎雖多瀕阻江泖春水方生
議無所用操嘆息而退此又權之謀也操之既還自
他人觀之大則追軍逐北小則自足稱雄今權不然
反請降於操葢權料操之內憂尚多北有未定之河
北西有未復之關中操欲伐之而慮東南之變非大
定不往也故稱降以少厭其意而安之使操不復虞
東南而盡力西北已得於其間益繕戰守之備以待
其再來此權之謀也方曹丕之責任子不得而南征
也權見丕之用兵不如其父而老臣宿將亦不盡力

如操之時始郄之於濡須而再來權之意以謂丕不知兵非使之深入疲竭上下之力則不止非使之臨江而反則丕必不休故開而致之瀕江而不與之戰挑之而又不應使之力盡而自還又小發以警之魏自是不復敢南出此又權之謀也權又以爲兵久不用則士氣鈍疆埸久安則人心逸且使敵人宴然積以歲月坐以成資非計之得也故兩謫淮南之將致而擊之所虜獲足以自資而敵人之資又爲之破壞此亦權之謀也權又以謂所用多南兵便於舟楫短

於陸戰故用兵未嘗一日捨舟楫而乘勝逐北亦不肯遠水以逐利雖有大舉長驅之計亦不敢行以僥一時之幸故曹休敗而不敢追殷札獻言而不敢用此亦權之謀也權之受封吳王也盡恭以受其爵命使其國中知已爲百姓屈也與邢貞爲盟陰以怒其羣下方且爲進取之計而自卑屈如此此亦權之謀也故權之爲國自奮亦用謀自屈亦用謀勝亦用謀危亦用謀動無非謀也故能以一江爲阻而與曹劉爲敵然權起非仗義徒知以割據爲雄不能興漢室

以傾天下之心使當漢末大亂權能招徠中原之士廣募西北之兵羯馬步之銳挾舟楫而用之鼓行北出水陸並進孰能當之哉當曹丕之立也權又能求漢室子孫而輔之出師問罪劉備必亦連衡而掎角中原之士挾思漢之民必有起而應我者矣權不知出此徒自尊於崎嶇蠻夷山海之間故雖力爲計謀譎詐然基業僅足以終其身而無足以遺子孫僅足以保其國而不足以爭衡天下惜哉然使權不爲計謀以自立則雖其身不能終也況子孫乎其國不能保

也况天下乎何以言之權没未幾諸葛恪一用之而
僅勝再用之而大敗孫綝用之又敗江淮之間惴惴
而已上流藉陸抗之賢挾以重兵僅能支襄陽一面
抗死則亦惴惴然矣藉使孫皓不爲暴虐亦豈能久
存也哉後世不察權以計謀自立而區區欲効權之
畫江爲守是不察夫形勢甲兵之最弱也古人唯陸
抗知此抗言於孫皓曰長江峻川限帝封域乃守國
之常事非智者之所先審抗此言則當時之形勢爲
不足言而所謂智者所先則有道也抗可謂善論孫

氏形勢者矣

晉論上 東晉之始形勢與吳相若然吳北不能過淮而東晉時得中原之地吳旋爲晉滅而晉更石勒苻堅之强終不能破其君臣人材去吳遠甚而其固如此者晉以中原正統所繫天下以爲共主故也以正統所係天下共主而百餘年不能平天下雪讎恥恢復舊物晉之君臣斯可罪矣詩美宣王曰內修政事外攘夷狄齊威公晉文公越王句踐皆國中已治然後征伐今夫晉室南遷士大夫襲中朝之舊賢者以

遊談自逸而下者以放誕爲娛庶政陵遲風俗大壞故威權兵柄奸人得竊而取之小則跋扈大則篡奪士大夫雖有以事業自任者亦以政事不修財匱力乏而不得盡其志可勝惜哉易曰君子藏器於身待時而動何不利之有夫政事已修任屬賢將而待可爲之時時而進焉則無不成矣晉既內無政事外無任屬又非其人雖有中原可乘之時而我無以赴之雖赴之而敗矣故褚裒北伐蔡謨曰今日之事必非時賢所辦殷浩之再舉北伐王羲之曰區區江左固

已與心力爭武功非所當作又曰雖有可喜之會內求諸已而所憂乃重於所喜由是觀之晉之政事不修任屬非其人雖有中原可乘之時亦無能為也然謨之言大抵謂任屬非其人故曰非上聖與英雄自餘莫若度德量力羲之之言大抵謂根本不固故曰保淮非復所及長江以外覊縻而已二君雖相當時之失然盡如二君所言則東晉未有復中原雪讎恥之期端坐江左以待衰弱滅亡而已此知其一而不知其二也夫東晉之初其強弱何如三國之吳蜀當

時有志之士尙能欲自强而不肯休諸葛亮諸葛恪之語最著然亦知其一而不知其二也亮之言曰先帝知臣伐賊材弱敵强然不伐賊王業亦亡惟坐而待亡孰與伐之孔明之治蜀可謂有政蜀之任孔明可謂得人然未有可乘之時恪之言曰今所以敵曹氏者以操兵衆於今適盡司馬懿已死其子幼弱未能用智計之士今伐之是其厄會恪之言知可乘之時而不知所修之政而自量其材與夫所用之人也是故孔明無成而恪卒以敗觀蔡謨王羲之與諸葛

亮恪之論正相反而各得一偏世之人好興作者必以孔明元遜之言爲先而安偷惰者必以蔡謨王羲之之言爲是酌厥中而論之藏器於身待時而動內修政而外攘夷狄聖經之言不可易也後世亦曰事貴乘舋又曰上策莫如自治蓋急自治政事既修恢復之備已具事會之來不患無也一旦觀舋而動將無往而不利矣若內雖有自治之名而無自治之實徒爲空言玩日引歲端坐而守而待賊虜之自滅非愚之所敢知也苟不相時先事妄發小者無功大

者覆敗一旦機會之來事力已竭不能復應東晉之事如此者多矣○**晉論中**孟子曰入無法家拂士出無敵國外患者國常亡夫無敵國外患者謂國安可也乃曰常亡何哉蓋既無法家拂士又敵患不至則君驕臣縱入於危亡而不自知東晉之末是也晉之始也敵國雲擾强臣專制上下惴恐如處積薪之上而火將燃者故君無驕泰之失而臣下自以危亡爲憂是以內雖王敦蘇峻反叛相尋桓溫擅權廢立外則石氏之兵三至江上苻堅淝水之役江東幾至不

保然當時人主恐懼於上而王導溫嶠陶侃謝安謝元之徒足以盡其力故至危而復安將亡而復存也及桓溫既死苻堅復亡上流諸鎮皆受朝廷號令非有間者跋扈之人也姚氏自守於關西慕容相殘於河北非有向日邊境之憂也君臣上下自以江東之業爲萬世之安心滿意足孝武漸生奢侈於上道子之徒竊威柄於下謝安謝元至以功名自疑矣安元既死其政愈壞甚於巳危將亡之時泯泯靡靡不自知也已而君臣兄弟之間爭權植黨上流之患復開

不待外敵之強而國遂亡矣聖人於無事之時而爲持盈守成之戒可不信夫況東晉讎恥未復遽以無事自處不其愚哉○**晉論下**杜牧謂宋武不得河北故隋爲王宋爲伯愚謂不然并吞海内之形勢關中爲重河北次之關中者周秦漢用之河北者光武用之皆用之以取天下也曹操石勒以河北取關中苻堅以關中取河北三人者皆吞海内十有八九而不能并東晉之後元魏以河北取關中後周以關中取河北隋唐以關中取天下以此論之用關中并天下

者五而不得者二用河北并天下者一而不能者三則關中為重河北次之顧不信乎宋武帝非獨不得河北暫有關中而已何嘗得之哉宋武起於布衣身經百戰戰勝攻取芟夷曹操司馬懿而下不可比也舉東南至弱之兵練而用之踐西北至强之虜前無橫陣旁無堅敵逆河而上開關而入之用之如建瓴破竹之易可謂奇矣然得關中而不守翻然東歸此百二之地於反掌暮年慷慨登壽陽城樓北望流涕而已可不悲哉愚謂宋武之失關中其罪有三一則

好殺伐而不得中原之心二則急窺神器而不能快中原之憤三則倚南兵而不能用中原之人夫宋武下廣固欲盡坑其父老韓範力諫猶誅王公以下三千人沒入其孥前賢論之以謂舉事曾苻姚之不如有智勇而無仁義豈不當哉其一失也宋武帝之不爲晉室藩輔天下所知也然輔晉而行能仗大義使中原知爲晉雪百年之憤天下其孰能議之其子亦不失天下今急爲簒奪大業不終曹操猶能曰天命有在吾爲周文王終身輔漢而不取宋武識慮不及

操遠矣其失二也宋武之北伐魏主以問崔浩浩嘗策之以爲必克而不能久裕之取燕取秦西北之人未聞據連城舉大衆來附之者裕獨用南人轉戰山河之間往返萬里使裕收燕之後選用燕之豪傑廣募壯勇以傾三秦得秦之後選用秦之賢傑廣募壯勇以傾河北分爵裂土以功名與衆共之東伐元魏非元嗣所能抗也舉元魏則中原盡得矣東掃慕容之餘燼西剪赫連之遺種以裕之智勇王鎮惡檀傅朱沈之徒爲爪牙而謝晦之徒主謀議何爲而不成

裕之施爲既已不能選用燕秦賢傑廣募壯勇而區區用遠客之南兵縱無所練之士卒南兵獨用已敗不可支其失三也蓋南北異宜攻守異便南兵不可專用有三雖勇而輕一也利險不利易易困難久二也易亂難整三也項羽之破趙一以當百高祖征黥布張良戒毋與楚人爭鋒然羽布皆爲高祖以持重困之此雖勇而輕也吳王濞之反有田將軍者請急據洛陽曰漢車騎入梁楚之郊則事敗此利險而不利易也吳楚屯聚數月無食而潰裕軍至長安已謳

歌思歸此易困而難久也裕軍至長安日暴市肆此易亂而難整也裕既無中原之衆欲以南兵守關中人無智愚皆知不可也裕之東歸世以謂劉穆之死急於簒取愚以謂正以南兵不能守關耳裕見巳所行事巳失中原之情欲全軍共歸則惜關中不忍弃之欲不歸而守則南人思歸既甚將潰而歸矣裕之首領未可保也況關中乎數十年之得一朝失之古今所惜然則後之欲恢復者得中原之郡縣可不以裕爲深戒哉

宋論 宋文帝以河南之地爲宋武帝舊物故竭國家之力掃國中之兵而取之卒無尺寸之功史稱文帝之敗坐以中旨指授方略而江南白丁輕進易退以愚言論之文帝不用老將舊人而多用少年新進使専任屬猶恐不免於敗況從中以制之乎鋒鏑交於原野而決機於九重之中機會乘於斯須而定計於千里之外使到彥之輩御精兵亦不能成功況江南白丁乎然江南之兵亦非弱也武帝破燕破秦破魏則皆南兵也何武帝用之而强文帝用之而弱也南

兵不可專用豈無北方之人可號召而用之乎蓋武
帝失之於前而文帝失之於後也自古東南北伐者
有二道東則水路由淮而泗由泗而河西則陸路越
漢而洛由洛而秦自晉氏南遷褚裒殷浩桓溫謝元
皆獨由一道以進至於武帝則水陸齊舉故能成功
今文帝專獨用南兵而專恃水戰舟楫之利雖嘗使
薛安都等盡力於關陝而孤軍無援形勢不援此三
者文帝之所以敗也使文帝得賢將而任之屯於淮
外委以經略不獨用南兵而號召中原之衆不獨恃

舟楫而修車馬之利則雖未能堅守河南亦不至於一敗而失千里之地再敗而胡馬飲江也文帝修政事爲六朝之賢主而措置之謬如此可不戒哉

齊論上　天下之情艱難則勤承平則惰勤者雖弱小而奮惰者雖盛大而衰夫元魏以夷狄之强據中原之地士馬精健上下習兵而喜戰道武以來戰勝攻取未嘗少挫幾并天下然至孝文之時議舉兵伐齊而在廷之臣皆以爲不可雖驅之以威莫肯行也與間者習戰之俗何其相反哉蓋自道武沒更以母后

幼主持政羣臣皆生長安佚非復昔日馬上之士也稍備朝廷宮室之美非復昔日穹廬遷徙之俗也金錢玉帛府庫充滿非復昔日計牛馬錐刀之利也美衣甘食冬溫夏涼非復昔日習饑餓之勞也高談徐步可以致大官取卿相非復昔日競戰國攻取之勲也故雖夷狄而流爲承平無事矣夫以中國禮義維持而承平無事日久猶且以驕淫致亂況夷狄上下無禮義之維持稍稍無事則志氣滿矣制度侈矣子女盛矣土木興矣此蓋以夷狄天資驕淫之性而人

中國紛華之域必至於此此慕容苻姚所以不能久也元魏居於雲中未甚變其俗習然猶上下厭兵畏戰國主親在行間而不肯前至於遷洛之後其國衰矣切譬之夷狄鷙鳥也去其利爪而傅以鳳鳥之羽則無德可昭無威可畏取死於虞羅必矣然元魏既衰之後宋氏多事齊氏享國日淺梁武謬於攻取待元魏至於國分爲二然後自斃若使南朝有英武之主智謀之士蓄開拓之備而伺其隙則元魏豈能據有中原如是之久也哉

○**齊論下** 齊氏享國日淺雖

無境外之功而疆場之間亦無失矣太祖初立魏以劉景爲主入寇高宗之篡魏又入寇皆有以爲辭矣然是時魏之入寇無他奇策而齊禦之者亦無高計勝負相當魏不能渡淮南定漢沔齊之大鎮無傷焉齊亦不能追擊魏全軍而反然魏得沔北數城齊不能復取也齊之君臣度未足以開拓故亦不敢深爲報復之計待其通使於我然後歸其俘而納之亦計之是者也然夷狄無常和好不久高祖與之講和五年而以明帝篡立爲辭分道入寇夫魏孝文豈專爲

名義者哉求土地之獲而已使齊氏自通好以來邊備不修一旦變起國中未靖外難又至豈不殆哉夷狄和好之不可恃自兩漢以來然矣

梁論上 陳慶之以東南之兵數千入中原胡馬强盛之地大小數十戰未嘗少挫遂入洛陽六朝征伐之功未有若是之快者也然卒以敗歸理亦宜然何以言之夫孤軍獨進不能成功自古以然當時梁武使諸道並進乘魏人上下崩離之際分收郡縣河南之地必可取也慶之旣至洛陽縱士卒暴横市里此豈

弔伐之師乎當時能整軍陣宣布梁德取不樂爾朱氏之人而用之改立魏主則河南之地雖不版圖必當爲附庸之國矣南人善戰步而少馬慶之能麾北兵於平原曠野使挾戰而用胡可敵哉自入敵地務廣騎兵使不樂南之人與南人善射參用之縱不能守洛陽之地多得騎軍猶足以歸壯國勢且安得有嵩陽之敗哉然慶之與元顥更相猜忌則廣匡之計顥必不行以此觀之慶之進退專之可也顥之成敗不可任也恤顥之成敗而不恤軍旅之衆寡非計之

善者也夫慶之固奇才未易議也著其所不及以侯有慶之之才者觀焉○

梁論下

梁之亡也以侯景武帝納景得禍也速受禍也重元帝僅能滅景而卒不能振其國家悲夫昔馮亭以上黨輸趙平原欲受之趙豹曰聖人甚禍無故之利太史公曰利令智昏武帝之納侯景是也夫景自以猜疑不容於高氏反覆南來既非吾兵威之所加又非吾馳說之所下忽以十三州數千里之地來歸斯可謂無故之利矣武帝思慮朝臣諫說非不詳矣始疑而卒納之可謂利令

智昏矣趙之與梁得地各異而受禍相似趙致長平之師幾至國亡梁致臺城之陷亦至於亡國是禍又甚於趙也趙有强秦之敵摧之以致禍梁氏既無强秦之敵而獨一侯景已足以致亂是又出於趙之下也然則在武帝勿受可乎曰方高氏宇文制東西魏與鼎立三分地廣兵强者勝如之何勿受受之有道乎曰景之初叛先降西魏二人已覺其詐于謹則請加爵位而勿遣兵王思政則請因而進取乃使思政與李弼等赴之故已制其肘腋矣已而思政入潁

川逐景出之則已傾其巢穴矣而又召景入朝則伐其姦謀矣景既不入朝思政遂據景七州十二鎮之地是魏因納景不血刃而取千餘里之地武帝施設羅網略無西魏之一二何爲而可納武帝既信其姦詐而以羊鴉仁應援鴉仁非景敵也不足以制景一失也又信朱异捨鄱陽王範而以淵明爲帥卒有寒山之敗致軍折於外景益無所憚二失也景之地不得尺寸既失景地何用於景不殺則廢之可也反豢養於邊陲三失也方景之未來而貳於宇文說辭自

辯不能逆折其情則曲意爲詔以安之既而奔亡入境不能制畜遂捨鈐鍵而縱之盜據邊疆則又從而與之跋扈不遜則又虛辭而說之高氏以淵明爲間則又不能推大信於景而欺之謀反已露則又不能逆擊而討之梁之失也如此其所施之方略所用之將帥與西魏何相萬萬也故非獨不得景尺寸之地而又不得景絲毫之力而受巨山之禍由梁武所用非其人而制置失其宜故也夫無故之利無時無之方略制置尚鑒茲哉

陳論陳之形勢不足道也視吳又無江陵自峽口至海盡江而已使孫權復生且不能守況叔寶之淫昏乎葢自晉已來習於水戰以江自恃初不知我能渡敵亦能渡何足恃哉以愚觀之江若大河之北耳大河猶有悍湍之虞若江則順風登舟一瞬可濟雖有京口采石潯陽武昌巴陵號爲控扼豈秦關劒閣之比哉守江之計必得淮南以爲戰地荆楚控扼上流又有舟師戰於江中然後可以粗安孫權之拒曹操東晉之拒苻堅宋之拒魏太武齊之拒魏孝文是也

若曰亡淮南荆襄而獨憑恃洪流以爲大險豈不可笑也今陳既失淮南又失江陵吳阻長江又有南郡一旦王渾之師入自淮南杜預之師入自襄陽王濬之師從江而下沿江鎮戍不能禦也陳阻長江又失荆州一旦賀若弼出淮南秦王俊出荆襄楊素之師泛江而下沿江鎮戍能禦而不能破也蓋無淮南襄陽則自廣陵至於峽口皆可渡也吳陳三世之後亡國已幸矣唐末楊行密據有江淮既死而李昪取之建都金陵以孫權自處方其有淮南諸郡則闕步高

視東攻二浙西取湖南南取閩越南方莫强焉及淮南爲周世宗所取則自窘以至於亡亦失淮南則不能守江南之明驗也王羲之云保淮非所及不如保江蓋見吳之能守而未見若陳與南唐不可守者也後之智計君子既有見焉謹勿割弃荆淮而爲守江之論也

景定建康志卷之三十四

景定建康志卷之三十五

承直郎寘差充江南東路安撫使司幹辦公事周應合修纂

文籍志三

奏議 議關建康而最切者全錄于此餘者摘錄要語隨事入于各志

李綱奏 臨幸建康在立志以成 中興之功臣伏
覩 車駕以仲春令辰發軔吳門臨幸建康斷自
宸衷不貳不疑慨然有恢復土宇掃清中原拯濟烝
黎戡定禍亂克翦大憝刷恥復仇之志天下臣子莫
不望風跂竦抃蹈踴躍願少須臾無死以觀 中興

之功誠甚盛之舉也臣竊觀自古建功立事扶持社稷之臣未嘗不以立志爲先申包胥聞伍員有覆楚之言則曰我必存之其後哭秦庭以乞師卒如其志張柬之語武氏於荆南江中其後卒復唐祚其祀三百一夫發念其烈如此而况以　聖明之資爲萬乘之主乎高祖之志見於不肯鬱鬱久居漢中而與韓信論定三秦之策光武之志見於披輿地圖於信都城樓上與鄧禹論天下大計此皆志定於前功成於後初似落落難合而卒能建大功立大名定大業功

施於當年名垂於後世載在典冊不可誣也恭惟
皇帝陛下天錫勇智運屬艱難遵養時晦之久應機
立斷幡然改圖思欲撥亂興衰光復　祖宗之大業
故親總六師以臨江表捨去吳越而幸建康漸爲北
伐之計志慮規模可謂宏遠矣臣願　陛下益廣
聖志充而行之與神爲謀日新其德勿以去冬驟勝
而自怠勿以目前粗定而自安凡可以致中興之治
者無不爲凡可以害中興之功者無不去有所規畫
措置必以天下爲度必以施於長久可傳於後世爲

法則中興不難致矣夫中興之於用兵只是一事要以修政事信賞刑明是非別邪正招徠人材鼓作士氣愛惜民力順導衆心爲先數者既備則士奮於朝農安於野穀粟充盈材用不匱將帥輯睦士卒樂戰用兵其有不勝者哉方今黠虜雖彊不仁不義專務變詐暴虐以脅制天下神怒人憤莫之與親自古豈有如此而能久立國者正如隆冬固陰沍寒層冰千里陽和既回應時銷釋此理之必至無足怪也昔范蠡說越王勾踐以持盈者與天定傾者與人節事者

與地勾踐用之國以富彊然又必以人事與天時相
參然後乃能成功遂以報吳臣竊觀　國家去歲諸
路豐穰今春雨暘調適又將豐歲是在我者得天時
矣正當修人事以應之以我之無釁待彼之有釁則
戡亂定功役不再籍夫何遠之有臣以固陋自靖康
以來與聞國論獨持戰守之策不敢以和議爲然今
十有二年矣孤危寡與屢遭謗誣仰賴　聖明曲加
照察脫身九死之濱今得承乏之待罪方面恭聞　戎
輅臨駐江干將大有爲以成戡定之烈欣幸之情倍

萬常品顧雖衰病尚庶幾未塡溝壑間獲覩
陛下恢復中原攄憤千古志願畢矣

汪澈奏乞分張浚軍策應建康臣昨自三月末得之傳聞云金人在建康築城爲度夏計臣雖幸其不然然心竊憂之以爲中國困於腥膻而得少休息者正賴其不能觸熱故常已寒方至未暑先歸吾於半年間汲汲措畫猶每歲奔命不暇今若縱其度夏則長爲巢穴無所忌憚不知　朝廷何以枝梧泊到　行在聞韓世忠列戰艦江中遮其歸路日有所獲且言

金人窺覘之狀臣竊欣幸以爲三月所傳蓋誕妄耳續覩黃榜備錄韓世忠捷奏又以爲朝夕必可掃除今近二十日矣其耗寂然議者頗疑世忠奏狀未必皆實兼數日人自常潤來者皆云虜於蔣山雨花臺兩處各劄大寨抱城開河兩道以護之及穴山作小洞子以爲逃暑之地陸增城壘水造戰船而采石金人已渡復回者纍纍不絕今且五月矣比常年去已月餘乃反去而復回其欲留建康明甚如此則與三月所傳又似符合臣聞金人動設詭詐尤喜爲窺覘

之狀以疑我師我師墮其計中者前後非一今安知
其本不爲度夏計而陽爲窺覘者特以疑誤我師耶
建康爲東南咽喉國之門戶也天下轉輸朝廷號令
未有不由此而通者若金人果據此爲巢穴則東南
饋餉遂絕如人扼其咽喉守其門戶果得高枕而臥
乎不知羣臣日至　上前亦嘗有反復及此者否豈
遂以爲無事而所當講者承平之先務乎抑搗
陛下非所樂聞而不以聞也不惟是而已人既扼我
咽喉守我門戶則羣盜亦將視我緩急以我爲向背

國家果有力能使之退聽屏息乎況又有意外之憂
所難言者不得不慮臣愚以爲此事所係非細
廟堂當若救焚拯溺然朝夕在念及五六月間我師
便利之時會諸將與韓世忠一舉掃除非特去目前
之患將使懲創終身不敢復南其利害豈不相萬哉
雖聞近遣張浚提兵過江節制浙西人馬邀邏前去
以爲策應此固　陛下長筭也不知張浚果能爲
陛下有慨然立功之意乎臣愚欲乞專差得力使臣
數人齎　陛下宸翰星夜兼程自襄鄧荆湖以來迎

張浚軍令分數萬人順流而下仍於上流自計置糧斛載以自隨彼張浚軍既皆新人必精銳可用且敵人見上流之師突然而至莫知其數必破膽奔潰此制虜一奇也如其不然八九月間氣候稍涼彼得時矣幾會一失雖悔何追伏望　睿慈不以臣言為愚輕忽此事特加採納不勝幸甚

葉適議安集淮民以扞江面竊照去歲虜入兩淮所殘破處安豐濠盱眙楚廬和無為七郡其民奔迸渡江求活者幾二十萬家而依山傍水相保聚以自固

者亦幾二十萬家今所團結卽其保聚不流徙者雖不能盡在其中大約已十餘萬家其流徙者死於凍餓疾疫幾殫其半而保聚之民亦有爲虜驅掠而去者散爲盜賊則又不在焉度今七郡之民通計三十萬家和議未定室廬不成就使和議有定其短長之期又未可知此三十萬家者終當皇皇無所歸宿蓋淮上四戰之場虜敵往來之地民生其間勢固應爾然自古立國未嘗不有以處之也無以處之則地爲棄地而國誰與共守設使今歲邊報復急此三十萬

家者又將奔迸流徙而喪其生乎春秋戰國之時蓋
國而守大爲城邑小爲壘壁百里之國皆有邊面自
非暴君苛政其民未嘗散之四方兩漢以後裂爲南
北中原不合者凡數百年人在戰地各自爲家養生
送死老子長孫未嘗有闕彼非有以自守不肯輕棄
其鄉安能如此自唐以後至於　本朝以和戎爲國
是千里之州百里之邑混然一區煙火相望無有扞
蔽一旦胡塵猝起星飛雲散無有能自保者南渡之
後前經逆亮之禍近有僕敵揆之寇累世生聚一朝

蕩然故某昨於國家營度規恢之初以爲未須便儆
且當於邊淮先募弓弩手耕極邊三十里之地西至
襄漢東盡楚泗約可十萬家列屋而居使邊面牢實
虜人不得踰越所以安其外也蓋漢唐守邊郡而安
中州未有不如此者也今事已無及長淮之險與虜
共之惟有因民之欲令其依山阻水自相保聚用其
豪傑借其聲勢縻以小職濟其急難春夏散耕秋冬
入保大將憑城郭諸使總號令虜雖大入而吾之人
民安堵如故扣城則不下攻壁則不入然後設伏以

誘其進縱兵以擾其歸使此謀果定行之有成又何汲汲於畏虜乎所以安其內也夫徒手搏虎以幸其斃一夫之勇也一夫之勇未必驗而一夫之怯其爲驗也決矣爲天下者不以天下之大而就一夫之勇故某願朝廷以謀困虜以計守邊安集兩淮以扞江而使淮人不遁則虜又安敢萌窺江之謀乎故壁塢之作山水寨之聚守以精志行以强力少而必精小而必堅毋徇空言而妨實利則今日之所行與漢唐之屯田六朝三國春秋之壘壁彼各有以施之不相

謀而相得故也伏乞照會指揮施行○某去歳嘗首
建防江之議繼來建康攷詳前後案牘無非葺治戰
艦布列岸兵栽埋鹿角釘設暗樁開掘溝塹計步而
守數里而屯皆元勳故老之已行謀臣策士之素講
雖其間用之有利不利然終未有能捨此而特立也
如鹿角暗樁之類去歳論者固嘗指為兒戲及扣其
別有何策則又寂無所言適猶謂厲人心而堅守阻
大江而自固則如前數事亦豈不足以立功至十月
之末邊遽告急淮人渡江以億萬計江南震動衆情

皇慼一日有兩騎僞效番裝躍馬江岸相傳虜人至
矣濟渡之舟斫纜離岸櫓楫失措渡者攀舟覆溺數
十百人某始歎息曰是眞不足賴也今雖岸步有寨
江流有船鹿角暗樁數重並設溝塹深闊不可越踰
其如人心已揺誰與力拒萬一虜兵果至彼皆棄之
而走爾所以建炎紹興之間兀朮輩未嘗不徑渡江
南如逆亮之不得濟而殞者幸也於是始捐重賞募
勇士渡江北刼虜營石䟦定山上下凡十數往返取
其俘馘係纍以報江南奮氣見者賈勇而人心始安

虜亦由此卷甲遁矣然後知三國孫氏常以江北守江不以江南守江至於六朝無不皆然乃昔人已用之明驗自南唐以來始稍失之故建炎紹興不暇尋繹爾然渡江之兵苦於江北無家基寨無所駐足故石斌賢之徒不能成大功宣司賞急呼封彥明王益欲令將兵策應和州竟泯嘿而止今石跋則屏蔽[illegible]石定山則屏蔽靖安瓜步則屏蔽東陽下蜀西護歷陽東連儀眞緩急應援首尾聯絡所築皆是故基磚石猶在今各堡無事之時只以五百人一將戍守常

加修葺勿使廢壞收聚居民與之爲主今岸渡繁會自成市井若萬一有警乞從朝廷卽令各堡增募一千人照吐渾等仗竝與帮放總領所請給隨堡防守教閱諸州禁兵抽摘二千人以九月至并於防江效用內摘那千人各堡二千五百人并堡塢內外居民二千家之勝兵者或臨時旋行招募亦各二千人各堡通爲四千五百人相共守把然後令制置司以八九月別募精勇敢死士千人（去歲十一月募兵今歲虜兵已聚于河南或和議不成其來必早）厚犒請給以待刼寨焚糧直前搏擊之用

蓋堡塢之成於防江有四利往日江南列營五萬人
去歲亦不下三萬而民兵不預然止可坐食而守敵
界窺江責其不走固已難矣而況進戰乎何者虜在
北岸共長江之險兵衆騎多而吾軍之氣已奪也今
堡塢既立虜有所忌固不敢窺江就使來窺江南岸
兵膽氣自生志力得展使之前進無所畏怯一利也
雖有各處戰艦然虜已在江岸或聲言奪船徑渡或
實爲造舟之勢我之舟師往往不敢放出北岸勝負
未決旁觀膽落憂恐萬端今堡塢既成虜縱在江北

我有應接之利或近岸排列千弩竝發或捨舟登岸乘勢擊逐二利也至於海舟風帆八面便利捷疾尤在舟師之上然迫虜於岸而收全功者其勢易俟其入江而決死鬭者其勢難今堡塢既成有易無難三利也戰艦甲士虛閑舟中擁戈坐觀從昔病之無策可治今舟得便利人無虛設四利也使虜果忌堡塢爲彼之害或擁大衆志在必取今石跋瓜步近在江津定山去江纔三里爾我以戰艦海舟爲江中家計強弩所及虜人腹背受敵自投死地理在不疑脫若

虜人畏而不前置而不問盡力攻擊和滁眞六合等城或有退遯我以堡塢全力助其襲逐或形其前或出其後制勝必矣此堡塢之利所以爲用力寡而收功博孫氏六朝以江北而守江南能立國於百戰之餘者非幸也數也故適欲因屯田堡塢之立收兵民雜守之用屏蔽江面先作一層使江北之民心有所恃虜雖再來不復求渡騰突紛擾貽亂江南次第入深因其險要用其豪傑見團結山水爲寨者四十七處此於官司之力無緣周遍特借以聲勢使自爲守

春夏散耕秋冬入保蓋孫氏六朝保固江淮之成規非充國先零棗祇許下之謂也不然則南北並爭之際無歲不有兵革淮人豈能屢逃屢復以自濱於流離死亡也哉所有定山瓜步石跋三處堡塢圖本幷四十七處團結山水寨居民戶口姓名帳冊謹隨狀繳申伏乞指揮施行□自江距淮地里闊遠加以濠梁幾寇未退人情憂疑未敢放心復業保聚之計只得自近而遠今欲先於沿江地分眞滁和三州各立堡塢一層如眞州則於瓜步滁州則於定山一帶定山

一帶係屬眞和州界緣沿江別無滁州地分惟定山一帶最爲徑便其滁州人戶願就此處保聚者聽從所有稅役自合仍舊屬眞和州和州則於楊林石跋不但緩急之際可以保衛居民亦可扞蔽江面以待策應去歲虜騎蹂踐兩淮曾於瓜步定山一帶劄寨及於楊林石跋窺覘江面今措置保聚最爲緊切去處

一上項瓜步定山楊林石跋並合從官司措置隨其地勢或依山或阻水就加葺理務令牢實此外入深第二層更擇別有山水險要可充堡塢去處接續措置以次申奏其沿邊差官未及去處見已出給公據付忠義頭目等人分頭前去說諭各處土豪令從便一面先次

團結本司即與差官覆實措置乃量立賞格以示激勸今具所給公據如後當司今差某人前去某州軍界內說諭本處土豪有信義爲衆所推服之人先與借補官資差充總首令各從便選擇地利依山傍水可充堡塢去處團結人戶防備虜騎衝突回即勸誘流民復業且就便居止或有急難則入塢屯聚如保守無虞即當差官前去點檢照當司所定則例具申○朝廷正補官資施行今開具下項三千戶以上補進勇副尉五千戶以上補進義副尉一萬戶以上補進義校尉一萬五千戶以上補補進武校尉二萬戶以上補承信郎三萬戶以上補承節郎四萬戶以上補保義郎五萬戶以上補成忠郎右帖付某人仰執此前去多方說諭仍開具已說諭到土豪姓名及圖畫堡塢去處山水形勢逐一貼說繳申切待差官覆實施行　此項目今

淮上如和州瀝湖有胡知禮盱眙嘉山有趙玘兄弟

等去歲皆自團結虜騎侵犯已能保守内瀝湖會射殺虜統軍并人騎甚衆遺屍至今滿河功賞未錄其他安豐光黄等處往往皆有土豪保聚之人官司要須因其險阻斟酌措置俟見次第續行條具申明■瓜步定山楊林石跋等處係是捍蔽江面不止爲淮民保聚之計合於内起蓋蘆蓆屋屯駐官兵及應副本司官吏安泊椿頓錢糧軍器等内倉敖甲仗庫仍等合用瓦屋開掘壕塹築壘土城以備虜騎衝突及其餘接續措置去處所有工料錢米難以便行拘捎歸一數目欲

大三石四千

乞　朝廷科撥錢四十萬貫米一十萬石付淮東西
總領所樁管仍就總領所差官受給遇有本司支遣
即關牒照數支破俟結局日具細數申　朝廷出豁
施行兼照若與此役流民必多應募因可以贍給之不至狼狽失所一今來所立堡
塢蓋爲各自保護一處及虜或衝突攻圍即互策應
燒刼營寨出奇立功所用軍器合從官司量行給付
照得兩淮民兵最便於皮笠紙甲皮甲短裝弩勝於
鐵兜鍪鐵甲及神勁尅敵等弩遠甚又其工費難易
相去十之七八此外如三叉槍短槍手斧提刀之類

皆不可闕今當以十萬人軍器爲率欲乞　朝廷行下內郡逐急分頭置造施行一兩淮地分除舒蘄通泰諸州人戶見自安業不用措置外有廬和濠光揚楚眞滁州安豐高郵盱眙及黃州故鎮無爲巢縣等處竝合從上項條具次第措置施行

九

建康志卷三十五

書

葉夢得與丞相論防冬書

某頓首再拜僕射相公鈞座秋暑猶未退卽日伏惟鈞候動止萬福某近因到官具書伸謝必已呈浼記室衰鈍黽勉亦將幾月郡事雖甚弊連日撥遣冗滯數百事似已少間其餘皆可徐以力治惟是防冬一事不無私憂茫然都未有圖議者或謂今歲虜未必來或謂二大將旣分宣撫兩淮本道乃在腹裏非所慮或謂萬一有警朝廷必自委二大將守江非本道之職三者竊皆以爲過據

日前探報頗言虜點兵開河積糧科器具遠近略同必無安靜之理今淮東僞邳州兵形已見不來則已來恐非常歲之比前爲敵者劉豫主兵者劉麟所驅用者吾山東淮甸之民今以金主易劉豫以四太子易劉麟以虜騎易吾民是豈可忽乎二大將宣撫兩淮固其職矣然未見別有大措畫必可以固吾圉者近惟張宗顏數千人趣合淝爾甲寅歲豫賊至楚州丙辰歲豫賊過濠州皆在九月十月之間非無大將未嘗前知今可保復無此乎自古保江必先固淮曹

操不能越濡須苻堅不能出渦不魏太武不能窺瓜步周世宗不能有壽春皆以我先得淮東也今淮未有必固之理而欲恃江以為重何可為萬全計前歲聞以四大將自池州而上直至平江之境各分其地州郡皆不與此固勢必如此然以兵捍疆場乃所以為民保境土若將帥與州郡不相關則兵民分為二境土何以獨濟往時杜充失守之因江上兵非不多自王璞先遁於釆石諸軍皆潰無復捍敵吾民奔避不及反為潰兵剽略虜得乘之南渡此相公所知也

況本道界分已自無劉光世一軍若以他軍那融添補則兵力厚薄尤可見今若責江淮於將帥而使守臣表裏得其爲之計猶可待不虞若淮未能固而必恃江以爲守則王瓌之戒不可不思某久在山林不聞廟議既不得已於此懲往者呂公之困誓不敢復出一語然平日拳拳之心有不能終愧藿食者因季華行輒私布之本府惟有民間自欲團結可使保鄉里漸已料理復恐議者不知本末謹具劄子禀達其餘數十條併附之別紙此并其職徒以相公平昔相

予之厚恩其僭率思致興人之言以荅豪末皇恐餘祈倍保鈞重上副眷倚不宣

又與丞相書

某頓首再拜上啓僕射相公鈞座某昨日早遞中忽遽上狀必獲呈免即日伏惟鈞候動止萬福虜自昨日探報後未有繼至者張少傅處見錄到僞牓本必已繳申狂悖之志可見傳聞既廣遠近不無震駭姑示以持重鎮安人心而密計所當爲者以俟朝廷處分然可施行事不一未易遽陳竊料廟謀必皆有定策今沿江一帶自江州直至臨安幾千

餘里順流而下無非可隄防者昨虜兩至江上審觀
形勢已熟四五年來又多得淮浙人講究利害宜無
所不至必不更循舊轍當有出我不意者則我恐亦
不當但以前日待之詢之衆論多謂虜前兩至朝廷
先失之畏而不爲守計故但退避彼得乘以渡江後
失之怯而不爲戰計故僅能守彼師老得以善去今
日之算惟一切反此內力爲守備使纖悉無遺策外
示以戰形使知吾無所憚姑存和議佯爲小屈以觀
其釁彼實畏我則必以謬悠之辭迫我而不敢來懷

疑而未決則必且擁重兵向江以嘗我我堅壁不動與之相持待其糧盡力屈則惟所欲爲不識亦足聽採否日下急務莫若先棄蕩積聚使無所仰食以伐其謀縱有不及亦勝不爲若朝廷不欲便行則但委諸將分爲固不害事我所儲備尤不可緩本路建康最號豐足比計之內外諸司一金以上共不滿七十萬緡米六千萬石而已他州可知常平糴米幷買牛更乞詳度輕重民去接新已近闕牛戶早禾栽插已徧晚禾人各自擘畫亦不至甚病姑存之亦善某職

守過計仰恃眷予不敢自爲形迹輒僭具禀達繼此
有可效區區者亦當節次續聞伏幸寬明貸亮不宣

景定建康志卷之三十五

景定建康志卷之三十六

承直郎宣差充江南東路安撫使司幹辦公事周應合修纂

文籍志四

露布

曹彬平李煜露布行營馬步軍戰棹都總管宣徽南院使義成軍節度使臣曹彬等上尚書兵部臣等聞天道之生成庶類不無雷電之威聖君之統制萬邦須有干戈之役所以表陰慘陽舒之義彰弔民伐罪之功我　國家開萬世之基應千年之運四海盡歸

於臨照八紘皆入於提封西定巴邛復五千里昇平
之地南收嶺表除七十年僣僞之邦巍巍而帝道彌
光赫赫而皇威遠被頃者因緣喪亂分裂土疆累朝
皆遇於暗君莫能開拓中夏今逢於英主無不掃除
惟彼江南言修臣禮外示恭勤之貌內懷姦詐之謀
況李煜比是騃童固無遠略負君親之煦育信左右
之姦邪曾乖量力之心但貯欺天之意修葺城壘欲
爲固守之謀招納叛亡潛萌抵拒之計我
皇帝義深含垢志在包荒輟青瑣之近臣降紫泥之

丹詔曲示推恩之道俾修入覲之儀期暫詣於闕庭庶盡銷於疑間示信特開於生路執迷自履於危途託疾不朝堅心背順士庶咸懷於憤激君親曲爲於優容但矜孤孽之愚蒙慮陷人民於塗炭累宣明旨庶俾自新略無悛悟之心轉恣陸梁之性事不獲已至於用兵大江特拗於長橋銳旅尋圍於逆壘

皇帝陛下尚垂恩宥終欲保全遣親弟從鎰歸回降

天書委曲撫諭務從庇護無所闕焉終懷蛇豕之心不體乾坤之造送蠟書則勾連逆寇肆凶徒則刼掠

王民勞我大軍駐踰周歲旣人神之共怒復飛走以
無門貔貅竟効其先登蟣虱自悲於相弔臣等於十
一月二十七日齊驅戰士直取孤城奸臣無漏於網
中李煜生擒於麾下千里之氛霾頓息萬家之生聚
尋安其在城官吏僧道軍人百姓等久在偏方困於
虐政喜逢盪定皆遂舒蘇望天朝而無不涕洟樂皇
化而惟知鼓舞有以見穹旻助順海嶽知歸當
聖朝臨御之期是文軌混同之日卷甲而兵鋒永戢
垂衣而　帝祚無窮臣等俱乏將材謬司戎律遥稟

一人之睿略幸成九伐之徵勞其江南國主煜并僞
命臣僚既就生擒合將獻捷臣等無任鬭時樂聖慶
快懽呼之至謹奉露布以聞

表狀

張詠到任謝表臣詠言伏奉六月二十七日

勑差臣知昇州軍州兼提舉江南東路兵馬巡檢提賊公事已於八月二十二日到州署事訖恭以道有所存物無不遂臣縈宿疢分合退身皇情重惜其辭榮大鎮許從於臥理感深出涕恩極難言中謝臣聞昔者聖君之御人也博愛溥施包荒濟美九有仰大中之化羣倫無不達之情伏惟

皇帝陛下恭己臨朝推誠接下英斷比於

太祖寬仁類於
太宗謂選能爲共治之資則躬行採錄謂節用爲恤民之本愼乃盤遊加不忘功兼之念舊有若陳緯苦戰田錫直言越次褒延驚駭視聽梁周翰前朝名輩邢昺望苑元勳俱及耄年不許去位非常禮遇優與俸錢四海之人聚首而議以爲
陛下之德有以繼舜齊堯輝宗映祖若周文之兢持未足多也書美昌言禮貴養老未爲奇也雖聖政無涯不可妄紀而生民受賜抑又何名切念臣本族無

稱學文自任爰從中第洎至登朝徒切礪精少防於責實絶無朋比曲借於餘光凡四轉官便叅樞要復三數歲己忝丞郎信明時驟進之身過往哲九遷之遐退量淺劣不稱明揚止在捐軀聊以報國重念臣少因酒過晚覺病多仰天眷以撫安煩國醫之診護其如氣候漸劣根本難瘳既垂侍從之儀實玷衣冠之列豈敢便謀致政堅請分司重闕輒拜於封章小郡覬全於頤養不謂　睿慈惻愍兌懌霑濡作藩更委於兵權赴任仍兼於水路而復中官賜藥內府支

金謂九轉之靈丹可延性命謂三錢之秘寶足了生涯天意所鍾愚臣備識必將垂世流爲美談知微臣遇主之榮比肩舊老廣

陛下愛人之旨接武前呈臣雖事上之少勞

陛下待臣之已甚而況江山秀絕民物駢繁獄訟簡清事務整集上仗神砂之力下因僚吏之勤望保幾年再覲雙闕此愚臣之願

陛下之恩也旣感

陛下憂臣之身臣敢不憂

陛下之事一欲宣導風化惠綏黎元兼令凶伎之人漸識淳和之理憑茲懇款上荅恩休 云云

張詠謝撫問狀

右臣四月日侍御史趙湘到州奉傳聖旨撫問臣治郡不易頭上瘡子痊否祗荷寵靈不任感懼竊念臣素昧攝生早疎戒酒因成癖飲薄在中膈撩之雖得暫通食後依然復故引不歸胃傳之入頭積鬱既多瘡痏斯見醫工切脉惟云五臟以皆安瘍人傅膏未覩一毫之爲減蓋由臣光陰遲暮氣血衰微諒難盡保於痊平止可更堅於調護而幸官

曹知勸黎庶輕徭兼緣靜治之時希有撓心之事覬
延算數上奉君親伏蒙
皇帝陛下曲賜軫憐遠加安撫手舞足蹈似非多病
之身寵異榮深不類具員之列得不恭遵善訓懇守
沖和勵益壯之筋骸了旋生之公事少分憂寄以報
鴻私 云云

又謝傳宣問失火及安撫人戶事狀 右臣今月十四
日得入內內侍殿頭郝昭信到州傳 宣王智家失
火卿何不早與救滅致傷人口仰安撫人戶者拜命

之次驚懼失圖竊念臣謬處要官叨知大郡雖切向公之志全無利物之能況當州經僞號之餘庶事失酌中之理街衢褊隘諒車馬以纔通屋宇低徊復茅竹之相雜一昨陽春始半時雨稍愆烈焰忽飛狂風併作人不及走目不暇旋一食之間千室俱燼雖有貔貅之士參以保甲之民衆力同馳百心一濟併防庫務及護衙城猛勢之中幸而獲免皆疑天火或說人災寔由郡政之未孚致使炎靈之不祐俾民罹禍貽君遠憂臣合自疏愆尤請行典憲甘從深譴以謝

無功伏蒙

皇帝陛下特遣近人遠傳宥命撫安居戶奠祭亾魂被菑之家已識哀矜之意垂白之老兼聞感泣之聲臣敢不益厲赤誠恭求要道期收來效少贖前非臣與經火戶人無任感天荷聖激切屏營之至　云云

曾肇到任謝表　臣肇言伏奉

勑命差知江寧軍府兼江南東路兵馬鈐轄臣已於今月二十四日到任訖七旬魏闕未償去國之思五月彭門曾乏近民之政忽奉除書之賜更叨易地之

優蒞事云初省躬知幸中謝竊念臣學術不足知古而蚤塵侍從之班治行亾以過人而屢忝藩宣之寄矧六朝都邑之舊有四面山川之雄舟楫往來幾半天下師屯節制實總江東屏蔽上都控帶南國折衝禦侮自昔固難其材宣化承流於今尤遴其選豈伊疲愞可副咨求此蓋伏遇

皇帝陛下禮遇臣鄰惠綏黎庶謂臣偶綴 朝廷之近職是宜假寵於名城以臣粗知仁聖之用心因使分憂於遠服謹當夙夜匪懈奉行寬大之書惻怛無

華希慕循良之迹庶收絲髮之効少稱丘山之恩臣
無任感天荷聖激切屏營之至云云太皇太后詞同

江東到任謝表

戎車未殄方勤旰食之憂將鉞分臨
誤忝方維之寄任非所可媿莫獲辭伏念臣頃緣病
衰自投閑散田廬退屏歲月再更當踐土之未還念
朔方之猶熾既不能負羈紲以從奔走之役又不獲
執干戈以宣屏衛之勞誰意眷慈猶叨寄省惟六朝
之舊國控三路之要津虜馬飲江已兆佛狸之死秦
兵出項難逃肥水之誅但媿尩孱知難勉强恭惟

皇帝陛下志存宗社德冒華夷憤醜類之腥聞憫多方之橫潰櫛風沐雨跋履山川推食解衣招徠將士將回鑾而北指用推轂以先驅但臣筋力已疲智謀何有周旋一斝已慙祖逖起舞之言顧視四方安取元龍上牀之意敢不作興士氣申固疆圻陳力不能雖精神之未効見危致命尚宿志之猶存

車駕幸建康府李綱起居表臣某言伏覩都進奏院報　車駕以二月二十七日進發臨幸建康府者乾旋坤轉共知天意之回雷動風行頓覺皇威之暢御

六龍以于邁屯萬乘於要區三靈歡欣四海呼舞中賀

竊以江左之形勝莫如建鄴之雄渾自昔稱帝王之州於今爲東南之會控引淮海襟帶江湖登惟民物之阜蕃寔乃舟車之輻湊玉麟神璽晉以中興虎踞龍盤吳資用武兵戈之後王氣方隆

皇帝陛下慨國步之多艱憫帝都之未復因之天險濟以人謀高祖之固關中戰必勝而攻必取光武之保河內利則伸而鈍則蟠赤縣神州行遂定都於河洛靈川沃野聊茲臨幸於江山方將張皇六師震疊

中土駕馭貔虎翦屠鯨鯢掃
陵寢之氛埃葺
宗廟之鍾虡恢復故境再臻太平而臣謬被
宸恩濫當閫寄雖長隄新廐竊慕於韋丹顧重鎮上
流有慙於溫嶠心馳魏闕莫參鴛鷺之行地近日畿
益傾葵藿之志

大駕駐蹕建康府奏宗禮起居表

地鍾王氣兆夙見
於前朝名協藩封祥實開於上聖仰鑾輿之再駕知
寰宇之將同 中謝 恭惟

皇帝陛下德邁宣光孝如舜禹勵枕戈之志勤萬乘以親行均挾纊之恩撫六師而爭奮遂臨江次以定域中神靈所扶夷夏咸聳臣昔從清蹕叨侍禁墀夢越秦淮已遠同朝之侶功成京邑庶陪復會之期

葉夢得到任謝表 分東道之封圻再臨江國到北門之管籥密護宸居任非所堪辭不獲命臣某中謝伏念臣去違軒陛俯仰十年退伏丘園棲遲一壑念多壘尚艱則懷捐軀盡瘁之義思大恩未報則有畢命靡它之言敢擇所安自求遠屏喟年齡之浸晚迫疾

恙之交攻惟聖主曲亮此心故愚臣得安其分登期
人之復誤詔除力殫懇款之誠莫動高明之聽勉交
印綬實媿吏民玆蓋伏遇
皇帝陛下惠顧臣鄰憂勤土宇撫萬邦巡侯甸何止
臨踐土之宮會諸侯遥車徒是將復東都之業責其
來効付以舊邦斗運天旋已振荆吳之勝氣風驅電
掃行銷河岱之妖氛但臣陳力不能强顔何補欽承
威旨暫假歲時疆埸無虞儻苟逃於譴累冕旒甚邇
倘終冀於慈憐

謝奏陳金賊退敗降詔奬諭表　正王者之兵既張天討申輿人之誦少達下情仰荷眷慈特膺殊奬臣某
中謝　伏念臣少而不武老益無能當長江禦侮之衝適醜虜敗盟之際惟紂臣有億萬衆皆倒戈攻後之徒而楚惡已數十年亦曷喪皆亾之日戎車既駕我武惟揚敵所愾以爭先首摧凶焰取彼殘而共殄卒掃妖氛惠無矢石之勤濫竊璽書之賜敢懷掠美輒奏罔功茲蓋伏遇
皇帝陛下謀發自中威行無外不震不動圖回每盡

於敵情能弱能彊終始弗逃於聖算欲勵服勞之士故捐假寵之榮臣方以病衰懇祈退免堯言爭誦雖莫酬君父不貲之恩漢禮細書猶足示子孫無窮之寶

謝軍寨遺火放罪表

奉職不虔自貽曠敗撫躬引咎方俟譴訶仰荷寬慈曲從貸釋中謝伏念臣素無遠用本實凡材沈迷簿領之間徒勞無補出入兵戈之際愈久益踈誤竊守符仍司留鑰既不能折衝彊敵少盡力於疆陲又無以和輯疲民使安生於閭里致令非意罔戒不虞知重廢於官常敢幸逃於吏議兹

蓋伏遇

皇帝陛下謹微接下以德行仁雖愛憫黎元如御朽索之馬而保全臣子每漏呑舟之魚念將迫於終更俾不汚於後累臣敢不勉殫衰懦深務省循豈不懷歸來遂乞身之請退思補過終懃報國之心

辭免資政殿大學士竊惟幸不可數常情所畏老而戒得前訓甚明非至愚迷孰不知警而況身忝近臣職當劇任方

陛下信賞勸功之日而羣臣忘身爲國之時此而不

愚曷逃大戾伏念臣出入侍從殆涉三紀中閒坐閑幾過其半固未嘗有一言一事見稱於世可報廩食之責而榮名厚祿每以冒居退自省量常若芒刺在己今者待罪近藩甫踰二年雖簿書米鹽躬督僚吏夙夜盡瘁乃其職事所當爲至於

陛下愛恤疲民欲其蕃庶整齊軍旅欲其安彊則無豪髮之效而進官未幾加職繼下況資政殿設大學士　眞宗皇帝特創以爲近弼非常之寵累朝不輕與人臣獨何心乃敢貪取欲望　聖慈察其危情出

於懇迫不敢但同常禮屢勤　詔旨許令特賜罷免
使臣垂白之年粗免清議得竊知恥止足之名
陛下所賜已多雖一日九遷何以復加

謝資政殿大學士表　一字之褒仰勤明訓十旬之內
再沐誤恩懇辭莫效於精誠祇命惟增於戰慄中謝
伏念臣逢時過幸受寵居多積丘山未報之私無豪
髮可論之效豈不曰知難而退悼此志之未伸固嘗
懷見義必爲曾餘生之何有矧兹黠虜方正嚴誅驅
太原北伐之師雖卽期於殄滅保洛邑東郊之衆可

無待於撫綏自省何勞能當異數茲蓋伏遇
皇帝陛下矜存舊物駕御群材視臣鄉於股肱蓋欲
奔趨而承事以爵祿爲砥石又將磨厲以勸功重假
衰殘申加獎飾佩景德升班之意敢陪近弼之殊榮
追修文創始之名尤媿諸儒之極選雖期隕首莫稱
所天

辭免觀文殿學士仍再任臣今月某日準御前金
字牌降到尚書省劄子一道伏奉聖恩除臣觀文
殿學士令再任者聞命震驚罔知攸措伏念臣衰病

餘生昨者誤蒙　聖知起之閑廢付以一面雖夙夜罄竭疲駑自知無以報稱故頻年屢干天聽乞從罷免仰荷眷私未即報可遷延已及終更方跼蹐以俟
俞旨忽聞有此除授退量已試之效實無秋毫小補豈敢重媿軍民輒懷貪冒兼觀文殿學士職名
祖宗故事藩鎮外除無幾臣獨何人可當異數伏望
天高聽卑俯察危懇特賜寢罷新命檢會臣前後累
奏除一外任宮觀差遣

謝觀文殿學士表

恩非所稱難逃負乘之譏命出非

常莫獲循牆之避重勤訓飭倍極兢危臣某中謝竊
惟學士建名雖與前代近臣分職蓋始　本朝至於
易文明顧問之稱冠祕殿寵褒之盛仰觀故事尤號
殊榮爰歷艱難蓋多勳德以舊臣宣勞于外罔不乏
人由建炎越次而除則無前比乃如固陋其敢叨逾
兹蓋伏遇
皇帝陛下義篤臣鄰憂深中外謂與之名者將求其
實而使之禮者必報其忠故於賢賢蒐選之間每有
下下幷包之意重念臣受材至薄涉世多艱少日量

能尙有滿盈之戒暮年多取豈無顛覆之憂雖願竭
於餘生恐終辜於大造

謝再任表 三載黜幽方懼干於明憲再命而偃忽荐
被於異恩不稱所蒙重慙非據臣某中謝伏念臣蚤
由疎賤誤竊寵榮　先朝濫寘於從班
陛下擢登於政路己迫衰殘自知陳力之無堪惟有
乞身而退屏逮謀帥閫仍玷留都故連年雖幸於苟
安而無歲不祈於罷免乃蒙全貸偶及終更惟鼯鼠
五技之旣窮亦駑馬十駕之何及豈期過聽更責後

圖茲蓋伏遇
皇帝陛下體貌羣工作興庶政念其拳拳忠欵初非
有愛於餘生察其齷齪廉勤猶未遽縱於大過姑令
代匱豈曰因能丁寧殆至於再三感勵難酬於萬一
臣敢不欽承德意勉激愚衷苟子產見推晚或容於
鄭俗雖廉頗已老終無憾於趙人

賀大朝會表

宸心抑畏曠盛典而弗居羣議載揚幸
戎兵之始間是爲周禮豈非漢儀臣某中賀恭惟
皇帝陛下基命昊天紹休文祖惟聰明叡智而不殺故

能服天下無所用威旣艱難險阻之備嘗則必履帝位以大居正路車在列鍾虡畢陳湛露惟晞共仰朝陽之盛橫流式遏敢忘巨海之歸臣假守外藩獲逢熙事五侯奉幣濫居邦甸之先萬壽稱觴莫預公王之末

葉適到任謝表

內參從橐之華外付帥垣之重蓋人以爲寵而臣之所憂 中謝 伏以行宮蒙
高宗臨御之頻建鄴爲六朝都邑之舊感時雖遠撫事尙存義報仇讎安得不居今而思古慮先根本則豈容忘實而徇名藩墻初銳於掃除堂奥遽煩於備

警江流回繞遂將數里而屯民力空殫必也計丁而役募市人至萬數閱水艦且千餘欲以歲年之規責於旬月之近自憐憂患復苦病昏忽被趣行罔知攸措此蓋伏遇

皇帝陛下文訓武克天施地生觀衣袖濡曳之爻所宜戒懼誦桑土綢繆之句尤在恩勤臣敢不怵惕以預防拊循而夙具視身衰謝已無欲速之心憑國威靈願附不爭之勝

趙葵到任謝表

臣葵言恭準四月十八日制可授臣

樞密使兼參知政事督視江淮京西湖北軍馬續準
御筆兼知建康府　行宮留守江東安撫使尋具辭
免三省同奉
御筆不允不得更有陳請臣已於五月二十六日就
鎮江府交割江東安撫使職事今來又於六月初九
日到建康府交割建康府　行宮留守司職事管幹
訖者濫陪兵本何裨立武之功峻陟使權乃冒視師
之任申命兼司於筦鑰誤恩仍被於絲綸疊是龍光
凜然蚉負茲飲冰而就道已涓日而臨戎中謝竊惟

帷幄任顓既出膺於隆委宫府體一斯克應於危機未有脉絡不貫而忠可輸未有心德不孚而事可集嘗觀往轍徒抱壯懷雖當奬率三軍之秋莫展經營四國之志兵事盡付節度寧免拘攣明主可爲忠言尚存形迹緊欲汔寬於憂顧允惟信任而責成如臣者多病早衰至愚極陋夙嘗艱險僅逃乏絶之譏晚被簡知冞積僥踰之懼憂時之髮已白體國之心尚丹典樞要則無運動之精神翊政機則蔑贊襄之智略素餐尸位人謂斯何爲靳汗顔技止此爾比籲天

而瀝悃謂指日以投閑宥密高聯倏拜超遷之渥丁寧坦制趨爲督護之行勉之以不從中御之詞繼之以汝擇自從之訓聖恩天大臣懼淵臨果曷稱於倚毗但莫勝於隕越茲蓋恭遇

皇帝陛下乾坤覆育日月照臨明目達聰廣虞舜知人之哲謹微援下懋宣王復古之勛俾申飭於師干庸布昭於聖武凡叨任使疇不激昂臣敢不仰體宸心俯殫臣節鞠躬盡力所當無歉於前修禦侮折衝尚覬少收於後效臣無任

趙葵辭免轉官表臣葵言伏蒙聖恩以臣視師期年
特轉三官依前樞密使兼參知政事督視江淮京西
湖北軍馬兼知建康府江東安撫使　行宮留守仍
加恩壽具辭免特降詔書不允者囊封飛奏懇還褒
賞之榮鑾禁出綸曲示訓辭之寵冀汔收於誤渥庸
疊冒於聰聞　中謝　臣竊稟廟謨出提師律謹守平平
之策曾無赫赫之名受任期年技已窮而宜去祈閑
累疏言雖切而弗俞爰仰體於眷留用復祗於戍役
倘虞綿力莫濟後艱至若計官資之崇卑較邑封之

多少臣之素志實匪敢知夫何誕布於恩徽抑且申
嘉於戎捷邊城卻敵蓋將士之勤勞淮水安流本朝
廷之威德而臣下掠衆美上冒洪私儻復昧於牢辭
將重干於大戾伏望
皇帝陛下執馭臣之轡策謹在笥之衣裳念臣忝備
端樞於寵榮而已極察臣偶無闕事乃職分之當爲
弭拘反汗之嫌俯徇由衷之請俾仍舊秩用穆僉言
所有恩命臣未敢祇受臣無任瞻
天望　聖激切屏營之至

馬光祖到任謝表

臣光祖言伏奉告命除臣沿江制置大使知建康府兼江東安撫使臣除已於四月初三日到任交割職事望闕遥謝祇受訖者荆州授代祈返故廬書殿陛班還畀舊鎮大恩天造危涕雨零已延見於吏民如歸對其子弟謂臣去畀之後纔及一年謂臣守邊以來老已數倍臣具宣德意咸得歡心中謝 載念臣蒙被簡知常加鞭辟雖一日欲辦一日之事毋敢惰容然三邊自有三邊之才終慚本色曩風濤之震撼毎雨露之涵濡既全孤蹤復誤殊渥

恩言嘉獎豈但再三溫旨慰存非止一二臣際逢明
聖殊異尋常他無稱塞之方惟竭馳驅之力深惟閫
寄尤切江防綢繆牖戶之當先綿絡舟船之當急兵
當使練民當使安昔素幸其相孚今仍持於不擾嘗
以重來之意揭諸四達之衢上昭皇仁下盡臣職茲
蓋恭遇
皇帝陛下文武並用功德兼隆朝夕憂勤至損玉食
時幾謹勅思保金甌厚司馬瀘之賞以激士心輟奉
宸庫之財以濟國用爰重陪都之寄濫叨易地之除

臣敢不體奎晝之丁寧于風采而振飭忠信以事其
上直可通天死生不入於心惟知報國臣無任感
天荷聖激切屏營之至

馬光祖謝賜大使印表

麟符改畀增重使名龜印肇
頒有華恩命矩陰陽而辨器爐天地以成功八字昭
垂百神參護中謝伏念臣身叨授鉞才匪攻金砥礪
孤忠不移水火之性銷磨萬事猶存鐵石之心奉綈
詔以重來愧鉛刀之再割爰趣有司之刻式隆外閫
之權森玉筋以分明儼金窠而妥帖江山精采壁壘

煇煌茲蓋恭遇

皇帝陛下同符三皇作信萬國公侯封而論賞曾無刓獘之私聚治效以賜書具嚴勉勵之意用廣陶鎔之造俾膺虆若之榮臣敢不奉以欽行守而勿墜恐威稜寖減望風乏解綬之人逮邊鄙庶寧卽日上歸田之疏

馬光祖謝授資政殿大學士表上公制勝賞及濟師遼殿陛班任仍顧閫所謂因人而成事是爲不稼而取不牢辭弗兪旨受知愧 中謝 臣竊觀大學士之選

間寵舊輔臣之尊祥符賜敏中之詩參以兩制康定
如梁適之請止於二員凡特冠於隆名蓋有資於庶
政我祖宗所不輕授故臣子以爲至榮矧管鑰之寄
要在當仁而鉛刀之材已試弗績乃敘謨渥更衍眞
畬伏念臣本乏異能過叨繁使屬蟻蜂之巢聚上貽
當宁之憂率貔虎以舟征外禀宣威之令賴武經之
密運致畧緯之森明皆謝安授將之功皆裴度董師
之力於臣何有敢意此除茲蓋恭遇
皇帝陛下剛健時行武文天運謂　朝廷之名器不

以假人謂軍國之紀綱先乎信賞知臣雖無可用之
實察臣粗守不欺之忠爰錫袞襃聊示甄别臣敢不
誓訓獎拔徒恨衰頹䰅伎已窮況復過飲河之量駑
材既頓恐難妨歷塊之良

馬光祖謝授觀文殿學士表

尼職留臺慙無寸效通班書殿序進一階儼分野之不移赫觀瞻之自改中謝
眷延恩之邃幄本集瑞之秘庭爰攷先朝以待舊輔
臣之禮亦有宰揆未加大學士之名至於外臣之叨
除蓋亦歷年而間見允爲異數顧可冒居乃若臣愚

濫承人乏少仕州縣但服勞於期會之間晚際
聖明遂許　國以馳驅之事克恭朝夕惟命東西誦
諸葛討賊之詞慨然太息慕充國請行之勇疑是前
生雖兩闕之間粗免疎虞然三軍之事竟非習熟而
況老將至而耄及食既少而事煩歲月暮遲疾疢縈
絆臣爲此懼將削牘以祈閑　帝矜其愚又加恩而
因任循牆無計望闕知歸茲蓋伏遇
皇帝陛下聖策有功常德立武謹微接下聿嘉庭燎
之規復古會侯克振車攻之業致令冗散獲與訓齊

臣惟有瘖痳鐵衣摩挲石鼓覩人文以化天下雖莫
輔於緝熙錫　王命以在師中尙力全於正吉

景定建康志卷之三十六

景定建康志卷之三十六

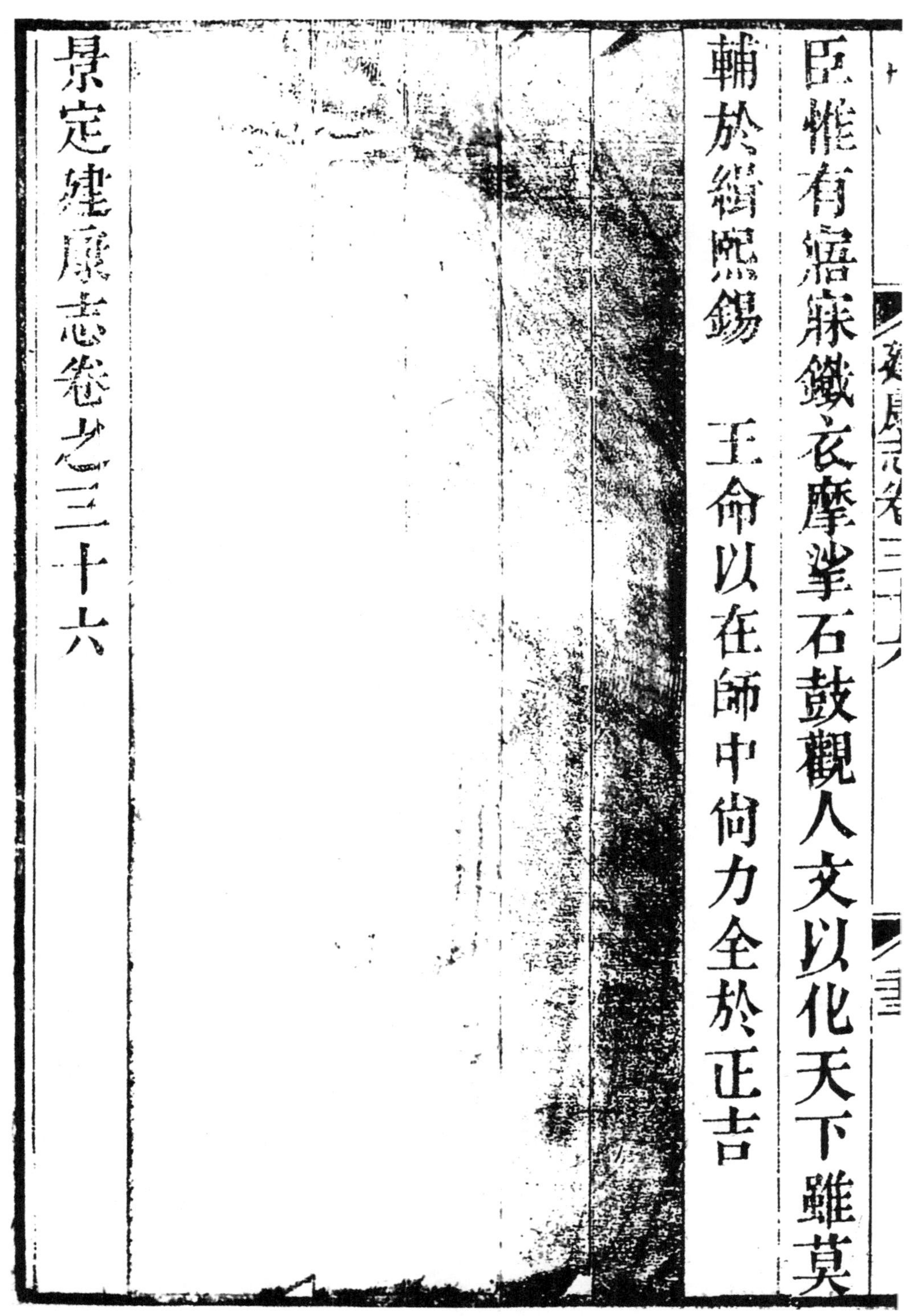

景定建康志卷之三十七

承直郎冝差充江南東路安撫使司幹辦公事周應合修纂

文籍志五

詩章

此卷不能盡者各載于諸志所爲作之下

陶潛初爲劉裕參軍日賦詩臧榮緒晉書曰宋武帝行鎮軍將軍沈約宋書曰陶潛字淵明潯陽人少有高趣爲鎮軍參軍後爲彭澤令解印綬去職

弱齡寄事外委懷在琴書被褐欣自得屢空常晏如時來苟宜會宛轡憩通衢投策命晨旅暫與園田疎眇眇孤舟遊緜緜歸思紆我行豈不遥登降千里餘目倦脩塗異心

念山澤居望雲慙高鳥臨水愧遊魚眞想初在衿誰謂形迹拘聊且憑化遷終反班生廬淵明初爲參軍時已察事變志於遯世矣○辛丑歲七月赴假夜行塗口詩沈約宋書曰潛自以曾祖晉世宰輔不復屈身後代自高祖王業漸隆不復肎仕所著文章皆題年月義熙已前則書晉氏年號自永初已來唯云甲子而已閑居三十載遂與塵事冥詩書敦宿好林園無世情如何舍此去遥遥至西荆叩枻新秋月臨流別友生涼風起將夕夜景湛虛明昭昭天宇闊皛皛川上平懷役不遑寐中宵尚孤征商歌非吾事依依在耦耕投冠旋舊墟不爲好爵縈養眞衡茅下

庶以善自名○金陵阻風雪書寄楊江寧一作新林浦阻風寄友人潮水定可信天風難與期清晨西北轉薄暮東南吹以此難挂席洄沿頗淹遲使素金陵書又刀賢宰郢綍歌止過客慰化闕京師海月破團景菰蔣生涼池昨日北湖花初開未滿枝今看白門柳夾道垂青絲歲物忽如此我來復幾時紛紛江上雪草草客中悲明發板橋浦空吟謝朓詩

謝朓作鼓吹曲江南佳麗地金陵帝王州逶迤帶綠水迢遞起朱樓飛甍夾馳道垂楊蔭御溝凝笳翼高

蓋疊鼓送華輈獻納雲臺表功名良可收○游東田

詩朓有莊在鍾山東游還作慼慼苦無悰攜手共行樂尋雲陟累

榭隨山望菌閣遠樹曖仟仟生煙紛漠漠魚戲新荷

動鳥散餘花落不對芳春酒還望青山郭

高蟾金陵晚望詩曾作浮雲歸晚翠猶陪落日汎秋

聲世間無限丹青手一片傷心畫不成

司空文明金陵懷古詩輦路江楓暗宮潮野草春傷

心庾開府老作北朝臣

顏延之作釋奠詩文帝元嘉二十年三月皇太子劭釋奠于國學延年奉詔而作詩

國尚師位家崇儒門稟道毓德講藝立言浚明爽曙
達義茲將永瞻先覺顧惟後昆大人長物繼天接聖
時屯必亨運蒙則正偃閉武術闡揚文令庶士傾風
萬流仰鏡虞庠飾館睿圖炳睟懷仁憬集抱智麕至
踵門陳書躡蹻獻器濯身元淵宅心道祕伊昔周儲
聿光往記思皇世哲體元作嗣資此夙知降從經志
遏彼前文規周矩植正殿虛筵司分簡日尚席函杖
丞疑彝帙侍言稱辭惇史秉筆妙識幾音王載有述
肆議芳訊大教克明敬躬祀典告奠聖靈禮屬觀盥

樂薦歌笙昭事是肅俎實非馨獻終龔吉卹宮廣讌堂設象筵庭宿金懸台保兼徽皇戚比彥肴乾酒澄端服整弁六官眡命九賓相儀纓笏帀序巾卷充街都莊雲動野植風馳倫周伍漢超哉邈猗清暉在天容光必照物性其情理宣其奧亥先國冑側聞邦教徒愧微冥終謝智効

沈約 登鍾山作靈山紀地德地險資嶽靈終南表秦觀少室邇王城翠鳳翔淮海衿帶繞神垧北阜何其峻林薄杳葱青發地多奇嶺干雲非一狀合沓共隱

天參差互相望鬱律構丹巘崚嶒起青嶂勢隨九疑
高氣與三山壯卽事旣多美臨眺殊復奇南瞻儲胥
觀西望昆明池山中咸可悅賞逐四時移春光發壟
首秋風生桂枝多值息心侶結架山之足八解鳴澗
流四禪隱巖曲窈冥終不見蕭條無可欲所願從之
游寸心於此足君王挺逸趣羽斾臨崇基白雲隨玉
趾青霞雜桂旗淹留訪五藥顧步佇三芝於焉仰鑣
駕歲暮以爲期

李白 金陵歌送别范宣石頭巉巖如虎踞凌波欲過

滄江去鍾山龍盤走勢來秀色橫分歷陽樹四十餘帝三百秋功名事跡隨東流白馬小兒誰家子泰清之歲來關囚（一作白馬金鞍誰家子吹脣虎嘯鳳凰樓）金陵昔時何壯哉席卷英豪天下來冠蓋散爲煙霧盡金輿玉座成寒灰扣劒悲吟空咄嗟梁陳白骨亂如麻天子龍沉景陽井誰歌玉樹後庭花此地傷心不能道目下離離長春草送爾長江萬里心他年來訪商山皓○金陵三首晉室（一作家）南渡日此地舊長安地卽帝王宅山爲龍虎盤金陵空壯觀天塹（一作江塞）淨波瀾醉落囘橈

去吳歌且自歡一作誰云行路難　又地擁金陵勢城迴江一作漢
水流當時百萬戶夾道起朱樓亡國生春草王宮沒
古丘空餘後湖月波上對滄洲一作瀛洲　又六代興亡國
三杯爲爾歌苑方秦地少一作小　山似洛陽多古殿吳
花草深宮晉綺羅併隨人事滅東逝與一作只　滄波○
登梅崗望金陵贈族姪高座寺僧中孚鍾山抱金陵
霸氣昔騰發天開帝王居海色照宮闕羣峰如逐鹿
奔走相馳突江水九道來雲端遙明沒時遷大運去
龍虎勢休歇我來屬天清登覽窮楚越吾宗挺禪伯

特秀鸞鳳骨衆星羅青天明者獨有月冥居順生理
草木不翦伐煙颸引薔薇石壁老野蕨吳風謝安屐
白足傲履襪幾宿一下山蕭然忘干謁談經演金偈
降鶴舞海雪時聞天香來了與世事絶佳遊不可得
春去惜遠別賦詩留巖屏千載庶不滅○贈昇州王
使君忠臣六代帝王國三吳佳麗城賢人當重寄天
子借高名巨海一邊靜長江萬里清應須救趙策未
許棄侯嬴○別金陵諸公海水昔飛動三龍紛戰爭
鍾山危波瀾傾側駭奔鯨黃旗一掃蕩割壞開吳京

六代更霸王遺跡見都城一作遇都見空城至今秦淮間禮樂秀羣英地扇鄒魯學詩騰顏謝名五月金陵西祖余白下亭欲尋廬峰頂先繞漢水行香爐紫煙滅瀑布落太清若攀星辰去揮手緬含情○金陵泝流翫月達天門因寄句容王簿滄江泝流歸白壁見秋月秋月照白壁皓如山陰雪幽人停宵征賈客忘早發進帆天門山廻首牛渚没川長信風來日出宿霧歇故人在咫尺新賞成胡越寄君青蘭花惠我庶不絕○遊金陵贈同旅朝登北湖亭遥望瓦屋山天清白

露下始覺秋風還遊子託主人仰觀眉睫間日一作目色送飛鴻邈然不可攀長吁相勸勉何事來吳關聞有貞義女振窮溧水灣清光了在目一作眼白日如披顏高墳五六墩崒兀栖猛虎遺跡翳九泉芳名動千古子胥昔乞食此女傾壺漿運開展宿憤入楚鞭平王凜冽天地間聞名若懷霜壯夫或未達十步九太行與君拂衣去萬里同翱翔○金陵聽韓侍御吹笛

韓公吹玉笛倜儻流英音風吹繞鍾山萬壑皆龍吟王子停鳳管師襄掩瑤琴餘響渡江去天涯安可尋

○春日陪楊江寧宴感古作昔聞顔光祿攀龍宴京湖樓船入天鏡帳殿開雲衢君王歌大風如樂豐沛都延年獻嘉作邈與詩人俱我來不及此獨立鍾山孤楊宰穆清飈芳聲騰海隅英寮滿四座粲若瓊林敷鷁首弄倒景蛾眉綴明珠新絃採梨園古舞嬌吳歈曲度繞雲漢聽者皆歡娛雞棲何嘈嘈沿月沸笙竽古之帝宮苑今乃人樵蘇感此勸一觴願君覆瓢壺榮盛一作盛時當作樂無令後賢吁○金陵江上遇蓬池隱者時於落星石上以紫綺裘換酒爲歡心愛名山遊身隨名山遠

羅浮麻姑臺此去或未返遇君蓬池隱就我石上飯
空言不成歡强笑惜日晚綠水向鴈關黃雲蔽龍山
歎息兩客者徘徊吳越間相語一執手留連夜將久
解我紫綺裘且換金陵酒酒來笑復歌興酣樂事多
水影弄月色清光奈愁何明晨掛帆席離恨滿滄波
○金陵城西樓月下吟金陵夜寂涼風發獨上西樓
望吳越白雲映水搖秋光白露如珠滴秋月月下長
吟久不歸古今相接眼中稀解道澄江靜如練令人
却憶謝元暉○月夜金陵懷古蒼蒼金陵月空懸帝

王州天文列宿在霸業大江流綠水絕馳道青松摧老丘臺傾鳷鵲觀宮沒鳳凰樓别殿悲清暑芳園罷樂遊一聞歌玉樹蕭颯後庭秋○戲贈鄭溧陽陶令日日醉不知五柳春素琴本無絃漉酒用葛巾清風北窗下自謂羲皇人何時到溧里一見平生親○贈溧陽宋少府陟李斯未相秦且逐東門兎宋玉事襄王能爲高唐賦常聞渌水曲忽此相逢遇掃灑青天開豁然披雲霧威蕤紫鸞鳥巢在崑山樹驚風西北吹飛落南溟去早懷經濟策特受龍顏顧白玉棲青

蠅君臣怱行路人生感分義貴欲呈丹素何日清中原相期廓天步○猛虎行朝作猛虎行暮作猛虎吟腸斷非關隴頭水淚下不爲雍門琴旌旗繽紛兩河道戰鼓驚山欲傾倒秦人半作燕地囚胡馬飜銜洛陽草一輸一失關下兵朝降夕叛幽薊城巨鼇未斷海水動魚龍奔走安得寧頗似楚漢時飜覆無定止朝過博浪沙暮入淮陰市張良未遇韓信貧劉項存亡在兩臣暫到下邳受兵略來投漂母作主人賢哲栖栖古如此今時亦棄靑雲士有策不敢犯龍鱗竄

身南國避胡塵寶書長劍挂高閣金鞍駿馬散故人昨日方爲宣城客掣鈴交通二千石有時六博快壯心遶牀三匝呼一擲楚人每道張旭奇心藏風雲世莫知三吳邦伯皆顧眄四海雄俠相追隨蕭曹曾作沛中吏攀龍附鳳當有時溧陽酒樓三月春楊花茫茫愁殺人胡人一作胡雛綠眼吹玉笛吳歌白紵飛梁塵丈夫相見且爲樂槌牛撾鼓會衆賓我從此去釣東海得魚笑寄情相親

杜甫 送許八拾遺歸江寧覲省 甫昔時嘗客遊此縣於許生處乞瓦棺寺

維摩圖樣志諸篇末詔許辭中禁慈顏起北堂聖朝新孝理祖席倍輝光內帛擎偏重宮衣著更香淮陰新夜驛京口渡江航春隔雞人晝秋期鸞子涼賜書誇父老壽酒樂城隍看畫曾飢渴追蹤恨淼茫虎頭金粟影神妙獨難忘

韋莊 金陵圖江雨霏霏江草齊六朝如夢鳥空啼無情最是臺城柳依舊煙籠十里堤

劉禹錫 金陵懷古王濬樓船下益州金陵王氣黯然收千尋鐵鎖沉江底一片降幡出石頭人世幾回思往事

山形依舊枕江流而今四海爲家日故壘蕭蕭蘆荻秋

沈彬金陵雜題王氣生秦四百年晉元東渡浪花船正憇海內皆塗地來保江南一片天古樹着行臨遠岸暮山相亞出微煙千征萬戰英雄盡落日牛羊食野田○暮潮聲落草光沉賈客來帆宿岸陰一笛月明何處酒滿城秋色幾家砧時淸曾惡桓溫盛山翠長牽謝傅心今日到來何物在碧煙和雨鎖寒林○再過金陵玉樹歌終王氣收鴈行高送石城秋江山不管興亡事一任斜陽伴客愁

王貞白金陵懷古恃險不種德興亡歎數窮石城幾換主天塹謾連空御路疊成塚臺基聚牧童折碑猶有字多紀晉英雄○又六代江山在繁華古帝都亂來城不守戰後地多蕪寒日隨潮落歸帆與鳥孤興亡多少事回首一長吁

杜牧金陵始發碧江口曠然諧遠心風清舟在鑑日落水浮金瓜步逢潮信臺城過鴈音故鄉何處是雲外卽喬林

羅隱過江寧縣前水色細鱗鱗一爲夫君弔水濱謾

把文章矜後代可知榮貴是他人鬻偷舊[redacted]
草賴餘吟盡解春我亦有心無處說等閒停棹似迷
津○夜泊金陵冷煙輕澹傷衰藜此夕秦淮駐斷蓬
棲鴈遠驚沽酒火亂鴉高避落帆風地銷王氣波聲
急山帶秋陰樹影空六代精靈人不見思量應在月
明中○又玉樹歌聲澤國春纍纍輜重憶亡陳垂衣
端拱渾閒事忍把江山乞與人○又潮平遠岸草侵
沙東晉衰來最可嗟庾舅已能窺帝室王郎還是預
人家山寒老樹啼風曲泉暖枯骸動芷牙欲起九原

看一遍秦淮聲急日西斜

李羣玉 秣陵懷古野花黄葉舊吴宫六代豪華燭散風龍虎勢衰佳氣歇鳳凰名在故臺空市朝遷變秋蕪緑墳壠高低落照紅霸業鼎圖人去盡獨來惆悵水雲中

崔塗 金陵懷古葦聲蕭颯水天秋吟對金陵古渡頭千載是非輸蝶夢一罇風雨属漁舟若無仙分應須老幸有山歸即合休何必登臨更惆悵本來身世只如浮

唐堯臣金陵懷古晉末英雄起神器淪荒服胡月蝕中原白日升晹谷金陵實形勝關山固重複巨壑隍北墉長江塹西隩鑿山擬嵩華穿地象伊穀草昧席蘿圖華路戴黃屋一時因地險五世享天祿禮樂何煌煌文章紛郁郁多士春林秀作頌淸風穆出入三百年朝事幾翻覆欃槍如雲勃鯨鯢旋自曝倦閏金鼎移騾覩靈龜卜吁嗟王氣盡坐悲天運倏天道何茫茫善淫乃相復行路偏衣半遂亡大粱族日隱汀洲上艫舳登川陸月迴吳山樹風間楚江鵠因依蘭

九

蕙蘘採擷不盈掬

皮日休金陵道中酬茅山廣文南陽博士寒嵐依約認華陽遙想高人卧草堂半日始齋青飿飯移時空印白檀香鶴雛入夜歸雲屋乳管逢春落石床誰道夫君無伴侶不離窻下見羲皇○住在華陽第八天望君唯欲結良緣堂扃洞裏千秋鳫厨盎巖根數井泉壇上古松疑度世觀中幽鳥恐成仙不知何事迎新歲烏納裘中一覺眠○五色香煙惹内文石飴初熱酒微醺將開丹竈那妨鶴欲算碁圖却望雲海氣

半生當洞見瀑冰初坼隔山聞如何世外無交者一臥金壇秖有君

孟郊 溧陽秋霽晚雨曉猶在蕭寥激前階星星滿衰鬢耿耿入秋懷舊識半零落前心驟相乖飽泉亦恐醉惕宦肅如齋上客處華地下寮宅枯崖叩高占生物齟齬囘難諧○溧陽唐興寺觀薔薇花忽驚紅琉璃千艷萬艷開佛火不燒物淨一本作靜香空徘徊花下印文字林間詠觴杯羣官餞宰官此地車馬來

許渾 贈茅山高拾遺諫獵歸來綺季歌大茅峰影薄

秋波山齋留客掃紅葉野艇送僧披綠莎長覆舊圖棊勢盡遍添新品藥名多雲中黃鵠日千里自宿自飛無網羅

李德裕陪金陵府相中堂夜宴滿耳笙歌滿眼花滿樓珠翠勝吳娃因知海上神仙窟只似人間富貴家繡戶夜攢紅燭市舞衣晴曳碧天霞聲愁夜半青娥散楊子江頭月未斜〇寄茅山孫尊師何地最翛然華陽第八天松風清有露蘿月靜無煙乍警瑤壇鶴時嘶玉樹蟬欲馳千里戀唯有鳳門泉〇石上溪蓀

發紫茸碧山幽藹水溶溶菖花定是無人見春日唯應羽客逢○獨尊蘭渚翫馳暉閒倚松窻望翠微遙想春山明月曉玉壇清磬步虛歸

崔顥 詠江畔老人怨江南年少十八九乘舟欲渡青谿口青谿口邊一老翁鬢眉皓白已衰朽自言家代仕梁陳垂朱拖紫三十人兩朝出將復入相五世疊皷乘朱輪父兄三葉皆尚主子女四代爲妃嬪南山賜田擁御苑北宮甲第連紫宸直言榮華未休歇不覺山崩海將竭兵戈亂入建康城煙火連燒未央闕

衣冠士子陷鋒刃良將名臣盡埋沒山川改易失市
朝衢路縱横塡白骨老人此時尚少年脫身走得投
海邊罷兵歲餘未敢出去鄉三載方來旋蓬蒿忘郤
五城宅草木不識靑谿田雖然得歸到鄉土零丁貧
賤長辛苦採樵屢入歷陽山刈稻常過新林浦少年
欲知老人歲豈知今年一百五君今少壯我已衰我
昔少年君不覩人生貴賤各有時莫見羸老相輕欺
感君相問爲君說說罷不覺令人悲

孫逖雜言丹陽行詩丹陽古郡洞庭陰落日扁舟此

路舜傳是東南舊都處金陵中斷碧江深在昔風塵起京都亂如燬雙闕戎虜閙千門戰場裏傳閙一馬化爲龍南渡衣冠亦願從石頭橫帝里京口拒戎峰青楓林下迴天蹕杜若洲前轉國脊都門不見河陽樹輦道唯聞建業鍾中原悠悠幾千里欲掃欃槍未云已英雄傾奪何紛然一盛一衰如逝川可憐宮觀重江裏金鏡相傳三百年自從龍見聖人出六合車書混爲一昔年王氣今何在併向長安就堯日荊榛古木閉荒阡共道繁華不復全赤縣餘存江樹月黃

圖半入海人煙暮來山川登臨遍覽古愁吟淚如霰
唯有空城多白雲春風淡蕩無人見

許渾金陵懷古玉樹歌殘(一作愁)王氣終景陽兵合戍(一作晝)樓空松(一作梧)楸遠近千官冢禾黍高低六代宮
石燕拂雲晴亦雨江豚吹浪夜還風英雄一去豪華
盡唯有青山似洛中○秋日寄茅山高拾遺一笛迎
風黃葉飛強攜刀筆換荷衣潮寒水國秋砧早月暗
山城夜漏稀巖響遠聞樵客過浦深遙送釣童歸中
年未識從軍樂虛近三茅望少微○茅山贈梁尊師

雲屋何年客青山白日長種花春掃雪看籙夜焚香上象壺中闊平生夢裏忙幸承僊籍後乞取大還方○遊茅山步步入山門僊家鳥徑分漁樵不到處麋鹿自成羣石面迸出水松頭穿破雲道人星月下相次禮茅君

李司徒建勲闕下偶書寄孫員外長安驅馳地貴賤共悠悠白日誰相促勞生自不休鳳翔雙闕曉蟬噪六街秋獨有南宮客時來話釣舟○離闕下日感恩二年塵冒處中台喜得南歸退不才卽路敢期皇子

送出關猶有御書來未知天地恩何報翻對江山思莫開斜日葦汀凝立處遠波微颺翠如苔

王安石

和元微之重感南唐事叔寶傾陳衍弊梁可嗟曾不見興亡齋祠父子終身費酣詠君臣舉國荒南狩皖山非故地北師淮水失名王天移四海歸眞主誰誘昏童肯用長○和金陵懷古懷鄉訪古事悠悠獨上江城滿目秋一鳥帶煙來別渚數帆和雨下歸舟蕭蕭暮吹驚紅葉慘慘寒雲壓舊樓故國凄涼誰與問人心無復更風流○和陳輔金陵事南郭先

生比鷓鴣年年過我未愆期休論王謝當時事大抵烏衣秪舊時○和吳御史臨淮感事柵鏁城扉曉一開掩牙車軸轉成雷黃塵欲礙龜山出白浪空分汴水來澄觀有材邀昧陋齊雲無力報奸回騷人此日追前事悲氣隨風動管灰○送吳龍圖知江寧才高明主睠方深屬郡聞風自革心閭里不須多按治山川從此數登臨茅簷坐隔雲千里栢壟初抽翠一尋東望泫然知有寄但疑公豈久分襟○贈上元宰白下有賢宰能詩如紫芝民歎自不忍縣治本無爲風

月誰同賞江山我亦思粉牆侵醉墨怊悵綠苔滋○臺城寺側獨行春山撩亂水縱橫離落荒畦草自生獨往獨來山下路筍輿看得綠陰成○自金陵至丹陽道中有感數百年來王氣銷難將往事問漁樵花方秦地皆蕪沒山借揚州更寂寥荒埭暗雞催月曉空場老雉挾春驕豪華秖有諸陵在往往黃金出市朝○金陵絕句水際柴門一半開小橋分路入青苔背人照影無窮柳隔屋吹香併是梅○結綺臨春歌舞地荒蹊狹巷一云頽城斷塹兩三家東風漫漫吹桃李非

復當時仗外花○懷古六代豪華空處所金陵王氣黯然收煙濃草遠望不盡物換星移幾度秋畢竟江山誰是主却因歌舞破除休我來不見當時事上盡重城更上樓○出金陵白石岡頭草木深春風相與散衣襟浮雲映郭留佳氣飛鳥隨人作好音○初到金陵江湖歸不及花時空遶扶疎綠玉枝夜直去年看蓓蕾晝眠今日對紛披○乞得膠膠擾擾身五湖煙水替風塵秖將鳧鴈同爲侶不與龜魚作主人○蔣山手種松青青石上歲寒枝一寸巖前手自移聞

道近來高數尺此身蒲柳故應衰○金陵懷古霸祖
孤身取二江子孫多以百城降豪華盡出成功後逸
樂安知與禍雙東府舊基留佛刹後庭餘唱落船窻
黍離麥秀從來事且置興亡近酒缸○天兵南下此
橋江敵國當時指顧降山水雄豪空復在君王神武
自難雙留連落日頻回首想像餘墟獨倚窻郤恠夏
陽裁一葦漢家何事費瞿缸○地勢東回萬里江雲
間天闕古來雙兵纏四海英雄得聖出中原次第降
山水寂寥埋王氣風煙蕭颯滿僧窻廢陵壞冢空冠

劒誰復沾纓醑一缸○憶昨天兵下蜀江將軍談笑士爭降黃旗巳盡年三百紫氣空收劒一雙破堞自生新草木廢宮誰識舊軒窗不須搔首尋遺事且倒花前白玉缸○憶金陵覆舟山下龍光寺元武湖畔五龍堂想見舊時遊歷處煙雲渺渺水茫茫○煙雲渺渺水茫茫繚繞蕪城一帶長蒿目黃塵憂世事追思塵迹故難忘○追思塵迹故難忘翠木蒼藤水一方聞說精廬今更好好隨殘汴理歸艎○凊明輦下懷金陵春陰天氣草如煙時有飛花舞道邊院落日

長人寂寂池塘風慢鳥翩翩故園回首三千里新火傷心六七年青蓋皂衫無復禁可能乘興酒家眠○句容道中荒煙寒雨暮山重草木冥冥但有風二十四年三往返一身長在百憂中○遊鍾山終日看山不厭山買山終待老山間山花落盡山長在山水空流山自閒○兩山松櫟暗朱藤一水中間勝武陵午梵隔雲知有寺夕陽歸去不逢僧○偶向松間覓舊題野人休誦北山移丈夫出處非無意猿鶴從來自不知○榮祿嗟何及明恩愧未酬欲尋西掖路更上

北山頭○鍾山晚步小雨輕風落楝花細紅如雪點平沙槿籬竹屋江村路時見宜城賣酒家○懷鍾山投老歸來供奉班塵埃無復見鍾山何須更待黃粱熟始覺人間是夢間○鍾山絕句澗水無聲遶竹流竹西花草弄春柔茅簷相對坐終日一鳥不鳴山更幽○竹窗紅莧兩三根山色遙供水際門只我近知牆下路能將屐齒記苔痕○望鍾山佇立望鍾山陽春更蕭瑟暮尋北郭歸故遶東岡出○憶鍾山蒼藤翠木江南山激激流水兩山間山高水深魚鳥樂車

馬跡絶人長閒雲埋樵聲隔葱蒨月弄鈎影臨潺湲
黃塵滿眼衣可濯夢寐惆悵何時還○思北山日日
思北山而今北山去寄語白蓮庵迎我青松路○北
山暮歸示道人千山復萬山行路有無間花發蜂遞
繞果垂猿對攀獨尋寒水度欲趁夕陽還天黑月未
上兒童初掩關○還家豈不樂生事未應閒朝日已
復出征鞍方便攀傷心百道水闊目數重山何以忘
羇旅翛然醉夢間○秣陵道中口占經世才難就田
園路欲迷慇懃將白髮下馬照青溪○歲熟田家樂

秋風客自悲茫茫曲城路歸馬日斜時○知金陵投
老歸來一幅巾君恩猶許備藩臣芙蓉堂下疏秋水
聊與龜魚作主人
蘇魏公頌詠天禧寺竹萬箇碧琅玕兩傍蔭潭沼叢
深礙巖巃幹直露雲表剎影下交加山房上環繞昔
嘗止鳴鳳今肯棲凡鳥筍抽龍種瘦籜墜孫枝小美
勝會稽箭珍逾汶陽篠苑園名非奇渭川比終少樵
刪草根變客玩茶煙燎創亭僧意高諭佛禪心了吾
愛有霜竹一到忘昏曉○暮春與諸同僚登鍾山望

牛首清明天氣和江南春色濃風物正繁富邦人競
遊從官曹幸多暇交朋偶相逢並驅出東郊乘興遊
北鍾陟險不蠟屐扶危靡揞笻上登道林祠俯觀辟
支峰亂山次阡陌長江遶提封蕭條舊井邑茂盛新
杉松攬物思浩然懷古心顒顒念昔全盛時茲山衆
之宗天都對雙闕霸業基盤龍六朝遞興廢百祀居
要衝人情屢改易世事紛交攻當時佳麗地一旦空
遺蹤惟有出岫雲古今無變容

蘇東坡軾 六月七日泊金陵阻風得鍾山泉公書寄

詩爲謝今日江頭天色惡礮車雲起風欲作獨望鍾山喚寶公林間白塔如孤鶴寶公骨冷喚不聞却有老泉來喚人電眸虎齒霹靂舌爲予吹散千峰雲南行萬里亦何事一酌曹谿知水味他年若畫蔣山圖爲作泉公喚居士〇同王勝之游蔣山到郡席不暖居愁空惘然好山無十里遺恨恐它年欲款南朝寺同登北郭船朱門收畫戟紺宇出青蓮夾路蒼髯古迎人翠鬣偏龍腰蟠故國鳥爪寄會巔竹杪飛華屋松根泣細泉峰多巧障日江遠欲浮天略彴橫秋水

浮屠揷暮煙歸來踏人影雲細月娟娟

鄭獬題金陵道中六國相排一局碁岸頭百草野煙微樹深啼鳥自相失山靜晩雲猶未歸濡口潮回殘照滿石城春盡亂花飛周郎屈指圖天下誰道江南玉鱠肥

范文正公仲淹移丹陽郡先遊茅山作丹陽太守意何如先謁茅鄉始下車展節事君三黜後收心奉道五旬初偶尋靈草逢芝圃欲叩真關借玉書不更從人問通塞天敎吏隱接山居○贈茅山張道者有客

平生愛白雲無端年老尙紅塵只應金簡名猶在得見偓巖種玉人○送陳瓌秀才遊金陵君有江南行爲君歌以喜龍盤山萬曲練靜江千里江山不可空台星照吳中古來王謝地今有周召風而聞楊與鄭萬丈光相映煌煌聚宰府金陵一何盛此去知巳賢雅容情無邊白雲起江樹明月逐江船雲月共徘徊優哉如遊偓歸來笑春風白日登青天

胡澹庵銓與正覺長老同游蔣山寶公何似贊公房是日登寶公塔好句還追鐵鳳翔鐵鳳翔見贊公房詩金象妙高驚地

勝木犀清遠送天香明年蠟屐誰猶健昨日登樓我
尙躡閣高百尺梯凡五折最難上三老未應輸二老玆游奇絕永
難忘○金陵書事六代風流最永嘉鬱葱勝氣隱晴
霞折衝樽俎神俱旺表裏山河險莫誇幾縷碧煙迷
杳眼半篙清漲滅蒲芽歌聲已得檀郎怨四海而今
再一家

張乖厓詠 郡齋述懷傷人往往羨清途野逸情懷亦
自扶官舍四邊多種竹潮溝一面近生蘆病嫌見客
低徊甚老覺臨官氣味麄不信浮名是身累有時閒

撚白髭鬚

晁丈部補之 龍盤虎踞望南津餘烈崢嶸尙霸陳醉著不知風揭屋可能楊素是江神

洪駒父 沙觜彎環轉柂牙一衣帶水遶城斜飛廉解使馮夷怒渡口風吹蕎麥花

夏文莊公竦 金陵晚望雨霽吳城晚谿泉四散流禽歸半峰樹入在夕陽樓國望分江海星躔次斗牛堪嗟興廢地千載有閒愁

韓南澗無咎 永豐行丹陽湖中好風色晴日波光漾

南北湖岸人家榆柳行風颭低昂似迎客繫船並岸
聊一呼老農指似官田圩長衫紫領數百輩見我羅
拜長嗟吁政和回頭五十載官築長圩宛然在東西
相望五百圩有利由來得無害官圩民圩奚所拘此
地無田但有湖圍湖作田事應爾底用徹地還龜魚
民圩不堅自招水水潦何常鎮如此官圩六十里如
城削平爲湖定何理請看今來禾上塲七百頃地雲
堆黃縣官糴米三萬斛度僧給牒能商量我聞此語
汗生面千聞豈如目一見吾君神聖坐九重輕易獻

言誰復辯郄憶吳中初夏時眷鋤去決湖田園雞驚上籬犬上屋水至不得攜妻兒無田赴水均一死善政養民那得爾寄言父老且深耕爲汝馳書報天子

李忠定公綱金陵懷古六代兵戈王氣銷山圍故國自周遭豪華散滅城池古人物摧殘丘塚高阜轉蟠龍翔寶塔洲分白鷺湧雲濤悠悠世事都如夢且對金樽把蟹螯○六代繁華三百年我來弔古一悽然景陽鍾斷雞空唱玉英廟嫌諱歌沈月自圓潮沒舊痕生晚浦柳搖新色媚晴天高樓上盡窮雙目千里江山

遶檻前○六代興亡江上城倦遊還向此中行龍蟠虎踞空形勢井廢臺荒爲戰爭雲氣霏霏春雨急煙波渺渺暮潮平商人不識前朝恨短笛還爲激烈聲○六代當年恨最長兵戈陵滅故城荒非關霸氣■消歇自是人謀未允臧王謝風流今寂寞江山形勢亦淒涼我來正值興戎馬慨念東南更慘傷○阻風泊慈湖夾焚香默禱有長魚躍波面江豚出沒舟人大驚抵暮風便因命解舟乘月泛江一夕至于金陵蓋數百里作二絕以紀其事江險不可行者爲禁

江豚出沒白波中十丈神魚躍晚空知是陽侯憐我拙故教來助一帆風○露氣漫漫欲結霜扁舟夜下秣陵江煙波如席月如晝快意倒盡黃金缸○同李似之遊蔣山北風阻行舟駕言遊蔣山相攜得良友談笑窮躋攀松林靜杳冥殿閣羅煙鬟寶公骨已冷白塔孤雲間乘高望長空極目波濤飜東南正戎馬戈甲照江干與子適相遇偷此半日閒懷古六朝遠道舊一笑歡憶昨賜對初接武玉殿班螭坳珥史筆每慙追繼難迂疎與世違謫官墮甌蠻寬恩幸脫去

假道來江關邂逅兩萍梗飄泊驚風旛廻首顧瀏河不知涕泗潸著鞭顧努力世路方多艱○登鍾山謁寶公塔寶公眞至人鳥爪金色身杖擕刀尺拂語隱齊梁陳我登鍾山頂白塔高嶙峋再拜禮雙足聊結香火因○題定林院行過鍾山到定林青松一徑白雲深三間古屋昭文館那有沉迷富貴心○題八功德水石作方池紫翠崖湛然定水貯瓊瑰何須功德標爲八萬行圓成自此來○次韻上元宰胡俊明蔣山勤老唱和古風竺教流傳入中土以相求之無自

可達磨西來直指心擬議之間已蹉過皮髓誰分深淺機祖禰翻貽子孫禍鍾山禪老眞可人高唱宗風震江左學流雲集欲何爲佛祖要須自心作宰官倥偬牒訟間偷暇相從還作麽也知襟抱素相親更把篇章迭酬和詞嚴義密讀難曉字順文從識皆妥應憐孤陋方杜門亦欲追隨艮未果故將佳句寄幽人此意勤渠滋愧荷談空摩詰無一言聽法文殊非兩箇若將情解議眞如明眼人前應看破世間萬法互低昂正若旋輪與推磨隨時俯仰乃善謀就中拙者

無過我九折羊腸欲著鞭萬里滄溟思縱棹只今行年四十餘已覺衰頽多坐卧平生作具何所施盡以付之一畀火迴光返照默自參妙湛本然無點涴公方齒壯志氣豪正可立功同魏顆胡爲亦復味禪那坐視軒裳如縶鎖蓮社莊嚴清淨池丈室含容高廣座他時其結香火緣心期耿耿當非頗爲余稽首問勤師如師材德誠磊砢釣龍羅鳳大江濱法器誰爲語無墮庭前儻有立雪人我欲因風致三賀○投金瀨有感楚王聽讒誅伍卿招呼二子同就烹子胥彎

弓見使者義不戴天非惜生操瓢乞食困江表曷嘗一日忘郢城溧水之陽遇(仁廟嫌諱)女壺漿簞食欣相迎當時追捕尚爾急殺身滅口意豈輕霸吳何止服勾踐破楚遂以鞭荊平倒行逆施道雖遠復仇攄憤聖所稱郤來訪舊欲報德歎息玉質隨流萍投金淺瀨亦何有聊以寓意通精誠哀窮進食類漂母解劍掛墓同延陵古人已矣不可見空有史筆垂英聲○自金陵江行未至長蘆阻風倏忽風雲接地陰扁舟繫纜暮江潯波濤何必深爲阻萬里歸來一寸心○七

日風不止歸心何似生煙添暮山色風撼滿江聲淮楚巳非遠波濤殊未平坐看雲解駁猶喜晚來晴

汪内翰藻 過金陵六代興亡迹愈陳迹陳誰遣意如新古今更欲悲何事天地長留景似人雲壓山低惟妬晚霧蟠江闊更含春因知到此無窮感豈獨區區我一身○食溧陽縣平生始到溧陽縣東野釣遊今幾年嵐光卷樹出孤日雨氣入山鳴百泉稻畦初秧秀色滿藤援半折幽芳懸武陵商嶺政應爾倚杖欲去心茫然○宿靖安鎮檣竿歷歷表中流暝宿何堤

古驛頭天遣山川渾著月人將榆柳共驚秋重來骨肉惟身在無限風煙到眼休得意枕中猶夢爾人生何況足悲愁

周丞相必大 留别金陵韓帥仲通十二麟符玉截肪腰間仍映帶圍黄化行江國春常早訟息堦除日自長槐影綴趨三接晝棠陰先滿十連堂子淵去踏長安道待賦中和奏未央又再點賓筵又一期千金敝帚賴提撕泮宫正采僖侯藻太學俄甘吏部虀人似塞鴻春向北心隨江水日潮西太平勳業須公助不

用頻年戀節犀○次韻邢懷正孝庸通判游蔣山僊
人薄蓬萊乘槎度河滸舊觀桑田變今訪鍾山古駕
言出東門恍若之帝所朝曦霽青霜楓葉落紅雨亭
亭望浮圖隱隱挿天宇坡垂北溟鼇石臥南山虎遙
問飯後鍾絕勝紞如皷恭惟布金地草木誰敢侮孤
芳破冰雪喜見梅蕚吐同遊皆大雅緇素競先睹巾
車似元亮漱石離孫楚相將挹靈泉何用照牛渚西
方化人國未覺道修阻法筵盛龍象一一會心侶茗
椀散午夢蒲團便平軟語懸知雨花社重辯風幡舞

相投甚針芥味道冥駱乳從來草堂靈俗駕回吾祖況如雲仍輩幺麼那復數後車儻許隨末美黃金塢

曾極 題陳後主祠 眞珠簾下變離聲多少嬙妃掩袂聽羸得半愁三萬斛孤舟撑入大梁城○東晉斷簡殘編迹可尋諸賢興復不關心未應全罪王夷甫一任神州自陸沉○漁父智士旁觀當局迷滄浪釣叟出陳詩江頭風怒掀却屋底事全家醉不知後主召一隱者問近曾作何詩云有漁父詩風雨掀却屋全家醉不知 孫陵鵝眼錢六代初終幾變遷孫陵無樹起寒煙青蚨細薄如榆筴猶是當

年買笑錢○澄心堂紙褚生玉面務深藏未肯橫陳翰墨場一幅降牋何用許價高緣寫宋文章○南唐金銅香爐製作元從建業宮形模奇古雜金銅煙昏塵暗君休笑曾在紅鸞扇影中○南唐宮中殘獐南唐宮中忽得殘獐一枚陳陶云是夜狼星上直周廬巡徼列千兵那得殘獐墮禁庭鹿走棘生先有象天文未必直狼星○南唐遣使談鋒疊疊折強鄰專對當年亦有人國老胷中兵百萬不將全力靠江神○玉樹後庭花結綺臨春成草莽繁華都入暮煙中後庭玉樹迎秋色猶帶張

妃臉上紅○石麒麟短樊長塹起寒煙知是何人古墓田千歲古麟相對立肘騣膊焰故依然○石步道中有石麒麟數十地悴天荒丘壠平難從野老問衰興蒼煙落日低迷處折足麒麟記壞陵○輜車婭姹吳晉今古同宮粧袨服已成空雕文結角輜車巧猶有梁陳宮掖風○決囚燈後主聽死囚燃燈決之囚家賂左右竊益膏油輙得不死五詳三覆始施刑明滅蘭膏豈足憑可惜當年殺嚴續無人爲益決囚燈○江南錄自古嬰鱗或似狂按誅潘佑事堪傷憑誰寄語徐常侍不殺忠臣國未

亡○鳳州柳鳳州柳蜀主與江南結婚求得其種鳳州出柳酒蜀主函封遣使時芳根元自鳳州移柔荑醽醁今安在唯有青絲拂地垂○三十六陂渺然三十六陂春石黛潮生歲歲新楊柳杏花渾好在吟邊只欠跨驢人○金陵詩鑿地破除函谷帝埋金厭勝郢中王興亡總不關君事五百年前枉斷腸○古龍屏風宣和舊物建炎攜之渡江宮官惜之裁剪背成屏風立殿上乘雲遊霧過江東繪事當年笑葉公可恨橫空千丈勢剪裁今入小屏風

謝虞部衜詠鍾山周子無心隱姓名裂荷焚芰使猿驚不能高枕雲中臥瑣屑貪乞墨綬榮○石頭城五城樓雉各相望山水英靈宅帝王此地定由天造險古來長恃作金湯○太初宮三軍不食武昌魚萬騎時遷建業居會得紫髯開國意太初名是作宮初○白都山駕鶴驂鸞自古聞策名僊籍是眞君天邊舊跡無尋處滿面青山空白雲○陸機宅陸家兄弟頗能文入洛仍將筆硯焚舊宅荊榛狐兔窟機雲無復有昆雲○天闕山牛頭天際碧凝嵐王導無稽亦妄

談若指遠山爲上闕長安應合指終南○靈和蜀柳得地恩深雨露偏丹墀左右玉堦前君王屬意君知否好似風流一少年○梅梁殿玉梭金鑪對御牀歸然應似魯靈光螭頭直上雙魚尾不讓西京舊柏梁○臺城六朝遺跡舊山川遠想繁華一悵然江令白頭歸故國多情合賦黍離篇○金城柳風絮煙絲春復秋攀條何故淚雙流因憐樹老猶青眼不覺人衰已白頭○潛鶴鼓雷門擊破使人驚潛鶴雙飛上玉清怪得舊時聲太遠聞天合似九皋鳴○乘黃署執

轡何人籍帝臺漢家天馬不時來疲駑多亦費芻粟
莫惜千金市駿材○銅螭署挈壺傳箭逼天聰鑄出
蟠螭巧範銅何事腹中藏怪物人驚蝘蜓氣如虹○
錦署人衣藍纏地衣紅不念家家杼柚空厥篚織文
應歲貢更翻新樣集機工○絕地列戟高門氣自雄
主人應是偶相逢由來禍福皆人召此地無辜喚作
凶○清暑殿窣地簾光掛水精玉鉤斜處月初生龍
皮席上鵝毛扇何必風來暑自清○促粧鍾枕面鍾
聲及早催錦衾香疊百花堆蟾蜍影落珊瑚架照得

僊娥下界來○青溪姑曩不乘龍卽跨魚岸傍人復乞靈無柳如眉黛花如面聞是青溪一小姑○披香殿獸口金昏煙穗濃螭頭玉照露華融蕭郞的是春光主曾作春衣此殿中○東磵行掩葛屨坐藜牀竹樹蕭然一水傍枕上白雲船下月卜鄰東磵勝東岡○青溪柵傾城傾國兩妃嬪此地聞名不見人潛想舊時紅粉血落花風裏步香塵○江令宅竹木池臺尙儼然歸時頭鬢雪霜寒青溪隱映朱門處曾屬中書一品官

劉彥沖金陵懷古荒城莽莽椒荊榛虎踞龍盤跡已陳赤壁戰爭江照鏡青樓歌舞鳥鳴春千年王氣雄圖盡一疊寒笳客恨新折展風流猶可想只今高卧豈無人

楊誠齋萬里陪留守全處恭總領錢進思提刑傅景仁游清涼寺山自新亭走下來化爲一虎首重回平吞雪浪三江水卧對雨花千丈臺點檢故城遺址在淒涼浩歎宿雲開六朝蹤跡登臨徧底事茲遊獨壯哉○萬里長江天上來石頭却欲打江回青山外面

周如削紫府中間劃洞開蘇峻戰場今草樹仲謀廟貌古塵埃多情白鷺洲前水月落潮生聲自哀○已守臺城更石城不知併力或分營六師只遣環天闕一壘真成借寇兵問者王蘇俱解此寃哉隗協可怜生若言虎踞渾堪倚萬歲千秋無戰爭○賀建康帥全處恭迎寶公禱雨隨應大士多時不入城入城猶未炷爐熏忽吹淮水千峯雨不費鍾山半朶雲桑葉秧苗俱起舞葵花萱草亦歡欣尙書款送公歸去留下豐年二十分○橫山再見横山滴眼新山曾勸我

脱官身燈籠簫鼓年年社酒醼鶯花處處人忽憶諸公牡丹會轉頭五作去年春野雲墟月空荒寺兩袖寒風一帽塵○辛亥元日送章德茂自建康移帥江陵極知借寇未多時道是徵黃有近期不剗半青江令宅却飛大白習家池湖山解語云來暮淮水無情也去思莫近鄉關動歸興輕黃一點上雙眉又西湖一别忽三年白首相從豈偶然到得我來恰君去政當臘後與春前醉餘犯雪追征帽送了憑欄望去船待把衣冠掛神武看渠勳業上凌煙○金陵官舍後

圃散策江梅未落杏先繁萱草都齊柳半（上聲）却是淺
寒花較耐東風未要十分溫○旋種花窠二百株不
知種了有花無阿誰便向春工說急攜紅藍染玉酥
○過秦淮曉過新橋啟轎窻要看春水弄春光東風
作惡驚詩眼攪亂垂楊兩岸黃○過筫橋輕風欲動
沒人知早（去聲）被垂楊報酒旗行到筫橋中半處鍾山
飛入轎窻來○登鳳凰臺千年百尺鳳凰臺送盡潮
回鳳不回白鷺北頭江草合烏衣西面杏花開龍蟠
虎踞山川在古往今來鼓角哀只有謫仙留句處春

風掌管拂蛛煤○行闕養種園千葉杏花不信東皇也有私如何偏寵杏花枝於中更出紅千葉且道此花奇不奇又白白紅紅兩不眞重重疊疊是精神誰言跂石眠雲客也見長楊五柞春○和傅景仁游淸涼寺舊時月過女牆頭風雨摧頽廢不修地老天荒無處問松聲灘響替人愁祥刑使者來何暮弔古詩篇淸更幽收拾江山入懷袖却歸講席進鴻疇○夏日雜興金陵六月曉猶寒近北天時較少暄打盡來禽那待熟半開萱草已先翻獨龍岡頂靑千摺十字

河頭碧一痕九郡報來都雨足插秧收麥喜村村○圩田遭遇圩岸繚金城一眼圩田翠不分行到秋苗初熟處翠茸錦上織黃雲○古來圩岸護隄防岸岸行行種綠楊歲久樹根無寸土綠楊走入水中央○蚤起秣陵鎮人趁村中市雞鳴檐上籠忽看一天紫未吐半輪紅誰撼扶桑露吹來楊柳風詩肩忍涼冷已出兩臛峯○山路秖言迴農家俱夙興短長舂穉子迴避一田塍隨犬能知路騎牛底用繩茲行有勝事何處不豐登○路口回望方山鍾阜回頭失方山

戀眼寒似巾簷短帽如覆玉瑚槃每恨青蒼遠因行反覆看歸時記面目城裏指雲端○横山已過方山了横山更絕奇爭高一尖喜妬逸衆青追萬馬頭驚拶千旗脚恣吹娟峯恰三五隔柳倘參差凡十五峯從南數起第三最高尖○圩丁詞十解江東水鄉隄河兩涯而田其中謂之圩農家云圩者圍也內以圍田外以圍水蓋河高而田反在水下沿隄通斗門每門疏港以溉田故有豐年而無水患余自溧水縣南一舍所登蒲塘河小舟至孔鎮水行十三里備見水之曲折上自池

陽下至當塗圩河皆通大江而蒲塘河之下十里所有湖曰石臼廣八十里河入湖湖入江鄉有圩長歲晏水落則集圩丁日具土石揵畚以修圩余因作詞以擬劉夢得竹枝柳枝之聲以授圩丁之修圩者歌之以相其勞云圩田元是一平湖憑仗兒郎築作圩萬雉長城倩誰守兩堤楊柳當防夫何代何人作此圩石頑土膩鐵難如年年二月桃花水如律流歸石臼湖上通建德下當塗千里江湖繚一圩本是陽侯水精國天公勑賜上農夫南望雙峯抹綠明一峯起

立一峯橫不知圩裏田多少直到峯根不見塍兩岸淤隄有水門萬波隨吐復隨吞君看紅蓼花邊脚補去修來無水痕年年圩長集圩丁不要招呼自要行萬杵一鳴千畚土大呼高唱總齊聲兒郎辛苦莫呼天一日修圩一歲眠六七月頭無點雨試登高處望圩田岸頭石板紫縱橫不是修圩是築城傳語赫連莫烝土霸圖未必賽春耕河水還高港水低千枝萬派曲穿畦斗門一閉君休笑要看水從人指揮圩上人牽水上航從頭點檢萬農桑卽非使者秋行部乃

是圩翁曉按莊○宿牧牛亭秦太師墳庵函關只有一穰侯瀛館寧無再帝乇天極八重心未死台星三點坼方休只看壁後新亭策恐作移中屬國羞今日牛羊上乇壠不知丞相更嗔不暮年起大獄必殺張德遠胡邦衡等五十餘人不知諸公殺盡將欲何爲奏垂上而卒故有新亭之句然初節似蘇子卿而晚繆○兒姪新亭相迎送客新亭恰放燈兒曹迎我復新亭百年事業何爲者送往迎來過一生

任希夷南朝故迹惟天禧鳳凰臺鹿苑寺郗氏窟爲最久有梟何取臺儀鳳事佛空教后作蛇狐穴蟻巢

零落盡却能留此梵王家〇行宮口號絳闕前頭天闕横春煙收盡兩峯青中流淮水成河漢旁列鍾山作御屏〇新青染偏金堤柳廢綠羞開玉樹花今代離宮呈氣象六朝荒址滿桑麻〇石頭城石城只解着王蘇漫說夷吾計亦疎儘使西風能舉扇可堪重見伯仁書〇城東懷古謝安遊處猶留墅李白吟邊亦有亭兩地東山春寂寂至今白下柳青青〇鍾山城如虎踞來擒虎山號盤龍屬卧龍天險不能回運去地靈元自要人雄〇同劉武子孫季和遊鍾山和

劉武子韻有客新從蜀道還共招北隱步松間何人寫出秋風句付與淮南太小山○臺城隋家耕壟偏陳宫畱得鍾山蔣郡東只怕東南分王氣那知零落錦帆風○題謝氏山居風流誰自謝家安不愛蒼生只愛閑今日雲孫仍不惡一間茅屋尙東山○鍾山春遊青樓醽醁客中聖碧苑鞦韆人半僊春滿江南佳麗地綠楊芳草思娟娟○柳邊淮水一般綠花底鍾山分外青閑趁遊絲不知遠夕陽纔過已疎星

劉龍洲過登金陵清涼寺臺江南江北許多山到處

登臨得凭欄老木換丹霜有信怒濤拍岸水生寒倦遊半世烏三匝往事千年指一彈落日正西催上馬依依回首望長安

王嵎 清涼寺竹賦稜欒兮娟娟玉立兮露寒翠青葱兮蓊蔚鳳鸞舞兮琅玕風之來兮天之庭過巖谷兮韻秋聲金鏁碎兮滿壑日暉暉兮淨明若有人兮凜高節歷歲寒兮傲霜雪我欲從之兮路修絕隔秋水兮共明月

李山甫 上元懷古南朝天子愛風流盡守江山不到

頭總是戰爭收拾得却因歌舞破除休堯將道德終無敵秦把金湯可自由試問繁華何處在雨苔煙草石城秋○爭帝圖王德盡衰驟興馳騖亦何爲君臣都是一場笑家國共成千載悲排岸遠檣森似槊落波殘照赫如旗今朝城上難迴首不見樓船索戰時

張南軒栻送胡伯逢之官金陵相望數舍已云疏遠别何因執子袪漫仕想應同捧檄舊聞當不廢觀書月明淮水空陳迹山繞新亭有故墟暇日更須頻訪古因來爲我道何如

趙汝鑒金陵作龍虎帝王宅鳳凰僊子臺六朝遺事冷八月夜潮回隴鴈秋仍到江花晚自開憑高一樽酒何代獨無才

施文焴金陵作紫蓋東南久寂寥石城煙霧壓岩嶤登臺倦客懷千古宿內閑人夢六朝御苑雲浮曾拾翠舊樓月落尚吹簫諸公不說新亭事目斷空江半日潮

袁泰初金陵懷古晉委東都帝秣陵豈無機會可爭衡諸公坐視敵來往一水反爲國重輕北伐上章空

有語中流擊楫竟何成登臨不是多傷感老却胸中十萬兵

吳陵 金陵懷古烟雲莽莽對竆秋六代雄豪見古丘萬里長波東赴海千年閑客獨登樓山川冥漠天難問運數推移地莫畱終信東南多王氣浙中今是帝王州

劉滄 經過金陵六代興衰曾此地西風露泣白蘋花煙波浩渺空亡國楊柳蕭條有幾家楚塞秋光晴入樹浙江殘雨晚生霞淒涼處處漁樵路鳥去人歸山

影斜

李英巖壽詩看盡庵前手種松草堂聊復少從容今人却憶騎驢老悔不終身作卧龍○昇元古寺寶靈珠照影東西與衆殊本爲　仁皇資潛庇豈知今日鎮留都

余尚書端禮勸農石頭城賦詩去年出郊春欲半鍾阜林巒靑未遍今年此日蟄初驚動地春光滿石城柳如熨金梅碾玉川原高下麥苗緑一聲布穀已催人吳儂莫問春遲速蒼顏老守政無奇只要我民不

苦飢奉詔偕行兩赤令職在勸耕無擾之飴背厖眉
數十叟聽取吾言醉此酒但遣兒郎力南畝不患三
錢無米斗米斗三錢大江東從今更祝八方同同見
三登太平日老守不願萬戶封

葉暉詠清涼寺竹茂林修竹綠侵雲淸到心君賴有
君李主當年飽涼後民間苦熱幾曾聞

盧歐昌詩南朝三十六英雄角逐興亡盡此中有國
有家皆是夢爲龍爲虎亦成空殘花舊宅悲江令落
日青山弔謝公止竟霸圖何物在石麟無主臥秋風

王貫齋遂鳳凰臺詩天連宮闕雲煙濕地接淮山日月低不知何處兩黃鵠飛向白雲雲外歸○天上十分月人間一半秋笙歌傳小寨燈火認層樓酒怕初斟滿碁欣未了收分明渾似水只是欠雙鷗

劉後村克莊金陵作高牙拂雲車帶雨清曉西州氣成霧玉麟堂上少文書白鷺亭前多杖屨古來此地一都會城郭樓臺盡非故落日矇矓江北山斷煙髣髴新亭路神州豈但夷甫責西風更有元規污是中端的得長城正自不能堪短簿戲馬類從九日遊南

樓許共諸君住眼前突兀坡老碑醉裏吟哦謫僊句只今蕙帳怨猿鶴想見齊盟憶鷗鷺淮南四月蠶麥熟宮闕山河煩卧護了知此意誠能馴未許尋公遂初賦○鳳凰臺晚眺經月疎行臺上路秣陵城郭忽秋風馬嘶衞霍空營裏螢起齊梁廢苑中野寺舊曾開玉帳翠華人不幸離宮小儒記得隆興事閑對山僧說魏公

羅必元金陵作六朝遺跡舊山川萬里長江當守邊一念易驕人事廢不關飛渡北來船○凭高懷古思

悠悠遥想騎驢白下遊不是龍眠圖畫裏如今親到蔣山頭○金蓮步金陵佳麗不虛傳浦浦荷花水上僊未會與民同樂意却於宮裏看金蓮○清涼寺竹清涼世界竹如雲舊日君王愛此君時代改遷龍變化荒山啼鳥不堪聞

王周 金陵作杳杳金陵路難禁欲斷魂雨晴山有態風晚水無痕遠色千檣岸愁聲一笛村如何遣懷抱詩畢自開尊

陳丞相俊卿 蔣山謝雨詩農事春郊閔雨時乞靈奔

走寶公祠鑪中沉水纔三祝天外油雲已四垂蔌蔌通宵茅屋冷青青破曉麥田滋更祈三日滂然澤大作豐年遍海涯

范石湖成大禱雨用陳丞相韻膴原龜坼莫春時夾路鑪薰共禱祠喚起雲頭千嶂湧飛來雨脚萬絲垂無情梅塢猶紅綻有意秧田盡綠滋大施門開須滿願願均此施市天涯

江寧令張伯子視旱田賦呈上元簿楊明卿輪蹄旦旦風塵表入眼羣山青未了刺蔴迎日子先紅蕎麥

得霜花漸老叢祠詭怪畫村疃古寺騫騰出林杪征衫多亥逐飛鳶下檐有時隨宿鳥初晴得去恨遲遲獨夜不眠憂悄悄公如老驥暫伏櫪我類游鱗終屈沼一朝王事有期會百里民情同採討詳於禹貢辨等級明似離婁燭幽眇高依丘壟或微收低近陂塘翻盡槁凶荒有數合均一報應於中又分曉不能究實害非淺儻使從寬恩豈小茲行到處欲春風批放莫教分數少

張祁游鍾阜呈同集諸公晚出白下門東山聳孱顏

脫身塵市中辦此一日閑西風忽凜冽秋容着堅頑
煙樹小摇落寒雲起斕斑但驚節物變敢辭登陟艱
諸峯互嶄絶落勢相回環盤固建康城儼若呵神姦
造化鍾英靈盡壓東南山厚疑接坤軸高欲窺帝關
太平嚴梵刹華屋羅千間向來刼燒灰舊觀初未還
象教豈易滅佛力不可扳風雷運梁棟斤斧勤輸般
會見落成日千門響銅環山僧冝分甘我亦誅茅菅
人生少會心勝處天所慳歸轡理殘照欲去仍躋攀
後會儻可約此興殊未闌秖恐俗士駕頻來遭誑訕

哦詩記幽討賸語君其删

程內翰文建業賦醉庵居士聞從二客繫孤舟呼短策陟層城之岌業望故宮之崔嵬山勢降伏大江東奔客有誦金陵之詩歌赤壁之詞如懷古如怨今咿嗚流涕悲不自勝居士曰子無使然客曰天時既冬夜氣將分水連煙重月帶霜明隕周郎之涕愴謝安之望傷周顗之情子獨何能恝然於斯乎居士行且笑徐語客曰宇宙間興亡何足深悲英雄豪傑乘時可爲登戰場過故都必悽然悵然如閨女望夫之時

此蓋騷人墨客借助筆端之愁語而非天生上知經營八紘之長規也客愧且謝於是相與指畫山川極望中原嘆昔人之庸陋而遺大功於指顧之間既而席地布酒酒酣歌發曉風翻樹潮來海口挽客登舟急赴行在○用柏梁體題式敬齋惟古知哲粲青編胡爲典獄難其賢臯陶蘇公相後先舍是未見書聯翩果哉知仁人難全未得其情智欲研既悉其罪乃寛旃吾心鈞石何所偏服而舍之天則然畫冠不犯何由緣教明化洽上所宣上失其道民乃愆又復淫

刑如蔓延立法初意浸天淵苗民作威天弃捐聖神
應運符握乾春風廿雨徧八埏內外建官相綜緯州
復設椽職其專此蓋椎輪當益虔縣令獄椽非冗員
渠用資格宜加銓邢君天資靜不猥且嘗一飲詩書
泉大府獄市來闐闐嚴明之長日趨前莫難此時周
折還三年一心上通天荻苗水長問歸船而君胡爲
華此扁吾非空扁乃心傳上遡蘇公歲二千下視方
來漫無邊吾乃聊然立中焉來者式之不計年○題
朝陽亭暉暉朝陽亭亭前鍾阜青巖陰尙積雪光彩

浮初晴亭下清溪水滑流新泮冰雙凫知隨陽亦逐
流澌行亭中賢主人快此景物清閑門延客入掬雪
當泉烹淩蹙淮水漲修鱗爛銀瓶更酌秦淮春配此
玉鼓羹了無一物俗表裏俱蓬瀛宇宙有佳致心清
境乃并甚愛主人賢澹然遺世營不言飲人和恂恂
發天誠清處亦絕奇亭亭秋露莖胸中足丘壑城頭
亦林坰不與風月期結屋謾茅菁却慚最下客形穢
識不靈宿懷幽深趣侵尋塵坌擾一官冷於鐵癡坐
如凍蠅喚來俎豆間不知梅已英清賞可無傳陋語

恐難徵春風送鵬程聰言尋此盟○登忠武卞公墓底用荒村訪野墳青編相對儼如存當年但識清談樂今日方知節槩尊千載腐儒空吊古幾章冷語自銷魂何當僇力清河洛一洗新亭舊淚痕○金陵驛鐵甕高資只半程柴溝曉發暮金陵莫言三宿何濡滯已覺匆匆役此生○登石頭城邂逅鄉人却異方蹇驢仍得瘦東陽不妨令節隨流水自看寒花吐晚香微岸綸巾風力勁小亭飛醆午陰長不堪細數淮南樹獨倚青冥興欲狂○別金陵校官舍雙栢手自

移時尺許長三年拂拂及宮牆願言勿負栽培力保
此堅貞傲雪霜

馬野亭之純 詠臺城吳時後苑晉宮城見得當時似
玉京往事茫茫同水遠長郊渺渺與雲平珠璣常向
耕鋤得禁籞今爲陌路行只有月華還似舊徘徊花
上聽寒更〇石麒麟石虎石羊還石人此間獨有石
麒麟定應側近藏陵墓仗此威靈護鬼神一石琢成
高且大兩頭相望儼如眞參天窣木知何在今與漁
樵作四鄰〇斷碑百尺豐碑立路南盡停車馬試來

看不知神道是誰墓爲問康王何代官初謂流傳須永永安知磨滅已漫漫姓名不足標青史休把將來從石看○鍾山石城爲虎此爲龍都邑無如此地雄萬壑千巖皆拱北三江七澤盡朝東埋金依舊祥光現鑿斷仍前地脉通吳晉六朝嘗已驗如今留鑰比關中○石頭城幾年聞說石頭城初謂堅牢似削成只是一拳如卓望初非四面有樓棚依山最好防車騎舉眼何妨矙賊營爲問區區徒自守何如席卷向宸京○幕府山當初一馬過江來幕府權宜向此開

萬里封疆吾舊物一時賓客爾多才建臺此事雖堪羡掩泣其人更可哀相視不曾言及此欲教天意此時回○靈和殿前蜀柳此柳栽從蜀郡移宮中諸柳不能垂祗緣草木根靈異非是乾坤雨露私輕似行雲清似水軟於吹絮細於絲風流可愛如何比最是風生月上時○天闕山不知象魏欲何爲布政須條總在茲凡有往來須仰視庶幾衆庶可周知後來江左當新造好向城隅踵舊規却指牛頭作天闕此言多少被人嗤○清暑殿見說當持百尺梁四圍修竹

翠雲長正當盛暑都無熱不有薰風亦自涼那與人
間同日月直疑天上兩陰陽有時更取龍皮浸凛凛
如飛六月霜○梅梁殿太極初時欠一梁漂流偶見
石城傍曾聞禹廟還如此可見川祇欲效祥不但千
年無朽蠹能令滿殿有芬香要將盛事傳來世書出
梅花十丈長○潛鶴鼓板木爲腔冒以皮其中寧有
鶴來棲如何晉響聞西洛未必源流自會稽既被兵
人都擊破却云禽鳥不鳴嘶分明僞妄無人辨可笑
諸人識見迷○促粧鍾禁鼓城頭報五更景陽樓上

打鍾聲秪疑髣髴天將曉不省徘徊月尚明閃閃青燈星戶綴鬆鬆綠鬢霧窻橫蜂黃蝶粉都描得那有鴉兒畫不成〇銅螭署洛陽當日鑄銅螭徒得形模怪且奇玉刺口中藏不見蟲居腹內出無時移來建業尚如此徙在江陵無復茲此說流傳眞誕妄便當不信不須疑〇金城柳金城四面柳爲營此日征西路再經憶昔僅能高咫尺如今端可拂青冥清睥漸隔花中霧綠髮俄懸鏡裏星功業未成多少事攀枝挽葉淚淋零〇東山謝安人物江南第一流居常不

肎利名求壯年甘向東山隱暇日須將妓女遊旣與斯人嘗共樂固應有患卽同憂後來一爲蒼生起破敵成功祇坐籌○披香殿繡楠藻井柏爲梁翡翠簾櫳映璧璫寶篆煙雲凝馥郁華林錦綺競紛芳荷花永晝湘江靜桂子西風陌路長最是春衣裁已就領巾飄動盡天香○古越城府城西北瓦棺東尚有遺基在此中旋折纔方二里許規模不得小邦同正當進取爭彊霸聊作屯營備敵衝老范智謀曾不識郤云爭似建康宮○西州城邐濆居東西治城西州遺

迹甚分明多言東晉纔經始或說孫吴已創成池苑
春風羅綺市樓臺夜月管絃聲入門盡是嬉遊地惟
有羊公不願行○王導宅當時一馬渡江來幕府山
頭刈草萊四海紛披都似此一時締創亦艱哉朝綱
治具提還挈國本人心壅更培輔佐中興功第一應
須千尺上雲臺○陸機宅只聞二陸住華亭邦有書
堂在秣陵如此弟兄無比擬翕然京洛有聲稱辯亡
著論眞難及受命專征若易能十萬河橋俱潰散儒
生虛語不堪憑○沈約宅飽觀明月雙溪水徧倚清

風八詠樓但見遺蹤閒婺女安知故宅在昇州文章至好雖堪羨節行全虧亦可羞看得齊梁相禪際只宜稱隱不稱侯○江總宅青溪第宅鬬鮮妍最是江家宅可憐路上行人爭指處橋邊遺跡尚依然南冠辭住長安日北客歸來建鄴年惜此屋廬還似舊不知曾讀黍離篇○三山九華境上曾親歷五老峯前亦屢過不似三山殊嫋好何須千仞極嵯峩翠圍宛似屏間畫綠折全如水上波況與滄江苦相近見來心眼定如何

大一ヨ九十の　建康志卷三十七　　　　　　　　　　　　　　　　　　　　主

翁思齋涉己未秋登城北樓脚底江南第一州臺城北上小淹留難忘故國千年恨不盡長江萬古流目斷中原誰擊楫秋來多雨獨登樓舉頭忽見長安日一醉能消太白愁○陪周溪園登賞心亭建業城樓四面總賞心勝處冠南邦石頭西峙雲藏寺水面南浮月滿江故國秋深人自老新河夜遁虜誰降高人登眺同懷古忽有飛來白鷺雙

樂府

王介甫桂枝香 古今詞話云金陵懷古寄詞於桂枝香凡三十餘首獨介甫最爲絕唱

登臨縱目正故國晚秋天氣初肅瀟洒澄江似練翠峯如簇征帆去棹殘陽裏背西風酒旗斜矗綵舟雲淡星河鷺起畫圖難足　念自昔豪華競逐悵門外樓頭悲恨相續千古憑高望眼謾嗟榮辱六朝舊事隨流水但寒煙衰草凝綠至今商女時時尚歌後庭遺曲

周邦彦西河 金陵懷古

佳麗地南朝盛事誰記山圍故國

遠清江髻鬟對起怒濤寂寞打空城風檣遙度天際斷崖樹猶倒倚莫愁艇子曾繫空餘舊迹鬱蒼蒼霧沉半壘夜深月過女牆來傷心東畔淮水　酒旗戲鼓甚處是一作市　想依稀王謝鄰里燕子不知何世向尋常巷陌人家相對如說興亡斜陽裏○隔浦蓮近拍溧水縣圃姑射亭避暑作　新篁搖動翠葆曲徑通深窈夏果收新脆金丸驚落飛鳥濃靄迷岸草蛙聲鬧驟雨鳴池沼水亭小　浮萍破處簾花簷影一作簷花簾影　顛倒綸巾羽扇困臥北窗清曉屏裏吳山夢自到驚覺依然身

在江表○鶴沖天溧水縣長壽鄉作梅雨霽暑風和高柳亂蟬多小園臺榭遠池波魚戲動新荷　薄紗厨輕羽扇枕冷簟涼深院此時情緒此時天無事小神僊

馬子嚴卜算子慢璧月上極浦帆落人撾鼓石城倒影深夜魚龍舞佳氣鬱鬱紫闕騰雲雨回首分今古千載是和非夕陽中雙燕語　向人訴記玉井轆轤臙脂漲膩幾許蛾眉妬感歎息花好隨風去流景如羽且共樂昇平不須後庭玉樹

張于湖孝祥西江月題溧陽三塔寺問訊湖邊春色重來又是

三年東風吹我過湖船楊柳絲絲拂面世路如今已慣此心到處悠然寒光亭下水如天飛起沙鷗一片

程內翰珌滿江紅 登石頭城歸巳月生 頗恨登臨淚自作騷人愁語石城上何須苦說死袁生褚當日卧龍商略處秦淮王氣真何許與君來蕭瑟北風寒黃雲暮 枕鍾阜湖玄武生此虎眞蹲踞看四山環合休臨江渚可笑唐人無意度却言此虎凌波去君且住明月爲人來潮生浦

王潛齋埜六州歌頭 龍蟠虎踞今古帝王州水如淮

山似洛鳳來遊五雲浮宇宙無終極千載恨六朝事同一夢休更問莫閑愁風景悠悠得似青溪曲着我扁舟對殘煙衰草滿目是清秋白鷺汀洲夕陽收黃旗紫蓋中興運鍾王氣護金甌駐遊蹕開行殿夾朱樓送華輈萬里長江險集鴻雁列貔貅掃關河清海岱志應酬機會何常鶴唳風聲處天意人謀臣今雖老未遣壯心休擊楫中流

景定建康志卷之三十七

景定建康志卷之三十八

承直郎宜差充江南東路安撫使司幹辦公事周應合修纂

武衛志一

武事非聖人所先也而衛國衛民有不可廢禹貢之制奮武衛於綏要之間所以固內而備外者雖盛時未嘗忘也豈若後世敵至而懼敵去而玩者哉周文武時命將率遣戍役亦惟曰守衛中國而已又豈若後世黷武逞威而至於弗戢自焚者哉自吳以來立國江南者莫不恃江以爲固江又恃人以爲固人謀

善而武事修則江爲我之江否則與敵共爾易曰天險不可升也地險山川丘陵也王公設險以守其國險必能設國乃可守今之建康內屏畿甸外控淮堧實長江之要會中興以來任重臣建大閫用名將宿重兵於此上接荊鄂下聯海道守衛至重安危所關審形勢而後知攻守之宜審攻守而後知江防之要嚴江防而後知兵籍之不可單兵政之不可怠兵船之不可不備兵器之不可不利兵寨之不可不整烽燧之不可不謹而浚築之不可不勤也作武衛志

形勢

諸葛亮曰鍾阜龍盤石城虎踞眞帝王之宅○丹楊記曰石頭因山爲城因江爲池地形險固尤有奇勢○李綱曰天下形勝關中爲上建康次之宜以長安爲西都建康爲東都○衛膚敏曰建康實古帝都外連江淮內控湖海爲東南要會之地○劉珏曰金陵天險前據大江可以固守○張浚曰東南形勢莫重於建康實爲中興根本○陳亮曰舊日臺城在鍾阜之側據高臨下東環平岡以爲安西城石頭以爲重

帶元武湖以爲險擁秦淮青溪以爲阻是以王氣可乘而運動如意○江默曰自淮而東以楚泗廣陵爲之表則京口秣陵得以蔽遮自淮而西以壽廬歷陽爲之表則建康姑孰得以襟帶表裏之形合則東南之守不孤其來尚矣餘見江防

攻守

張敦頤曰晉蔡謨曰時有否泰道有屈伸暴逆之寇雖終滅亡方其强盛皆當詘而避之要終歸於大濟而已爲今之計莫若養威以俟時王羲之曰以區區

江左營綜如此天下寒心久矣中興之業政以道勝寬和爲本力爭武功非所當作二人者能言之而不得行之行之而足以安江南者孫權一人耳陸瑁嘗勸權曰九域盤互之時率須深根固本愛力惜費陸遜嘗勸權曰施德緩刑寬賦息調權報之曰發調者蓋謂天下未定事以衆濟若徒守江東修崇寬政兵自足用何以多爲顧坐自守可陋尔以此知權之志未嘗不在於天下然以傳考之亦未嘗肯求逞於中原曹公來侵則破之拒之而已治艦立塢築堤遏湖

作涂塘明烽燧始終所以備魏者至矣及移牋於曹公曰足下不死孤不得安則權固未嘗得志也嘉禾中因蜀寇魏一攻淮南聞明帝東行遽則斂避諸將之攻樊城司馬懿救之亦引軍亟退自後世觀之謂之怯可也而權不以爲恥豈非天下之勢既未有可投之隙與其力爭而取敗不若退守而待時也耶史稱權繼父兄之業有臣以爲腹心股肱爪牙兵不妄動故戰少敗而江南安此權之所以爲治也及嗣主立諸葛恪爲政首侵邊以怒敵東興之戰幸捷顧不

能持勝復違衆大舉一敗塗地恪既喪軀而孫氏之業因以衰焉則權之兵不妄動利害果如何也其後孫皓用諸將計數侵盜晉鄙陸抗曰苟無其時雖復大聖亦宜養威自保不可輕動今不務力農富國審官任能明黜陟慎刑罰訓諸司以德撫百姓以仁而聽諸將徇名窮兵黷武動費萬計士卒凋弊寇不爲衰而我已大病矣夫爭帝王之資而昧十百之利此人臣之姦便非國家之良策也抗之言兼有陸瑁陸遜蔡謨王羲之之論而皓不知用此其所以亡也東

晉自庾亮經營征伐皆不能有成謝安父子乘苻堅傾敗之餘圖之如恐不及也至於渡河入鄴訖無尺寸之得宋文自以富强詰戎兵於元魏檀道濟再行無功皆諸將以敗繼敗而胡馬遂至瓜步梁武遭魏世之亂陳慶之以數千兵入洛而嵩高之襲幾至殲盡及貪河南之地納叛將棄睦鄰而身國顛覆陳宣帝闢土宇於北齊旋失淮泗於後周雖以桓溫劉裕非常之才度越歷代諸將而溫伐苻健慕容暐皆幾成而敗裕平南燕滅姚秦亦既得而失則六朝用兵

攻伐之策可見矣詳見表

江防

吳聿曰江出岷山自湖口合流而下奔放蕩潏吐吞日月山或磯之則其勢悍怒觸舞大艑兀若轉梗至其廣處曠數百里斷岸相望僅指一髮而舳艫上下中流遇風則四顧茫然亡所隱避自金陵抵白沙其尤者爲樂官山李家漾至急流濁港口凡十有八處稱號老風波而玩險阻者至是鮮不袖手○吳志曰魏文帝有渡江之志望江水盛長彌漫數百里便引

退自歎曰魏雖有武騎千羣無所用也○于寶晉紀曰魏文帝之在廣陵吳人大駭乃臨江爲疑城自石頭至于江乘垣以木楨衣以葦席加采飾焉一夕而成魏人自江北望甚憚之曰彼有人焉未可圖也乃還○宋書元嘉二十七年虜聲欲渡江太祖大具水軍爲防禦之備領軍將軍劉遵考左將軍尹宏守橫江少府劉興祖守白下建威將軍黄門侍郎蕭元邕守禪洲羽林左監孟宗嗣守新洲上建武將軍泰容守新洲下征北中兵參軍向柳守貴洲司馬到元度

守蒜山諮議參軍沈曇慶守北固尚書褚湛之先行京陵使仍守西津徐州從事史蕭尙之守練壁征北參軍管法祖守譙山徐州從事武仲河守慱落尚書左丞劉伯龍守采石尋遷建武將軍淮南太守仍總守事遊邏上接于湖下至蔡洲陳艦列營周亘江畔自采石至暨陽六七百里船艦蓋江旗甲星燭皇太子出戍石頭徐湛之守石頭倉城○齊書建元元年魏主宏聞太祖受禪其冬發衆遣丹陽王劉昶爲太師冦司豫二州明年詔遣衆軍北討初虜冦至緣淮

驅略江北居民猶懲佛貍時事皆驚走不可禁止乃於梁山置二軍南置三軍慈姥置一軍烈洲置二軍三山置二軍白沙置一軍蔡洲置五軍長蘆置三軍徐浦置一軍以備之魏不能攻○周世宗問江南虛實孫忌荅曰本國雖小甲兵尚三十萬世宗曰江南不過十數郡何見欺也忌曰精兵雖止十餘萬然長江一條飛湍千里險過湯池可敵十萬之師國老宋齊丘乃王猛謝安之徒又可敵十萬○張虞卿曰歷考前世南北戰爭之地魏軍嘗至瓜步矣石季龍嘗

至歷陽矣石勒寇豫州至江而還此皆限於江而不得騁者也然江出岷山跨郡十數備之不至一處得渡皆爲我憂使吾斥堠既明屯戍惟謹士氣振而人心固矣恃江爲阻可也雖無長江之險亦可也苻堅百萬之衆馬未及一飲江水謝元八千銳卒破之於淮淝豈非其效歟不然伍巢以奇兵八百泛舟即渡吳人有北來諸軍乃飛過之語韓擒虎以五百人宵濟采石守者皆醉遂襲取之由是觀之徒恃江而不足與守鮮克有濟矣曹操初得荆州議者謂東南之

勢可以拒操者長江也操既得荆州蒙衝戰艦浮江
而下則長江之險已與我共之獨周瑜謂捨鞍馬而
仗舟楫非彼所長赤壁之役果有成功至於羊祜之
言則以南人所長惟在水戰一入其境長江非復所
用它日成功略如祜言故臣以謂有如瑜者爲用則
祜之言謂之不然可也無如瑜者則祜之言不可不
察也彼爲說者謂虜人以馬爲強而江流迅急渡馬
爲難虜人便於作栰而江流迅急非栰能濟是未知
侯景以馬數百一夕而渡王濬自上流來未嘗用栰

也州縣一也有最爲要害者津渡一也有最宜備豫者苻堅自項城來壽陽侯景自壽陽移歷陽孫恩自廣陵趨石頭王敦渡竹格蘇峻泛橫江侯景渡釆石考前世盜賊與夫南北用兵由壽陽歷陽來者十之七由橫江釆石渡者三之二至於據上流之勢以窺江左者未論也○建炎三年冬虜兵自黃州渡又自馬家洲渡時杜充在建康聞虜至以軍六萬列戍江南岸而閉門不出師無統一皆無鬬志王綯曰杜充提兵守建康不稱任使事乃至此云云　明年夏四月

韓世忠提舟師截大江以邀虜兵相持黃天蕩四十八日兀术遣使與世忠約日會戰世忠募海船百餘艘進泊金山下仍植一旗書姓名表其上虜望見大笑曰此吾几上肉耳世忠預命工鍛鐵相聯爲長綆貫一大鈎徧授諸軍之强壯者平旦虜擁十舟譟而前比合戰世忠分海船爲兩道出其背每縋一綆則曳一舟而入虜不得渡復遣使願還所掠及獻馬三千世忠不聽曰只留下兀术乃可去時撻辣所遣之兵在儀眞江南北兩岸皆虜衆世忠據中流風恬浪

檝飄忽若神兀朮閉壘不敢出完顏宗弼謂諸將曰使船如使馬何以破之乃欲自建康謀北歸凡古津渡又被世忠八面控扼不得去或獻謀於蘆場地鑿大渠二十餘里上接江口舟從江背出世忠之上流一夜渠成次早出舟世忠大驚尾擊敗之虜終不得濟一日虜乘天霽無風我所用海舟皆不得動彼乃以輕舸絶江而遁世忠曰窮寇勿追使去兀朮回江北屯於六合縣撻辣在山東遣人詣兀朮入寇無功盍止於淮東俟秋高相會再寇江南兀朮以前日渡

江之危為辭呂頤浩言虜人多詐難測詔劉光世分兵以備江岸○紹興三十一年金虜萬戶高景山以兵數萬犯揚州劉錡提大軍禦之於清河虜以氈褁舟載糧挽而上錡募善沒者鑿舟沉之虜大驚俄犯揚子橋錡以兵掠瓜洲虜騎逼江錡遣麾下員琦設伏於皂角林與虜接戰誘虜入張弩俄發虜大敗斬景山俘數百人逆亮親統細軍駐和州之雞籠山臨江築壇刑馬祭天必欲由采石而渡　朝廷詔王權詣　行在以池州都統制李顯忠代權命督府參議

管中書舍人虞允文趣顯忠交權兵時顯忠未至允
文夜見建康留守張燾議禦敵之計燾但言已當死
守俶鑰丙子逆亮登壇建黃繡旗二中張黃蓋亮執
小紅旗麾衆渡江時王權所留水軍車船咸在而諸
將未有統屬莫肯用命盡伏山崦惟提舉張振王琪
稍任其責允文自建康因使人督之賊舟稍近於是
振琪與統制時俊盛新等徐出山崦列石江岸賊初
未之覺一見大驚欲退不可我軍用海鰍船迎擊士
皆死鬭虜舟沉溺者數萬其回北岸者亮皆殺之遂

不能濟丁丑虜往來望見車船遽却我軍復以海鰍船先往北岸截橫林渡口用克敵弓射之虜兵棄船上岸者悉陷泥中而斃　上急差楊存中措置守江虞允文亦自建康馳至鎮江時江岸有車船二十四艘賊已瞰江恐臨期不堪駕用存中允文臨江按試命戰士踏車船徑趨瓜洲將迫岸復回虜兵皆持滿以待其船中流上下回轉如飛虜衆相顧駭愕亮愈忿召諸酋約三日畢濟過期盡殺之諸酋謀曰南軍有備如此進有渰殺之禍退有敲殺之憂奈何有總

管萬藏者曰殺郎主與南宋通和則生矣衆曰諾乙未諸酋集兵射殺亮并殺其太傅三妃與謀事者十餘人○紹興中詔沿邊修守備吳表臣言大江之南上自荆鄂下至常潤其要緊處不過七渡下流最緊者二建康之宣化鎮江之瓜洲是也當擇官兵修器械以謹其防○王彥恢言建康古都乃用武之地欲保建康必內以大江爲之控扼外以淮甸爲之藩籬又必措置兵食以贍國費然大江以南千里浩渺決欲控扼非戰艦不可大江以北萬里坦途欲遏長驅

非戰車不可舒廬滁和艮蘄百萬欲措置軍食非營田不可舟車之法以輕捷爲上彥恢所制飛虎戰艦傍設四輪每輪八檝四人旋斡日行千里又有神武戰車下安四輪略同飛虎頂張布帷以避矢石傍斜衝擊其用如神又有拒馬車一人之力可以轉用比之蒙衝偏箱鹿角此尤至要淮西艮蘄不可以數計不須朝廷給本秪以有無相濟併力營田計其戶口什一養兵則淮西可以守矣如許令彥恢招兵教習只乞那融淮西數州財賦可足舟車之用及以數州

秋成所得邪融營田可足兵食之費萬一虜人入冠及盜賊猖獗彥恢當以此舟車摧鋒陷陣以此士卒斬將搴旗以此種蒔飛芻輓粟保守江淮決無疎失詔彥恢就本軍措置○時之論邊防要害者有曰自古倚長江之險者屯兵據要雖在江南而挫敵取勝多在江北故呂蒙築濡須塢而朱威以偏將卻曹仁之全師諸葛恪修東興堤而丁奉以兵三千破胡遵之七萬轉弱爲强形勢然也淮甸郡縣不必盡守故城各隨所在擇險據要置寨柵守以偏將敵來仰攻

固非其利若長驅深入則我綴其後二三大將浮江
上下為之聲援敵之進退落吾計中萬全之策也又
有曰無為軍巢縣之濡須及東西關山川重複蓋昔
人尺寸必爭之地大率巢湖之水上通焦湖濡須正
當其衝東西兩關又從而左右輔翼之餽舟既已難
通故雖有十萬之師未能便寇大江得逞其志淮西
雖號地平而水陸要害皆可戰守稍加措置未易輕
犯又有曰若虜重兵出淮西則池州軍出巢縣江州
軍出無為軍便可為淮西官軍之援又有曰自建康

至姑孰一百八十里其險可守者有六曰江寧鎮曰碙沙夾曰采石曰大信口其下則有蕪湖繁昌皆與淮南對境其餘皆蘆荻之場或碕岸斗絶水勢湍險難施舟楫又有曰采石渡在太平州界下馬家渡在建康府界上宣化渡在府界之下采石江闊而險馬家渡江狹而平相去六十里皆與和州對岸昔金人入寇直犯馬家渡杜充以萬衆不能捍亦嘗分兵犯采石太平州以鄉兵等禦之遂退雖杜充處置有未盡善亦形勢使然則馬家渡比采石九爲要害又有

曰和州烏江縣界可自江北車家渡徑衝建康府馬家渡滁州全椒縣可自江北宣化渡徑衝建康府之靖安兼泗州盱眙有徑小路由張店上下瓦梁盤城亦可徑至宣化不滿三百里兀朮曾於此路來至六合下寨并自上瓦梁下船直至滁河口可以入江宣於靖安渡硐沙夾相對三處防守所有北岸滁河口宣化兩處來路應和州東地分尤宜嚴切隄防又有日昨來金人自黄州張家渡渡江由湖北路鄂州武昌縣上岸方入興國軍大冶縣界取山路以犯江西宜於興國軍大冶縣通山等處擺布防拓又有言曰漢陽池口係漢江下流湖北帥司所隸尤宜嚴切隄防

○隆興二年議幸建康張浚受任督府講論軍務不遑寢食招來山東淮北忠義之士以實建康鎮江兩軍凡萬二千餘人萬努營所招淮南壯士及江西羣盜又萬餘人要害之地城壁皆築其可因水為險者皆積水為堰置江淮戰艦諸軍弓矢器械悉備兩年冬虜屯重兵十萬于河南為虛聲脅我有刻日決戰之語將士望虜至成大功而虜亦知吾有備卒不敢動及是浚又以宰相來撫諸軍將士踴躍思奮虜聞浚來亦檄宿州之兵歸南京沿邊清野以俟淮北來

歸者日不絶山東豪傑悉願受節度虜益懼○景定元年馬光祖置鎮巢軍照得本司所部淮西三城獨巢縣正當要害之衝北據焦湖南扼濡塢跨聯合肥和陽無爲三郡自丙申被兵之後增城築垻屯兵幾及萬人至假邑宰以節制之權俾任干城之寄去秋上流之警諜報謂虜謀於此窺覘欲掠焦湖之舟出從裕溪以瞰江面至頻宣諭行下措置防拓本司隨即調遣一項兵船把守終是隔涉一江不過遥制而已況巢民每遇清野船多迁避焦湖之中地隷合

肥動以帥司臨之使不得專守禦識者病焉按圖志此邑舊爲巢州而南渡初張魏公丞相經理淮西亦嘗進司于此當孫氏有國時每於此進軍以扼魏師蓋其形勢足恃如此今旣嚴爲江防合於此增屯加備謂宜升爲軍壘緩急之際庶可倚重保障急務莫先于此奉

聖旨將巢縣升爲軍使仍令沿江制司選辟一次續申乞以鎮巢軍爲名辟武德郎江東副總管建康府駐劄王珎充鎮巢軍使兼知無爲軍巢縣事仍帶江

東副總管建康府駐劄八月二日奉
聖旨依○馬光祖申措置下流江防本司被
旨通制下流亦既立遞卒分隘兵擺戰艦次第施行
矣續據分司孫制參備總統湯華申射陽湖通江港
汊豈止三二十處惟最緊河闊水深冬月不涸者七
處一曰口岸卽柴墟是也二曰過船港卽泰興港是
也三曰新河卽魏村相對是也四曰渫港卽馬馱沙
相對是也五曰石莊河六曰天賜港七曰通州新河
幷舊來泰興縣一城每遇潮生通徹城下或有哨來

爲其占據返爲家基既不可守只當攤平如釘塞港汊只可暫爲間隔我既可塞彼亦可開兼釘塞港口徒費民力須當於發源淺狹要路去處如蘆蓆橋下左側六七里用工填塞更填流復溪橋下及將秦與舊城土攤平填本縣西北門河直至周橋以斷秦與過船港新河漾港三口子來路等處本職再詳湯知郡所申得於足歷目擊之審極爲詳盡於江防事最有關係然地分既隸淮東鎮江節制司豈敢越境而問若非於源頭下手關防直待其侵逼江面與之相

持則彼我之勢懸絶客主之權遂分力倍事難居然可見兼射陽既迫漣水賊騎向後出没不常其中百姓一閧哨警必是各隨所通港汊遷避渡江民導其前賊乘其後倉猝之際着手不及乘間窺伺豈不可憂此事合從　朝廷下之淮東制司着緊措置關防當於緊要來路淺狹源頭塡塞使支港别汊不可得而通及將泰興舊城攤平使倏去忽來不可得而據然後用防江兵船移實以備虛那緩以圖急可合者則合可分則分又將三流之兵循江上下聯絡氣勢

令首尾相應如常虵勢彼此救援然後江面方為牢
實緩急之際委可倚仗允為江防之幸本職除已就
諸隘點視却將數布兵船斟酌緊慢別行擺泊防拓
續容開申外候指揮所據狀申事理備錄在前本司
照得參議官孫料院備湯知郡所申奏興縣一帶出
江港汊合於近裏措置關防其說利害甚明合行備
申　朝廷乞賜劄下兩淮制置使司照應施行尋準
劄付沿江制置大使司照應已劄兩淮制置使司照
所申差官點視速作措置具已施行狀申　樞密院

并劄鎮江府節制司一體施行○**馬光祖築宜城以固上流**宜城者鴈汊對岸一要害處吳魏相拒時嘗設疑城於此其後方言訛疑爲宜字義宜善於疑姑襲稱宜城其地山從北來分爲七枝中短而外長自西南以及于東則大江環遶其東北隅則有叚塘湖水爲之限惟北當備而有大小青龍山可以屯兵而設伏形勢如此而古今屢城不克者蓋亦有說北隅山高而大城欲包之則不可城於山趾則外高於內非城之利況山骨在此地不可塹故昔人能爲疑城

而不能城也以二十餘年間事體言之不可不城者有三說大江以北自黄州而下和州而上中間無一城壘以爲限隔城戍於此則自黄而和之間聲援易接利一也石簰菩薩石之間江面最狹正在宜城之下曩洶洶時諜知虜謀欲窺此途有城於此戍兵爲守則虜有所憚而不敢睥睨利二也自舊安慶府荒榛之後寓治楊柴洲上鴻鴈飛鳴無城郭可恃舊城既未可修復此地去寓治不遠有險可恃徙民爲便利三也不可不城者其利三不可以城其害一此自

戊戌以來議而輒沮城而輒止蓋知其利而未知所以避其害也已未庚申之間制臣馬光祖往還江上嘗艤舟而視其地語客曰舊日楊義所築城基北臨張家港之濱客山高而下視之宜其不克城也城外卽是山脚宜其不能壍也曷不縮其城而小之移入主山之上蓋北隅有張家港水通大江秋冬則涸客山在港之北而近主山在港之南而稍遠因主山而爲城則視昔爲狹然城因山則用力省狹則守之易城在山上則內高而外低險在我矣向所謂客山高

而下瞰吾城者不足慮也遠北山之趾而爲濠則向
所謂石不可塹者亦可避也察其故而未敢決其事
會宰臣歸闕舟過其下審其形勢察其利害果不可
以不城一見決矣與制閫合入告于　上詔光祖城
之速其成靡緡錢一千餘萬米十萬餘石築城周十
有三里高二丈八尺趾廣七尺項半之城門凡七上
皆爲樓羊馬墻一千二百六十二丈濠長一千四百
三十五丈而與江湖接姚將精兵堅甲利器戍守其
中遂爲江上一巨屏有　詔獎諭進光祖光祿大夫

任其事者自郡守而下賞有差詳見詔令錄及侯牧表〇制幕官所作安慶府新城志尤詳

創寧江新軍 景定四年制使姚公希得任內準朝廷行下沿江建屯招軍防捍務使聲勢連屬其分屯建寨招軍置將優待犒給撥付軍器衣甲各有條畫

分屯建寨 建康太平池三郡江面計一千七十一里共建大小二十九屯建康八屯曰**下蜀**曰**馬家步**曰**沙河**曰**龍橋**曰**玉沙**曰**新開河**曰[illegible]

三山曰汪蔡港太平七屯曰濮家封曰褐山曰采石磯曰白泥浦曰上三山曰板子磯曰[illegible]莊池州十四屯曰菖蒲山曰大通曰梅根曰[illegible]港曰戚家溝曰李王河曰寶賽磯　黃石磯曰吉陽洑曰祝家磯曰烏石磯曰香口曰雙山三郡諸屯共創到寨屋一萬一千九十五間本府一千七百間太平四千四百間池州四千八百間準　朝廷科下十八界六十萬每間科四十貫共支過科下錢四十四萬三千八百貫外餘

錢續建各屯制領將佐衙屋本府一百三十間太平一百四十六間池州一百九十五間內本府寨屋每間貼助十八界二十貫計支過三萬四千貫十八界將佐衙屋不計爲諸寨內有坐落低窊去處別議合併移改

招刺寧江軍 寧江前後軍額六千二百人馬公光祖刷具闕額凡一千一百七十[redacted]差將校分頭招募每一名支等下錢三百貫七事件軍裝一副截至咸淳元年十一月終共招到一千

三百七八

教習寧江軍及東併軍分　初寧江分屯二十有九然少者僅數十人爲一屯非所以聯隊伍壯氣勢也馬公光祖將前後兩軍東併前軍二千六百九十一人併爲八寨後軍二千六百三十六人併爲七寨每五百人置正副準備將不及五百人置正副將然後稍成將隊各有統紀又因廵江親至諸屯閲習武藝士皆新募挽弓蹶弩鮮能應格遂遴選江淮精兵發下各屯夾持

訓習不時委官賫錢銀激犒射射擴槍行之稍久人漸精熟今秋虜閫濡舒諸屯旗幟鮮明砲坐森列步騎出入金鼓喧轟其習熟波濤者又操舟往來上連下接虜隔江覘其有備乃遁去

賞格 紅心箭一隻支錢五貫文帖箭一隻支錢三貫文垜箭一隻支錢一貫文槍手每擴三百擴支錢兩貫文又各屯支銀椀一箇一名射中獨得二名以上均給累給十六中以上補訓練官

招軍買將 準　朝省指揮將建康太平池三郡闕額六千二百八十八人以寧江新軍爲額每人

科下身子軍裝等錢十八界一百貫共科到六十萬遂差官分往諸郡招募本司招到四千五百一十五人太平州招到八百五十八人池州招到九百一十五人爲數已足總支過六十二萬八千貫十八界建康八屯泒撥九百二十人太平七屯泒撥二千三百六十人池州十四屯泒撥三千人建康太平一十五屯爲寧江前軍池州一十四屯爲寧江後軍各軍置統制兼總制一員統領二員正副將各三員準備將六員

優待將士 制領將佐本身請給外本司務從優厚差兼帳前職事添犒月給成年該支錢三萬四百八十貫舊楮米四百四十四石酒一千六百三十二瓶各有等差其發遣新軍着屯自制領將佐以至官兵等第支犒共支錢肆萬五千二百二十五貫其各屯器具動用悉與辦集如床薦席鍋盆桶一萬三千五百六十四件計錢一十六萬八千七百二十九貫有奇其單身入刱給冬衣白布綿襖三千領該錢一十八萬三

千三十八貫又造到旗幟大小三千一百七十面前後軍各給其半為費五萬八千八百八十七貫有奇又置惠軍典本一十二萬八千貫應副諸軍急缺質當不許收息雜賣本錢六萬四千貫以便諸軍食用不許取利又置碓臼一百四十副分撥諸屯以便舂伐以至聘娶教閱冬年節支犒及紙劄捉逃菜種等雜費錢通約計三十一萬一千七百二十貫又新軍入營之後多有不伏水土病患者與之修合藥餌支撥錢

米木炭等選擇醫人優支月給節次差官提點醫治又慮奉行未至分委幕屬同醫人將帶生熟藥白米等前去諸屯家至戶到點視醫療通支錢二萬九千六百八十七貫有奇米一百二十七石六斗炭三千五百斤其新軍老小住居各州縣者支給路費移文各處取發至司遣赴屯所又各支安家路劵等錢及不時差官吏往諸屯點檢撫勞一應劵食雜支截日通用過十六萬二千餘貫又恐諸兵着寨未久時加優䘏

差官逐屯支犒共支過錢六萬六千餘貫舊凡百加意靡不備至焉

給軍器衣甲付各屯椿管以備使用

角弓九百四十二張　弩六百二十八件

槍一千五百七十條　弓箭四萬七千一百隻

弓鞆韊九百四十二箇　弓弦九百四十二條

弩箭六萬二千八百隻　腰刀二千五百一十二把

弩鞆韊六百二十八箇　手斧六百二十八把

金一十八面　鼓四十六面

剗車弩三十三坐　甲一千二百五十六副

胖襖一千八百八十四領　綿裙一千八百八十四腰

衲襖三千一百四十領　衲裙三千一百四十領

已上共發過一十三萬九十四件內除朝廷科下殿司鐵甲襖裙五千九十六件并建康府胖襖綿裙一千八百八十七件太平州軍器一萬八千五百七十二件外餘從本司庫支

制使姚公希得任內剏買戰馬

沿江守備雖以舟楫爲要然上流萬一有警牽

泝㳂遲非得精騎疾馳巡連江面又恐坐失事

機舊來此地號爲多馬考之尺籍戎司以數千計馬司以萬計近來減耗百無二三邊備所關豈容偏廢於是撥壹百萬貫專委都統趙紀祥收買戰馬以備調用自景定三年節次收買及解綑之日共買到三百一十四匹餘緡椿之司存接續收買

創建馬寨 有馬無屋寒暑非便景定五年制使姚公希得解綑有日又與措置度地建寨以便牧養據所委官申武定橋東堤岸頭可爲寨地遂差

壕寨計料創屋八百五十間約費四十五萬二百六十餘緡舊楮米八百一十五石柴五千餘束擇用四月初三日興工動土間續據白劄條陳寨基卑濕不便欲於北門寨駱駞寨兩處舊基擇其穩便者緣新政將至倉卒未容改作又慮移改增費遂再刷一十萬通前共楮五十五萬并柴米等一面燒造磚瓦置辦材料責付所差提點受給官范勝等任責椿管仍備申 朝廷乞劄下新制使照應承續區處高平寨地起

蓋庶幾經久云

先鋒馬併建寨 先鋒軍馬舊管止八十一疋姚公希得及馬公光祖任內買到三百七十六疋通前共四百五十七疋初議建寨以便牧養而難其地景定五年夏四月定卜于南門外沙井頭面勢寬平水草饒美以是月二十五日經始至九月二十四日畢工爲屋八百七十八間官廨神廟門樓點亭一一備具續以人馬數增又益屋一百二十六間

寨記 南方倚舟師爲長技北人事鞍馬利馳突南不言騎北不言舟師非習也雖然用我

之長兼彼之長彼以其偏我以其全何戰不克何守不固哉中興　六飛南渡駐驆全吳天險在前利在舟楫然是時命吳璘通馬于西胡舜陟市驗于廣至紹興間李世輔以馬司精銳一日馳安豐會采石屢逆亮而斃之其兼用所長之劾如此昇左臂淮右吭浙首枕荊蜀水陸上下之會武備宜畢精制司舊有先鋒馬軍歷祗久圍牧廢存者不什一余奉　命留鑰始至百廢如蝟毛念未及茲再至則計宿儲考初籍欲舉而未遂橘洲姚公實來方搏度費務而余又三至矣先是姚公命都統趙紀祥示馬得三百一十四匹不敢墮公志乃益選斯臧皁廐牡因慨聚之之難則庬而牧之其可易遂度地南門之外日沙井者平坡曼衍水草豐沃河滸近則汰之易芻茭便則飼之勤迺召匠經始程土物量事朔計徒庸主費有司護作有校役始於景定甲子閏月至咸淳乙丑正月成列楹一千有四廉緡錢一十一萬五千有奇米八百二十三

石有奇費一出於制帑役成舁人不知因念隆
興乾道間張虞二公志在規恢士馬精壯馬司
移屯自茲始也余老矣方將爲伏櫪想何敢望
二公然力不足意有餘懔懔尚此一日留尚當殫
一日力年多務廣絡求敺足余意而亦以成姚
公欲爲未竟之志焉異時馳勁騎三千蹀血虜
庭不肯以天限南北一語挂牙輔知必有不負
余志者姑識諸石以俟觀文殿學士金紫光祿
大夫沿江制置大使兼知建康軍府事兼管內
勸農營田使兼江南東路安撫大使馬步軍都
總管兼○行宮留守節制和州無爲軍安慶府
三郡屯田使兼權淮西總領金華郡開國公食
邑四千一百戶食實封捌伯戶馬光祖記并書
朝奉大夫祕閣修撰江南東路計度轉運副使
兼本路勸農使借
紫趙孟傳篆蓋

買寧江軍戰馬景定五年九月馬公光祖準

省劄行下每寧江軍一千人以二百人爲騎軍前後兩軍共合辦馬一千二百五十六疋江南非産馬之地措置收買爲力倍難所得之馬皆擇其齒嫩格高者鞍轡槽具色色齊備分派諸屯使善騎者訓習弓矢矛矟各有執藝今餘半年馳驟施放大略可觀緩急足爲戰禦之備

寧江前軍六百二十八疋第一將沙河寨一百單四疋第二將韓橋寨三十六疋下三山寨三十六疋第三將褐山寨八十疋第四將烏石港寨八十三疋第五將上三山寨九十一疋第六將板子磯寨一百疋第七將周家莊寨九十八疋寧江後軍六百二十八疋第一將菖蒲山寨八十疋第二將梅根寨一百疋第三將戚家溝寨八十疋第四將李

王河寨一百五十八疋第五將吉陽伏寨六十四疋第六將烏石磯寨八十三疋第七將香口寨六十三疋

景定建康志卷之三十八

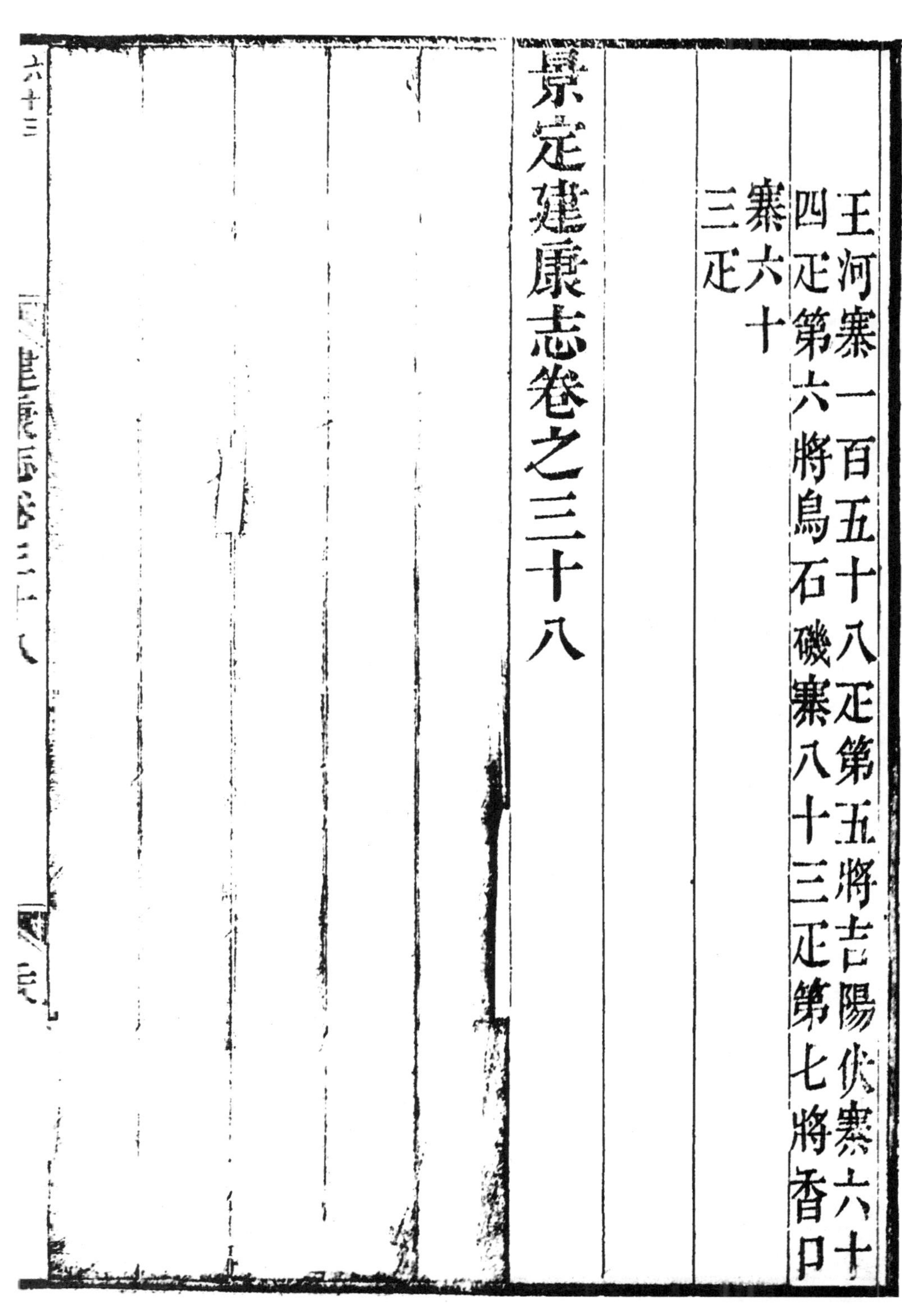

景定建康志卷三十八

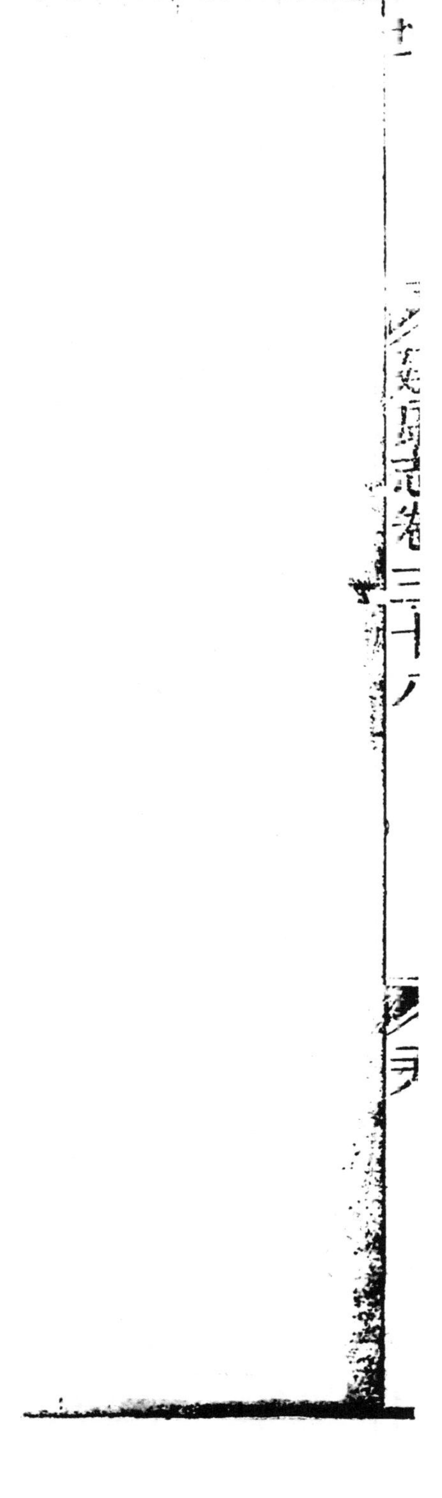